W9-DCA-415

Oscar narrativa

Italiana

Antologia dei nuovi narratori

Arnoldo Mondadori Editore

© 1991 Arnoldo Mondadori Editore S.p.A., Milano

I edizione Oscar febbraio 1991
I edizione Oscar narrativa maggio 1996

ISBN 88-04-41484-7

Questo volume è stato stampato
presso Arnoldo Mondadori Editore S.p.A.
Stabilimento Nuova Stampa – Cles (TN)
Stampato in Italia – Printed in Italy

Italiana venne pubblicata nel febbraio 1991, in edizione fuori commercio, per accompagnare l'annuale campagna promozionale degli Oscar. L'antologia ebbe fortuna ma, ad esaurimento della tiratura promozionale, rimase introvabile. Citata nei panorami della narrativa italiana dell'ultimo decennio, la sua ristampa è stata più volte e da più parti richiesta. La ristampiamo volentieri, riproponendo gli stessi autori e racconti della prima edizione, a eccezione del racconto di Erri De Luca, che ha desiderato sostituirlo con quello attuale. Le note biografiche sono state aggiornate. I curatori non hanno invece ritenuto necessario riscrivere la nota introduttiva in quanto rispecchia ancora oggi lo spirito e le intenzioni per cui *Italiana* vide la luce.

Di solito, un'antologia risponde a una logica. Il curatore di un'antologia si trova davanti a una serie di scelte: di tema, di autori, di movimenti o periodi letterari da illustrare, dimostrare, o perfino da inventare.

Più ci si avvicina alla contemporaneità, più i criteri delle scelte si fanno opinabili. E diventa inevitabile l'invito implicito, sempre sollecitamente accolto dai soliti curiosi, a mettersi in caccia dei nomi che ci sono e di quelli che non ci sono.

Questo libro è un caso diverso. Qui non c'è ancora una storia, un percorso già disegnato da confermare o da ribaltare, anche se, alla lettura, ci sembra emergere un profilo, fino ad oggi frammentato, e qui sorprendentemente nitido, della nuova narrativa italiana e del suo ormai inconfondibile modo di interpretare e raccontare una realtà sempre meno reale.

Abbiamo preferito raccogliere una serie di racconti quasi tutti inediti per offrire, come è tradizione degli Oscar, a un pubblico più vasto possibile un panorama, un'idea della "giovane" narrativa italiana contemporanea. E già ci scontriamo col primo dei tre ostacoli che abbiamo dovuto affrontare.

La definizione di "giovani scrittori", usata più o meno a partire dalla metà degli anni ottanta (ma anche prima) per raggruppare una serie di esperienze molto diverse, non è mai piaciuta ai "giovani" scrittori. E anche se le etichette prima o poi si finisce con l'accettarle, per abitudine, per rassegnazione o per noia, l'interrogativo è destinato a rimanere: ma fino a quando si è giovani?

Il secondo ostacolo è stato di natura pratica: quando si organizza un'antologia di questo genere, con materiale "fresco", bisogna alzare il telefono, parlare con lo scrittore, cercare di convincerlo, rassicurarlo sull'uso che si farà della sua opera e dargli una data di consegna. Ora, c'è anche chi vorrebbe partecipare, ma è o sarà in viaggio, ha appena consegnato un romanzo ed è esausto, oppure non farebbe in tempo a scrivere per la data prevista.

Il terzo ostacolo ricade tutto sulle spalle dei curatori. È sicuro, in base a un puro e semplice calcolo di probabilità, che più di un autore, che magari sta lavorando da tempo senza aver ancora pubblicato, oppure è già stato degnamente stampato e noi non ce ne siamo accorti, diventerà forse uno dei protagonisti della letteratura di questi anni senza che la presente antologia registri il suo nome e un esempio della sua scrittura.

Miopie, distrazioni, impedimenti e ignoranza minacciano da sempre il nostro lavoro, ma a dispetto di tutte le lacune, l'importante è che i libri abbiano un cuore e uno scopo, e il fine di que-

st'antologia è chiaro: siamo convinti che leggere i nuovi scrittori italiani significhi aiutarsi a capire meglio il nostro Paese, la nostra realtà e il nostro immaginario, ciò che noi siamo, di che cosa son fatti i nostri incubi e i nostri sogni. Lo scopo sarà raggiunto se qualche lettore si sentirà invogliato a leggere altre opere degli autori qui rappresentati o a dimostrare sensibilità e attenzione verso coloro che qui non ci sono e verso chi comincerà domani.

Ferruccio Parazzoli
Antonio Franchini

febbraio 1991

ITALIANA

ITALIANA

EDOARDO ALBINATI

Il bambino scettico

Era l'anno in cui l'uomo sbarcò sulla Luna per la prima volta, ma l'estate passò egualmente veloce, malgrado quella notte tutte le figure in televisione saltellassero sulla crosta lunare al rallentatore. Le lancette degli orologi rimasero incerte per un istante, esitarono, vibrarono nere sul quadrante bianco, l'avvenimento sembrava averle inchiodate, poi ricominciarono a correre come al solito. Secondi, minuti, ore, giorni, settimane. L'estate sparì chissà dove lasciando negli occhi la scia di quei lenti e sfocati rimbalzi. Venne la scuola, anzi tornò col suo carico di libri e di grembiuli ogni anno più pesanti e ogni anno più ruvidi, e poi subito a ruota venne il Natale. Natale! Che periodo bastardo! Era come se il riscaldamento delle case aumentasse all'improvviso, fino al soffocamento. La scuola chiudeva, la piscina chiudeva, i parenti impazzivano per preparare un pasto che sarebbe risultato interminabile e disgustoso, tutto funghetti e creme amare, pappette e strani pesci viscidi, si spendeva a vanvera un sacco di soldi per comprare la carta stellata e sostituire le palle rotte dell'albero e i pastori del presepe appena tirati fuori dall'armadio

11

dove avevano dormito per un anno (si erano rotti da soli nella scatola, in mezzo alla paglia e al cotone, chissà come, misteriosamente decapitati o mutilati di una gamba, o privati della pecora che portavano sulle spalle, di cui restavano solo le zampe bianche intorno al collo del pastore, il resto in briciole sul fondo della scatola), si correva di qua e di là, Pietro allora veniva sballottato in giro per negozi, appeso a un lembo del soprabito di sua madre, interi pomeriggi nella calca, pomeriggi eterni tutti occupati da azioni meccaniche, mosse e contromosse volte a combattere ora il caldo ora il freddo, la pioggia, il fango, il moccio, la tosse, e allora via! mettere il cappotto e la sciarpa, infilare il berretto e abbassare sulle orecchie il paraorecchi di lana, rialzarlo quando le orecchie bollivano, per poi riabbassarlo sulle orecchie paonazze e congelate, sciogliere il nodo soffocante della sciarpa al supermercato, raccattare il berretto caduto sotto i tacchi di una signora, recuperare la sciarpa strascicata nella segatura fradicia, sfilare le calosce dentro cui i piedi stavano lessando, e abbottona qui, sbottona lì, sfila, calza, allaccia, e via così, dentro e fuori, fuori e dentro, bollori e gelo e pioggia e guanti e pacchi e cappucci fino al giorno di Natale. A Giacomo e Gretchen che erano più piccoli di Pietro (tre fratellini scalati con regolarità, Pietro otto, Giacomo cinque e mezzo, la piccola Gretchen tre anni appena fatti), ai più piccoli veniva risparmiato quel vagabondaggio nelle anguste tenebre del pomeriggio, soltanto Pietro era designato a seguire la mamma, mentre loro, i piccolini, se ne restavano a casa a giocare con la tata, una ragazza tedesca cattiva e libidinosa, ma Pietro non invidiava affatto Gretchen e Giacomo poiché aveva capito già da un pezzo che la tata era cattiva e non pensava affatto a loro bambini ma stava a rimuginare sempre nella testa gli uomini incontrati al parco e specialmente quelli bruni e bassi e un po' zozzi, non si levava neanche per un minuto dalla testa il pensiero di quegli spazzini, o di quei militari, o di quei giovani pizzicaroli, o di quegli stradini con le mani sudicie e la gobba, tanto che una volta addirittura Gretchen se la fece sotto al parco e malgrado si lamentasse e camminasse goffamente nell'erba con le gambette larghe, e Pietro tirasse la tata per la manica del loden con tutte le sue forze, strillando che Gretchen si era sporcata, lei non la cambiò, fece finta di niente, ignorò la bambina, perduta com'era a osservare un uomo che portava sulle spalle un sacco, non degnò la povera Gretchen di uno sguardo e poiché la piccola continuava a lagnarsi e ad arrancarle penosamente intorno con i pantaloncini zuppi e persino i mocassini e le calze zuppe di piscia alla fine la tata la tirò bruscamente per un braccio, le diede degli scrolloni finché Gretchen scoppiò a piangere. Gretchen aveva pianto e si era dimenata per un'ora ma poi a casa tutti si erano dimenticati alla svelta dell'accaduto, Gretchen era stata spogliata nuda nel letto e al risveglio dopo il sonnellino era più allegra e gioconda di prima, a Giacomo la tata aveva fatto trangugiare due fette di pane col miele e lui se le era ingoiate zitto senza fiatare, guardando in TV le avventure di Willy il coyote, in quanto a Pietro soltanto lui conservò il ricordo dell'accaduto, un ricordo preciso e indelebile, tornato a casa si era messo a disegnare furiosamente, e disegnò fogli su fogli fino all'ora di cena, su un foglio un bambino magro dalle gambe verdi, su un altro foglio gli astronauti, su un terzo foglio dei mostri, e poi mostri, astronauti e bambini fino a spezzare la punta di tutte le matite prima che venisse l'ora di cena, anche se in realtà Pietro pensava ad altro, era impegnato furiosamente a ricordare. Come al solito Pietro disegnava il profilo di vecchi aeroplani italiani. Dieci o venti aeroplani per foglio. A seconda della grandezza del primo che disegnava venivano di conseguenza gli altri. Pietro aveva imparato a riprodurre perfettamente il profilo del Savoia Marchetti e dell'idrovolante Macchi ricalcandoli la prima volta da una pagina dell'enciclopedia e replicandoli infinite volte aveva raggiunto una perfetta padronanza della forma e infatti disegnava la snella fusoliera del Macchi (quello del record, del record di velocità) quasi a occhi chiusi, e spesso scriveva vicino all'areoplano la cifra esatta del record, 709, tale era stata la velocità fantastica dell'idro Macchi in chilometri orari, o scrivendo quella magica cifra sulla coda dell'Aermacchi o sugli snelli galleggianti, e quasi a ochi chiusi era capace di schizzare il muso tozzo e un po' ridicolo, simile a un muso di cane, del Savoia Marchetti, e a partire dal muso-di-cane anche l'abitacolo, le ali, la coda e tutto il resto di quell'apparecchio che confrontato allo Stuka e al Messerschmitt, allo Spitfire e al Mustang, o al terribile Zero giapponese faceva un po' ridere anche se proprio per questa ragione gli stava simpatico. Ma quel pomeriggio dopo la passeggiata al parco con la tata non disegnò aeroplani ma soprattutto bambini e mostri e qualche sparuto astronauta che piantava una bandiera americana sulla superficie della luna crostosa come una fetta di pane vecchio. A dire la verità era da poco che disegnava la luna in quel modo, fino all'estate precedente essa appariva nei disegni di Pietro in alto a destra o a sinistra, all'angolo, sola soletta (la luna) galleggiante in un cielo che Pietro si stancava presto di colorare e che quindi restava mezzo bianco, e tra quelle chiazze di bianco e di azzurro cupo tutto strisciato dagli irti zigzag della Caran d'Ache la luna era una piccola falce giallognola con tanto di naso, bocca, occhi, qualche volta una pipa rovesciata (chissà perché rovesciata e non dritta) tra le labbra sorridenti e una specie di berretta da notte in cima al corno con un ponpon che andava a penzolargli proprio sul naso, sul profilo ironico. Il naso della luna Pietro lo colorava rosso da ubriaco. Poi da un giorno all'altro la luna divenne per Pietro e per tutti quell'affare bucherellato e crostoloso che sappiamo, lo divenne per sempre, o almeno così è stato fino a oggi, si può supporre che la luna sia rimasta così nella mente di Pietro fino a oggi che Pietro sta per compiere trent'anni, e probabilmente non disegna più niente, non disegna affatto, probabilmente non disegna mai altro che nervose spirali sul blocchetto degli appunti accanto al telefono, in ufficio, (se mai ha un ufficio), coi pennarelli (in ogni ufficio ci sono pennarelli che spuntano da cilindretti di metallo sulle scrivanie), parlando intanto al telefono, ma nel caso gli venisse voglia di disegnare la luna chissà come la disegnerebbe, chissà se invece della squallida spianata grigia piena di buchi gli verrebbe di nuovo quel profilo arguto con naso, occhietti, pipa (rovesciata) e mento aguzzo. E magari la papalina sul corno. Non è escluso. Nessuno lo sa per certo, nessuno sa niente di Pietro, nessuno sa dove sia oggi, cosa faccia, nessuno sa come si chiami. Nemmeno lui sapeva a quell'epoca (aveva otto anni) che la sua tata era cattiva, lo intuiva o forse lo capiva senza averne però una chiara coscienza, avrebbe dovuto aspettare altri dieci anni (o forse undici?) per saperne di più, dieci o undici anni più tardi quando sua madre scriverà una lunga lettera melodrammatica a un giornale raccontando il suo fallimento familiare, incolpando soprattutto sé ma anche tutti quelli che avevano partecipato all'educazione di Pietro di una serie di errori, omissioni, incomprensioni, sbagli fatali che potevano aver deviato il carattere del ragazzo fino a fargli commettere atti tanto gravi, lettera che all'inizio diede molto fastidio a Pietro, lo mandò in bestia, soprattutto lo scandalizzò la mancanza di pudore di sua madre nel rivelare risvolti tanto intimi della sua vita e tutto per giustificare un'azione, la sua di Pietro e quella dei suoi compagni, che era impersonale e politica, per così dire, politicamente oggettiva, lo ferì soprattutto l'atteggiamento della madre di considerarlo alla stregua di un bambino che va comunque capito e giustificato (ma i bambini, questo non ci dovrebbe essere nemmeno il bisogno di dirlo, non sparano ai magistrati), come se Pietro avesse avuto in mano una pistola-giocattolo, come se il ragazzo-tuttora-bambino avesse sparato un proiettile di gomma e rotto un vaso di cristallo (e non la nuca del magistrato già morente per i colpi ricevuti dai compagni di Pietro). Questo subdolo appello all'infanzia Pietro l'aveva trovato falso e rivoltante al punto che anche i riferimenti alla ragazza tedesca nella lettera e le rivelazioni sul comportamento osceno e violento di lei, malgrado confermassero l'infantile diffidenza che Pietro aveva sempre nutrito nei confronti della ragazza, lo lasciarono di stucco. La madre di Pietro nella sua lettera raccontava con dovizia di dettagli alcuni episodi che Pietro, con qualche sforzo, riuscì a ricordarsi (allora era in cella di isolamento, ci restò quattro mesi, ne ebbe di tempo quanto ne voleva per ricordare, per concentrarsi, per leggere e rileggere e quasi imparare a memoria quelle due pagine di giornale che una guardia gli aveva passato di nascosto violando le consegne del rigore), ma questo aumentava ancor di più la sua rabbia, proprio la stessa rabbia del bambino che non viene preso sul serio e non riesce a capire quello che succede o lo capisce solo oscuramente, lo sente, soffre di quel che accade senza rimedio, poiché già all'età di otto anni Pietro non tollerava di essere tenuto all'oscuro, odiava l'ingiustizia degli adulti, la loro stupida astuzia, quel loro continuo camuffamento, quella mascherata per cui ai bambini veniva rubato, sottratto, nascosto ogni avvenimento importante, quello stesso mascheramento per cui dieci anni più tardi (con Pietro in carcere, l'Italia insanguinata, i generali allertati, i fucili carichi) sua madre si sarebbe permessa con incredibile disinvoltura di rivangare nel passato, nei rapporti tra una bambinaia di Lipsia e un bambino di otto anni per spiegare un omicidio politico, o piuttosto come dicevano a quell'epoca i compagni di Pietro e Pietro stesso, un atto estremo di giustizia rivoluzionaria. Che trionfo d'ipocrisia quella lettera, pensava Pietro, tutta infarcita di compiacimento borghese per i propri errori (la madre tirava in ballo il divorzio, la difficoltà di crescere tre figli e contemporaneamente mantenere un lavoro autonomo, certi principi permissivi, i tempi, la società, un'idea vaga di giustizia sociale, insomma aveva, secondo Pietro, miscelato un abile cocktail di autocritica e lamenti progressisti), che poi sotto sotto, pensava Pietro, a grattare la superficie, veniva fuori il solito scaricabarile di responsabilità magari sulle spalle di una ragazza straniera un po' sbandata, o sulla scuola, sugli insegnanti, insomma come al solito sui subalterni, cosa che del resto non stupiva Pietro anzi lo convinceva sempre di più di aver visto giusto nella sua scelta di lottare contro una classe così degenerata da non essere capace di spiegare i suoi stessi rivolgimenti, i suoi morti ammazzati, il sangue e tutto il resto altro che con morbose ricostruzioni psicologiche. È molto comodo, pensava Pietro in carcere, farci passare per dei casi di psicopatologia, è strutturale a questo assetto sociale spacciare per pazzo chiunque osi ribellarsi contro di esso, pensava Pietro seduto al centro del quadrato umido della cella d'isolamento, dondolandosi, dondolandosi come una scimmia, e non importa se questa presunta follia o devianza venga o meno usata come un'attenuante, pensava sempre Pietro, dondolandosi, come sta tentando di fare mia madre con la sua maledetta lettera. È la stessa menzogna sia che la rigiri da destra a sinistra o da sinistra a destra. Una povera, squallida, tipica, sporca menzogna. Anche se bisogna aggiungere che poi quella lettera fu molto utile a Pietro, quando Pietro dopo un anno circa di carcere si deciderà a collaborare, stanco, stufo, stremato, ridotto pelle e ossa dall'isolamento e mezzo ammattito dalla paura, comincerà a spifferare tutto, nomi, luoghi, date, e quella lettera tornerà immensamente utile nelle fasi processuali, anche perché era scritta meravigliosamente bene (la madre di Pietro, malgrado l'italiano non fosse la sua lingua madre, era una meravigliosa scrittrice, delicata, addolorata, sincera, persuasiva) e in effetti fece venire i brividi nella schiena a tutti quanti la lessero e soprattutto a chi tra i quaranta e i cinquant'anni si trovava allora (nel 1979, o forse nel 1980?) ad avere figli più o meno coetanei di Pietro e dunque a temere di aver commesso nei loro confronti gli stessi errori, gli stessi terribili sbagli indicati dalla madre di Pietro, molti si commossero per la drammatica franchezza di quella mamma addolorata, alcuni anche si adirarono, come si era adirato lo stesso Pietro seppure per motivi opposti, ci furono parole di fuoco contro la lettera che fu chiamata una «brodaglia di luoghi comuni giustificazionisti», fu definita «un'ammissione di colpa doppiamente colpevole» e via dicendo, la lettera fu a lungo discussa nelle pagine che i giornali dedicano alla cosiddetta opinione pubblica, lettere di risposta, pareri di esperti, proteste, elenchi di firme solidali alla madre coraggiosa, ironie, lacrime, insulti, apparve persino una vignetta molto mal disegnata dove una mamma preparava la merenda a un ragazzino in grembiule mettendogli dentro al paniere anche una grossa pistola a tamburo, infine gli avvocati lavorarono sodo sulla falsariga di quella confessione esemplare (oltreché, naturalmente, sulla confessione piena resa da Pietro, che vi aveva profuso tutta la sua buona memoria, la sua puntigliosità e la sua naturale sincerità, enumerando luoghi, date, nomi e cognomi dei compagni), si può dire che anch'essi lavorarono con finezza psicologica, come nemmeno un romanziere della fine del secolo scorso sarebbe stato capace di fare, in modo da convincere il giudice e la giuria che Pietro, profondamente condizionato dall'ambiente in cui era cresciuto e dall'atmosfera puritana e moralista che vi circolava, era giunto a compiere il delitto per motivi di ordine ideale, sia pure, naturalmente, malintesi, e che persino il suo ruolo specifico nell'azione criminosa (il colpo inferto a bruciapelo alla nuca del magistrato che giaceva agonizzante mezzo dentro e mezzo fuori dalla 124 Fiat parcheggiata di fronte a casa sua, poiché solo quel colpo, e non gli altri nove andati a segno sul corpo del magistrato, sparati effettivamente da una mitraglietta e non da una pistola, fu attribuito in seguito agli accertamenti balistici proprio alla pistola di Pietro) denotava un intento paradossalmente umanitario: mettere fine alle sofferenze della vittima. E riuscirono infatti a convincerli. Fu un ottimo lavoro, anzi un vero capolavoro, un trionfo della difesa, eppure accadde che proprio la sera della sentenza uno degli avvocati tornò a casa, si preparò la cena e cenò solo poiché il resto della famiglia era in gita in montagna, guardò alcuni programmi televisivi e intorno alla mezzanotte, a quanto risulta dai referti medici, si impiccò con la cinghia dei pantaloni alla sbarra di metallo che il figlio maggiore usava per gli esercizi di ginnastica, ma si disse e si scrisse che questo aveva poco a che fare col processo appena concluso. Meno convinto degli stessi giurati e, naturalmente, dei suoi avvocati (che si formano le loro convinzioni a partire dalle necessità e ad esse credono, almeno formalmente, con tutto il loro peso professionale, salvo voler considerare il caso del suicida come una prova del contrario) fu proprio Pietro, non era convinto nemmeno che gli episodi narrati da sua madre nella famosa lettera si fossero poi svolti esattamente come lei li raccontava, ad esempio la storia delle lenzuola stracciate (uno degli episodi-chiave della lettera, su cui la madre di Pietro aveva particolarmente puntato per mostrare lo spirito altruista che aveva animato suo figlio fin da bambino), Pietro se la ricordava diversamente, quelle lenzuola a brandelli gli erano rimaste bene impresse nella mente ma gli sembrava in effetti di averle fatte a pezzi lui insieme a Giacomo e precisamente con delle grosse forbici che penzolavano sopra l'acquaio in cucina, lui e il fratellino, si ricordava Pietro, dopo mangiato, si erano portati in camera loro un buon numero di lenzuola della madre e si erano pazientemente messi a distruggerle con le forbici o meglio a tagliarle a lunghe strisce e annodarle in modo da formare una specie di fune per evadere passando dal davanzale della finestra, come avevano visto fare in un telefilm, e non come stava scritto nella lettera al quotidiano, e cioè che era stata la ragazza tedesca a fare a pezzi le lenzuola presa da una rabbia incontenibile e da una strana gelosia, per poi accusare i bambini davanti alla loro mamma, che aveva perso la pazienza, e malgrado si fosse sempre vantata con i suoi amici di non aver bisogno di toccare i suoi figli nemmeno con un dito (e ancora un po' se ne vantava nella lettera) perché le botte, come si diceva a quei tempi, non servono a nulla e non insegnano nulla, in quell'occasione vedendo le sue lenzuola matrimoniali fatte a pezzi aveva perso il controllo e preso a schiaffi Pietro, quattro schiaffi pesanti sulla faccia del bambino il quale, diceva la lettera, se n'era rimasto zitto, anche se innocente, coi segni rossi delle dita che si espandevano sulle guance, fino a che la verità era venuta a galla alcuni mesi più tardi, molto dopo quel Natale triste e strano, era saltata fuori quando la bambinaia tedesca aveva confessato piangendo tutte le sue malefatte: che maltrattava di nascosto Gretchen, riempiendola di pizzicotti i cui segni violacei erano stati a lungo un rebus persino per il pediatra, che da due anni, cioè fin dal suo arrivo, odiava la madre di Pietro (forse perché erano tutt'e due tedesche) ed era terribilmente gelosa di lei, che aveva strappato le sue lenzuola più preziose e molte altre cose. Ma erano vere? Pietro s'interrogò a lungo su questo, seduto per terra a dondolarsi in cella d'isolamento. S'interrogò a lungo su quei dettagli del passato che egli stesso, comunque, rispetto alla sua presente condizione, considerava quisquilie ininfluenti, psicologismi. Erano cose vere? E se erano cose vere, come mai lui non se ne era accorto allora, da bambino? Pietro non riusciva a capacitarsene, era ferito nel suo orgoglio e nella sua perspicacia di bambino precoce. Possibile che non si fosse reso conto di quello che accadeva in casa sua? Essere bambini vuol dire dunque non capire, non sapere, non comprendere, essere definitivamente illusi su qualcosa. Ma se non se n'era accorto, come mai d'istinto aveva sempre diffidato di quella ragazzona di Lipsia, aveva sempre guardato oscillare la lunga coda di capelli quasi albini sulla schiena della ragazza tedesca, mentre lei era curva sul fasciatoio a cambiare Gretchen (a quanto pare, infierendo sulla bambina, e in effetti Gretchen piangeva e strillava senza smettere un istante), come mai aveva osservato quella coda simile a un serpente biondo agitarsi sulla larga schiena della tata, con un sentimento di sospetto misto a paura, mentre Gretchen, la piccola, continuava a strillare e a dibattersi? Pietro pensava e intanto si dondolava. Perché? Perché? Perché? Si dondolava tenendo le gambe conserte e i piedi stretti nelle mani, e pensava. Perché? Perché? Proprio come un bambino, proprio come quando era bambino, pensava. E perché, malgrado le crudeltà commesse e le bugie dette dalla tata, né Gretchen, né Giacomo, né lui stesso avevano mai detto nulla alla mamma, perché non si erano ribellati, perché, nonostante tutto, *avevano voluto tanto bene alla ragazza*? Perché il giorno in cui lei se n'era andata piangendo e singhiozzando come una demente anche loro tre bambini avevano pianto disperatamente e più di tutti piangeva proprio lui, Pietro, che era in fondo l'unico ad aver capito qualcosa del motivo di quella fuga, a intuire il segreto maligno che la ragazza tedesca si portava via dentro il valigione fatto scivolare giù per le scale? Ma questo avvenne dopo Natale, parecchio tempo dopo Natale. Quando i pastori erano tornati a nanna nella loro custodia, a polverizzarsi da soli nella scatola accanto alle palle e ai gomitoli di lampadine elettriche. Prima di quel Natale Pietro fu la fedele scorta della madre nelle compere e nei preparativi (furono riacquistate anche sei lenzuola matrimoniali con relative federe, per quanto, naturalmente, non di lino come quelle che erano andate distrutte nello strano incidente, le quali risalivano addirittura a prima che la madre di Pietro si sposasse, e al negoziante che voleva incartarle nella carta natalizia la madre di Pietro disse che non ce n'era bisogno dato che era un regalo che si faceva da sola, ma che purtroppo non aveva abbastanza soldi da spendere per il lino, sicché il negoziante risparmiò la carta e la parola "lino" rimase per molto tempo nella mente di Pietro come sinonimo di preziosità). Prima di quel Natale Pietro seguì fedelmente sua madre nelle uscite pomeridiane mentre i fratelli restavano a casa affidati alla bambinaia tedesca, e questa differenza inorgogliva Pietro, lo faceva sentire grande e maturo, mentre Giacomo e Gretchen rimanevano piccoli e incapaci, impigliati tra le gonne della bambinaia, come se fossero uccellini o cagnolini nati il giorno prima, ciechi e assonnati come cuccioli. Malgrado quei pomeriggi di commissioni fossero un incubo lui li affrontava pieno di orgoglio. Amava il momento in cui sua madre gli chiedeva di seguirlo, ignorando gli altri due. Aspettava quella domanda con impazienza, con frenesia, fin dall'ora del ritorno a casa dopo scuola, e quando sua madre finalmente, con la sua voce nasale e sempre un po' triste, soffiando fumo di sigaretta dalla bocca e dal naso, chiedeva a Pietro se aveva voglia di accompagnarla a far compere, o in lavanderia, dal tabaccaio, dal cartolaio, dal droghiere, lui saltava su mollando a metà qualche casa di cubetti di legno o di Lego e gli occhi gli brillavano, le labbra gli si colorivano di rosso, prendeva a calci la casa mezza costruita e la sfaceva sul pavimento in modo che né Giacomo né Gretchen potessero portare a termine il lavoro e correva a infilarsi il montgomery, mentre la madre cercava di frenare in qualche modo quest'improvvisa irruenza di Pietro e di finire almeno la sigaretta, lui dal guardaroba le portava il cappotto, la borsa, febbrile, i guanti di camoscio nero, perché non vedeva l'ora di essere in strada o nell'automobile, e lei riusciva a finire a stento di fumare l'ennesima sigaretta, infatti neanche un minuto dopo erano per strada a camminare infreddoliti oppure erano in macchina, una 600 beige o grigia che la madre guidava con una nuova sigaretta tra le dita mentre Pietro in ginocchio sul sedile di dietro guardava sfilare le luci nel lunotto, le luci dei lampioni delle vetrine e delle altre macchine, ma già dopo dieci minuti le luci e lo sfrecciare delle macchine più veloci della loro lo avevano stancato, la madre stava zitta e pensierosa e si voltava soltanto per fargli qualche carezza sbrigativa tra i capelli, dentro la 600 faceva freddo quanto fuori ed era freddo pure il contatto delle ginocchia nude sulla finta pelle del sedile di dietro, Pietro già era stufo di tutto ciò, era immediatamente stanco e pentito di tutto, e ci si metteva pure sua madre che all'improvviso pretendeva di parlare un po' in tedesco con lui, dai, parliamo un po', gli diceva, raccontami cosa hai fatto oggi a scuola (in tedesco), lei faceva così per spezzare il silenzio e così spezzare il filo dei pensieri sempre preoccupati, oppure accendeva il riscaldamento e la macchina si riempiva di un caldo puzzo di motore, già dopo dieci minuti Pietro non ne poteva più, e sarebbe voluto tornare di corsa a casa, pentito, a costruire case altissime di Lego e disegnare il Savoia Marchetti e l'idrovolante Macchi pieno di rabbia contro se stesso e pieno di delusione, ma a quel punto un solo pensiero lo animava, un dubbio lo eccitava, profondo e misterioso, lo rodeva dentro con la sua grande importanza e in cambio della risposta a quel suo dubbio Pietro era disposto a sobbarcarsi tutto, il freddo, il tedesco, la noia, la cicca penzolante tra le labbra di sua madre, il napalm (come la madre di Pietro ironicamente definiva l'impianto di riscaldamento della 600). Ma anche per il napalm dovranno passare molti anni, almeno dieci, prima che Pietro finalmente capisca il significato di quell'ironia, non ci aveva mai pensato per dieci anni, quando ad un tratto, in cella, chissà perché gli tornerà alla mente la 600 grigia o beige e il fatto che sua madre usasse quella strana parola, e tutto assumerà un senso nuovo per Pietro, facendolo scoppiare a ridere nel silenzio d'Alcatraz dell'isolamento. Napalm. Napalm. Napalm! Ma certo! Napalm! Una parola valida per una generazione di orecchie, e poi, improvvisamente, privata di ogni senso, come se altre generazioni di orecchie fossero nate sorde a quella parola. Napalm, e non naplam come per anni Pietro aveva ricordato quella parola curiosa. E forse proprio nell'istante in cui ricorda lo strano soprannome dato da sua madre al riscaldamento dell'auto, e finalmente lo comprende (quel soprannome un po' snob, preso in prestito dalla protesta politica e originato dal pudore di possedere un'automobile, per quanto piccola e scassata) da quell'istante in Pietro comincerà una nuova concezione del tempo, un modo diverso di misurarlo, un sentimento del tempo che muore man mano che muoiono le parole che dal tempo sono generate e in esso vivono fino al giorno in cui vengono comprese e definitivamente archiviate, messe via per sempre, cioè fino al giorno in cui ci si rende conto di cosa volessero dire e che ormai non servono più, non vogliono dire più nulla, come se la comprensione le bruciasse per l'eternità. Napalm! Ecco cosa intendeva mamma, un'onda di fuoco nella giungla, penserà Pietro, ecco perché lei sorrideva dicendo quella parola, penserà Pietro dondolandosi sulle ginocchia sul pavimento della cella. Eppure mentre si dondolava sul sedile di dietro della 600 i pensieri di Pietro non erano meno intensi, non meno intensamente indirizzati verso la scoperta della verità, anche se già a quel tempo la verità si presentava agli occhi di Pietro come una delusione, una scoperta negativa, un superamento dell'ingenuità degli altri bambini (Giacomo che ancora si sporcava la bocca bevendo il latte – Gretchen la piccoletta – i compagni di scuola mammoni e piagnoni), per Pietro infatti *verità* voleva dire farla finita con le stupidaggini, essere finalmente grandi, cresciuti, dire basta alle paure, alle illusioni, alle bugie che gli adulti davano a bere ai bambini tutto il giorno, basta con le bugie e con le favole, Pietro bruciava di curiosità ma anche di orgoglio e perciò non voleva chiedere a sua madre nessuna conferma dei suoi dubbi, voleva vedere con i suoi occhi quello che già intuiva, e infatti ogni volta che Pietro e sua mamma entravano in un negozio per fare acquisti Pietro dentro di sé, in segreto, trionfava. Allora è così! Allora avevo ragione io, Pietro pensava. La mamma di Pietro comprava una stecca di cioccolato Lindt, e Pietro pensava, hai visto? L'ha comprata mamma, la cioccolata, poi lei comprava una bambola o una scatola di Meccano e mentre i giocattoli venivano accuratamente avvolti nella carta di Natale (campanelle argentate, vischio, eccetera), ecco chi ci compra i regali, Pietro pensava, altro che Babbo Natale! Babbo Natale non esiste, Pietro pensava, ci hanno sempre detto che era lui a portarci i regali e invece non è vero niente. La mamma di Pietro guardava il suo figlio più grande e sorrideva divertita. Ormai Pietro era abbastanza grande per conoscere il segreto del Natale. A lei piaceva pensare, anche se al tempo stesso quest'idea le metteva i brividi, che Pietro fosse un bambino cresciuto e sveglio. A un bambino così serio e curioso non si poteva nascondere più nulla. Discutendo con un'amica, che invece insisteva a raccontare ai suoi figli la favola di Babbo Natale (le letterine coi desideri, gli zoccoli delle renne che picchiettavano sul tetto, il sacco così zeppo da non passare per il camino, eppure quei bambini erano persino più grandicelli di Pietro) e quasi arrivando a litigare con la sua amica per una "questione di principio", la mamma di Pietro aveva deciso che almeno con Pietro si poteva smettere di fingere. In questo modo esprimeva la sua predilezione per il bambino più grande. E il bambino la ricambiava con enorme affetto e riconoscenza. Cioè con l'amore che i bambini danno in cambio della complicità degli adulti. In questo modo lei si riprendeva il suo bambino cresciuto e maturato, lo toglieva dalle braccia della bambinaia, e il bambino si riprendeva sua mamma, si metteva al suo fianco e camminava sicuro con lei, abolendo lo schermo intermedio delle figure e delle parole degli altri. In questo modo la madre godeva del turbamento e della sorpresa di Pietro e Pietro si sentiva diverso e unico e tutte le cose assumevano ai suoi occhi un senso e un contorno più preciso, perfino la lunga cerimonia degli acquisti e dei preparativi assumevano un gusto particolare. Ah, che gusto sapere che Babbo Natale non esiste, pensava Pietro, e se la godeva un mondo, un giorno che uno di quei pagliacci vestiti di rosso si era chinato sul bambino e lo aveva afferrato per un braccio, all'ingresso del supermercato, ghignando sotto la barba finta, vieni qui bel bimbo, cosa desideri avere per Natale? Pietro gli aveva urlato forte, Tu non esisti! sei finto!, divincolandosi dalla stretta dell'uomo, così che quello si era rialzato di scatto riaggiustandosi la giubba e la pancia gonfia e aveva ricominciato a scampanare come se niente fosse, dlon, dlon, strillando strillando bambini! bam-

bini! dlon, dlon, manca poco a Natale, dlìn! ma
nel movimento brusco la barba finta gli era finita
di traverso rovinandogli l'effetto agli occhi degli
altri bambini fuori dal supermercato che cominciarono ad allontanarsi dal Babbo Natale con la barba di traverso e arrabbiato (aveva detto pure una
parolaccia e uno dei bambini si mise pure a pia-
gnucolare), mentre Pietro tutto sdegnato e fiero si
inoltrava dietro la madre nel corridoio delle merci.
Dlon! Dlon! Babbo Natale! pensava più tardi Pietro con una smorfia, Babbo Natale, ah! ridacchia-
va Pietro dentro di sé, ah, ah, che razza di nome
ridicolo, non solo è ridicolo il vecchio ciccione vestito di rosso, con quella pancia e la barba lunga
fin sopra la pancia, e il cappellino, ma persino il
suo nome è ridicolo. E io non voglio mai più credere a cose tanto ridicole, pensava Pietro, non voglio più essere ingannato da nessuno. Il Babbo Natale del supermercato quella sera tornò a casa pen-
sieroso, prese l'autobus (ancora tutto vestito da
Babbo Natale) e a lungo si grattò sotto la barba
finta rimuginando idee strane, quella sera infatti
non fece sorrisi e saluti a nessun bambino sull'autobus, anzi si appisolò dalla stanchezza lungo il
percorso, svegliandosi un secondo prima della sua
fermata, e dopo essere sceso in mezzo a un piazzale di periferia sbiadito dal neon andò di corsa a casa radendo i muri, senza rispondere ai gridolini e
agli sfottimenti dei ragazzi del bar sotto casa (misterioso, nell'oscurità, quel Babbo Natale in fuga,
un fantasma di periferia, un'ombra bianca avvolta
dal fumo della sigaretta), a casa si levò la giubba,
si slacciò il cuscino che gli faceva da pancia, si sfi-

lò la barba bianca, e vide nello specchio che gli era cresciuto nel frattempo un dito di barba spessa e nera, si sfregò i molari guasti con lo spazzolino e si infilò a letto con ancora addosso i calzoni di panno rosso dal risvolto di pelliccetta bianca e si addormentò, la cicca accesa tra le dita, facendo un buco nel lenzuolo. Da quella sera in avanti Pietro cominciò un'opera di persuasione dei fratellini. Ogni volta che loro due accennavano al Natale o anche quando il Natale non c'entrava per niente, Pietro interveniva per dire che Babbo Natale non esisteva. Stavano preparando l'albero e Pietro diceva a Gretchen che Babbo Natale era un'invenzione, i regali li comperava la mamma, ma Gretchen era come se non ascoltasse, continuava a giocherellare con le palle o si ammirava deformata nel loro riflesso o se le strofinava sulle guance per sentire quanto erano lisce e fredde, canticchiando a mezza bocca per conto suo, i due bambini stavano seduti a gambe larghe sul pavimento di piastrelle fredde e Pietro usando una voce paterna cercava di convincere Gretchen ma la sorella non lo ascoltava e quando lui per convincerla la scuoteva per le spalle, prima leggermente poi con un po' di rabbia, Gretchen si lamentava e voleva andarsene, dicendo a Pietro, brutto! cattivo! e un paio di volte si mise a piangere finché la loro madre che lavorava in cima all'albero, intrecciando piccole lucerne elettriche tra i rami dell'albero, e intanto che lavorava era immersa nei pensieri di quando era lei bambina, una piccola bimba tedesca con le trecce bionde e il sorriso rosso di bambola, intervenne dicendo a Pietro di piantarla, dicendo che i due bambini l'avevano seccata, che se continuavano a fare così lei avrebbe messo via tutto, l'albero, le palle, il presepe (tutto ciò con accento tedesco) e insomma che se li potevano proprio scordare, via nell'armadio i pastori, gli angeli che dondolavano appesi a un filo sopra la grotta, la paglia, i lumini, i regali, ma questo accenno ai regali, anzi questa minaccia di non distribuire i regali non aveva fatto che rincuorare Pietro e confermargli che aveva visto giusto, era lei che li portava, i regali. Era la mamma a comprarli, e forse gli zii, forse anche la bambinaia (ma non certo l'inesistente, il fasullo Babbo Natale: la bugia-babbo, la fregatura-babbo). Sbadatamente la mamma si era tradita. Quell'anno il tempo sembrò volare o meglio scivolare come sul ghiaccio verso la fine, la scuola finì, la piscina chiuse, gli ultimi giorni prima di quello di Natale furono compressi, caldi e rissosi, Pietro giocò e disegnò furiosamente tutto il tempo che non era fuori con la mamma e tutto il tempo inseguì Giacomo per le stanze canzonandolo e tenendolo per il pullover in modo che Giacomo non riuscisse a scappare, ma quello alla fine ci riusciva e si andava a ficcare sotto ai letti dove si poteva leggere in pace un giornalino, Giacomo infatti non pensava altro che a leggere i suoi giornalini e voleva essere lasciato in pace. Babbo Natale non c'è, è un'invenzione! lo inseguiva Pietro. Giacomo sbuffando si sottraeva. La madre di Pietro era stanca di sentire questo ritornello e cominciava a pentirsi. Pietro ci si era fissato, era diventato frenetico, fastidioso. E lei fu anche sgradevolmente sorpresa e colpita da un fatto strano che accadde un paio di giorni prima di

Natale. Una cosa anormale e preoccupante. Due giorni prima di Natale Pietro le chiese di potere comprare dei regali per i fratelli. Non ce n'è bisogno, le aveva detto lei, ci abbiamo già pensato, ma Pietro aveva insistito di voler comprare con i soldi suoi un regalino per Giacomo e uno per Gretchen, e precisamente uno xilofono per lei e l'Aston Martin DB5 (col sedile esplosivo che proiettava il passeggero fuori dall'abitacolo) per il fratello, e in modo da convincere la madre aveva tirato fuori dalle tasche un mucchio di soldi (anche banconote spiegazzate, ma soprattutto monete). Dove ha trovato quei soldi, aveva pensato perplessa la madre di Pietro, chi gliel'ha dati? perché ci tiene tanto? si chiedeva lei, eppure almeno a quest'ultima domanda non era difficile rispondere, era abbastanza chiaro perché Pietro si fosse intestardito a comprare quei giocattoli (e, dopo molta insistenza, li comprò, ma non volle rivelare come aveva raggranellato i soldi), piuttosto l'altra questione, dove avesse trovato il denaro, se Pietro lo avesse preso di nascosto o se qualcuno gliel'avesse regalato, restava avvolta nel mistero, e la madre di Pietro dovette attendere la confessione della ragazza per sapere anche questo, che la ragazza tedesca quando andava a prendere il bambino al doposcuola non lo accompagnava in piscina, alla lezione di nuoto (bisettimanale), ma lo portava con sé a casa di un farmacista e lo lasciava nel salotto ad aspettare mentre lei s'intratteneva col farmacista. Quello lì avrebbe voluto limitarsi a dare qualche caramella di miele o di limone al ragazzino, per farlo stare zitto, ma la tedesca più pratica preferiva comperare il suo silenzio con un piccolo obolo, e così Pietro aveva messo insieme un mese dopo l'altro la sua piccola fortuna, il farmacista saliva tutto congestionato dalla farmacia che aveva proprio davanti a casa, con le tasche gonfie di caramelle pescate a piene mani dai barattoli ermetici, Pietro si metteva buono buono a scartocciarle in salotto e una mezz'ora più tardi quando l'uomo e la ragazza risbucavano dal corridoio tutti rossi in faccia, lei sorridendo beata e misteriosa gli regalava qualche soldo, e anche l'uomo gli sorrideva passandogli una mano tra i capelli, cosicché Pietro non pensò mai di spifferare a sua madre la storia della bambinaia e del farmacista (tanto nuotava benissimo anche senza andare a lezione) e per molti anni fu soddisfatto di aver tenuto così bene quel segreto, fin quando venne fuori tutto con la famosa lettera al giornale. La storia della bambinaia che compra col denaro il silenzio e la complicità del bambino finirà addirittura, anni dopo, in un libro, uno psicologo ingegnoso tenterà di dimostrare che in molti casi di criminalità politica è proprio un rapporto falsato o vizioso col denaro (denaro cioè vissuto come peccato, denaro = bugia, denaro = sporcizia) a far abbracciare un'ideologia in grado di cancellare, anche violentemente, ogni forma di quel rapporto vizioso sostituendola con una visione morale e disinteressata, ma quando uscirà l'interessante libro Pietro ormai non sarà più lui, si sarà tagliato la barba e pettinato i capelli all'indietro, avrà cambiato nome e paese e non vorrà leggere più una riga che riguardi quegli anni, come del resto tutti coloro che vi furono coinvolti, dunque di quella vicenda del passato remoto gli resterà forse l'immagine delle mani bianche del farmacista, forse la riga dei suoi baffetti su cui la tata passa dolcemente l'unghia del mignolo. E probabilmente non si ricorda più niente di quel triste ed eccitante Natale. E forse è meglio così. La vigilia era stata intensa, i bambini erano concentratissimi e nervosi, e più di tutti Pietro che passò tutta la mattina chiuso in bagno a incartare e rincartare i regali per Giacomo e Gretchen, respingendo i loro tentativi di entrare, di spiare cosa stesse facendo chiuso in bagno. Pietro non aveva più parlato con loro di Babbo Natale, non aveva più tentato di convincerli: tanto valeva che quei due piccoletti continuassero a crederci per un po', almeno per quel Natale ancora, Giacomo e Gretchen in fondo erano solo due bambini mentre lui ormai era grande, e con questo pensiero Pietro tirò avanti tutto il pomeriggio, si sentiva solo ma forte, nascose accuratamente i due pacchetti, fece finta di nulla con la madre e con la bambinaia fino a cena. Fischiettava tranquillo disegnando fogli e fogli di aeroplani. Come al solito, come ad ogni Natale, i bambini cenarono molto presto, e poi subito furono mandati a letto con la promessa di essere risvegliati allo scoccare della mezzanotte. Pietro fu molto più docile degli altri due, che fecero un po' di capricci, ma che una volta messi in pigiama e nei loro lettini a castello si addormentarono in un minuto mentre Pietro rimaneva sveglio e attento. Ogni rumore dalle altre stanze e ogni luce diversa che filtrava sotto la porta lo facevano fremere di brividi. Si sentiva spaventosamente felice eppure, malgrado tutto, inquieto. Tremava tutto, gli tremavano persino i piedi e gli veniva da ridere, ma Pietro soffocava le risate per non svegliare Giacomo e Gretchen e rimaneva in ascolto. Sentì altre risate popolare la casa col passare del tempo, il campanello che squillava a ripetizione, arrivavano gli ospiti, gli zii, i cugini di mamma, e in Pietro l'inquietezza aumentava ancora al pensiero che in quel momento tutti posavano le buste e i pacchi sotto l'albero prima di mettersi a tavola. Di colpo non ce la fece più a rimanere a letto, aveva la pelle d'oca e la febbre, e scivolato fuori dalle coperte uscì in silenzio dalla stanza dei bambini, attraversò lentamente il corridoio, dondolandosi sui piedi nudi, e si appiattì dietro l'angolo che immetteva nel soggiorno, i suoni e le luci aumentarono d'intensità e di splendore, e dall'angolo Pietro vide la gente intorno alla tavola, l'intera scena luminosa del soggiorno e della camera da pranzo che brillavano delle luci di Natale, ma nessuno badò a lui, nessuno degli ospiti lo vide e nemmeno la madre, che sedeva bellissima al centro della tavola apparecchiata di bianco, nemmeno lei lo vide. A Pietro il cuore batteva all'impazzata e lui per farlo tacere inghiottiva grandi sorsate d'aria, gli sembrava di assistere a un miracolo, ed era la verità che lui aspettava da tanto tempo, quella luce bellissima e dorata che aveva invaso la sua casa, allora dopo averla respirata per lunghi minuti, dietro l'angolo, inebriandosene fino quasi a svenire di gioia, Pietro ritornò a letto, si distese piano sotto le lenzuola, chiuse gli occhi, sospirò nel buio e finalmente si sentì pronto, e si mise ad aspettare l'arrivo di Babbo Natale.

LUCIANO ALLAMPRESE

La mia inseparabile compagna

Deve essere il vento. Deve essere il vento che viene dall'Oceano a portare, con la frescura, l'inerte agitazione che ogni giorno mi prende verso quest'ora, non più giorno e non ancora notte. Una casa davanti all'Oceano l'ho sempre sognata, ma quella che sognavo era diversa. Dovrebbe piacermi, visto che l'ho scelta io, ma col passare del tempo anziché abituarmi mi disabituo anche se, già lo so, non farò nulla per lasciarla.

Il paese è piccolo e si conoscono tutti, la città è a pochi chilometri e la gente ci va a lavorare, di giorno, così che solo verso sera si vede un po' di movimento; il paese è piuttosto la continuazione della città, quartieri interi di baracche d'alluminio o case piccole e modeste – altre, invece, meno piccole e meno modeste – anche se negli ultimi anni non sono pochi quelli che, dalla città, vengono a stare nel paese. Così, quello che era nato come un sobborgo della città ha finito per avere una vita propria e adesso ci sono alcuni che credono che sia la città a vivere in funzione del paese (è da questo che proviene la maggior parte della forza lavoro) e non viceversa.

Una petroliera si riconosce all'orizzonte, il fumo si sparge per il cielo rapidamente, le increspature che lascia fra le onde giungono fino in riva. Alle spalle dell'Oceano – il paese si estende come una fettuccia fra il mare e la montagna – ci passa la ferrovia. Convogli carichi di materiali, per lo più, ma anche di uomini che vanno alla città o in altri vicini paesi, e il passaggio del treno è rumoroso e frequente almeno come quello di cani e bambini. Dei giorni salgo fino alla stazioncina sul pendio, è un piccolo edificio ricoperto di passiflora e bouganville che mi piace vagheggiare come ritrovo segreto di amanti.

A qualche chilometro più in là della stazione c'è una piccola casa in cui vivono una donna e il suo bambino, non mi hanno saputo dire chi sia, e se ce l'abbia, il padre. Il bambino, anche se ha l'età per farlo, a scuola non ci va, passa il giorno per le strade dei campi, quando non deve aiutare in casa la madre; ignoro di che vivano. Qualche volta si lascia scivolare lungo lo sdrucciolo che dalla montagna arriva quasi al mare, la madre quando lo vede conciato a quel modo lo batte ma lui non sembra nemmeno sentirlo e non piange; comunque, per non farsene accorgere, prima di gettarsi per la scarpata si leva la tuta tenendola ben sollevata sulle braccia e spesso lo incontro con le gambe piene di graffi, così, se non sapessi come se li è procurati, potrei pensare che l'hanno frustato con dei rovi. Resta quasi immobile a contemplare quello che vede, convinto che il suo reame si estenda fin dove il suo sguardo possa arrivare; sforza la vista per impadronirsi di qualche metro in più, fa qualche passo avanti, di lato, improvvisamente chiude gli occhi; poi li riapre, commosso, come se tutto intorno a sé fosse sorto in quell'interregno di assenza. Ogni giorno si impone una tappa nuova, una nuova regione che ha sottratto a un inesistente deserto e aggiunta ai suoi possedimenti. Quando trova un nido lo ruba o ne fa dono a un invisibile compagno. Schiaccia fra le dita le uova, così, per gioco, o le lancia in aria per vedere dove vadano a finire. La madre lo chiama ma non sempre ha una risposta; quando invece sì, è un indistinguibile tremolio che il vento porta fino a lei. Il bambino, che vuol essere un esploratore, non si allontana mai troppo; ha paura. Quando non si orizzonta più comincia a correre finché non riconosce la casa, o un albero che il fulmine ha divelto molti anni prima, o la jacarandà dai fiori viola che troneggia sugli altri alberi. Rassicurato si allontana verso nuove scoperte. Una mattina è uscito di casa prima del solito, la colazione avvolta in un grande fazzoletto celeste che, quando piove, gli serve per coprirsi il capo; ha camminato per ore, ogni tanto si guardava indietro finché la sua casa è scomparsa, scomparsi campi, alberi, pietre, che il bambino usa come segni di riconoscimento; allora si è messo a camminare più in fretta, preda di una nuova apprensione, ha camminato finché la selva, e il mare di fronte, si cancellavano dalla sua vista e cominciavano ad apparire i primi edifici. È arrivato fino alla città ma non vi è entrato.

Non sembrano abituarsi alla mia presenza. Sono in pochi a salutarmi anche se ostento con tutti una grande affabilità; per lo più sono i vecchi, meno diffidenti, o gente che ha dei commerci – il cuoco del ristorante, la fioraia, il marmista che ha bottega di fronte casa mia, il venditore di pesce che la mattina viene col furgoncino dalla città, la lavandaia del piano di sopra, bassa, adiposa e senza età.

La padrona del bar non è mai gentile, deve prendermi per uno che non ama spendere, così ho cominciato a chiedere non una *brioche*, come sempre faccio a colazione, ma due, e da quel giorno è ancora più sgarbata; ho preso l'abitudine di riportare al banco la tazzina ed ora nel suo sguardo mi sembra di scorgere anche disprezzo. Il figlio è più gentile, mi porta il caffè con un passo ciarliero e ciondolante, a volte mi guarda fissamente poi scoppia a ridere, ma lo fa con tutti. Da un giorno all'altro è diventato più maldestro e improvvisamente violento – rovescia lo zucchero, la bottiglia dell'acquavite, fa a pezzi tazze e bicchieri urlando sconnessi improperi contro tutti – così lo tengono legato a una sedia e chi entra gli grida un saluto a cui non risponde mai. La madre lo guarda più con rabbia che con pietà.

Quando si fa sera e rientrano quelli che lavorano in città, il paese scende in una tregua sommessa; i bambini vanno a giocare coi padri, i cani corrono verso la spiaggia, le strade si svuotano per riempire le case e questo ha una certa grazia. Fa molto più caldo che dalle nostre parti e le finestre, durante il giorno lasciate chiuse per tenere fuori il caldo, si aprono sulla strada; uomini in canottiera o petto nudo guardano impigriti la poca gente che passa o il mare che si intravede nel fondo, ma senza parlare. Le donne ritirano dalle terrazze i panni messi ad asciugare nel pomeriggio, il solo rumore è quello delle lenzuola sbattute all'aria; i figli più piccoli le seguono con gioia. Ogni casa ha i suoi fiori ma il caprifoglio, che qui chiamano con un nome da noi più inusuale, madreselva, cresce su tutti i muri e su tutti i giardini; quando fa sera disperde nell'aria il suo profumo aguzzo e il paese diventa così la strada dove un pasticciere, che vi ha il suo laboratorio, prepara i dolci alla vaniglia che lo hanno reso famoso.

Non appena è buio escono fuori ratti, grossi rospi dal muggito cupo, insetti attirati dalle luci nelle case. Bambini randagi e cani dalla pelle scura si arrampicano gli uni sugli altri a frugare nei bidoni dell'immondizia, per entrambi troppo alti; ma lo fanno più per gioco che per necessità.

Altre sere mi sento scivolare sulla faccia un vento caldo e vischioso, viene dall'Oceano ed è spesso accompagnato da scrosci d'acqua sabbiosa che lasciano per giorni impolverate le città della costa.

Nella cantina della casa in cui vivo – il proprietario è un ossessionato cultore della nostra lingua e spesso mi obbliga a fastidiosissime conversazioni con la generosa pretesa che io *uccida la nostalgia*, come ama ripetere – ci sono intere annate di una rivista che ormai non stampano più. Incapace di concentrarmi su un libro, do fondo al lettore che un tempo era in me rinverdendo notizie di avvenimenti che la memoria non ha saputo custodire; così, può improvvisamente sorprendermi la morte di uno scrittore di cui da ragazzo lessi tutti i romanzi – me ne ero dimenticato o di quella morte davvero non ne avevo saputo nulla?

Dopo escursioni in cantina che si succedono con sempre maggiore frequenza, ho finito per non saper più assegnare la giusta collocazione a molti degli avvenimenti che avevo trovato, o ritrovato, su quei vecchi giornali. Quello che nel tempo reale si era pazientemente dipanato nell'arco di mesi o settimane, nella più facile fruizione della lettura è stato consumato con scandalosa rapidità; pochi minuti, quanti erano serviti a me per leggere, sono bastati ad aver ragione di una guerra preparata durante anni fra tensioni, ultimatum, ripensamenti. L'attività della lettura, quanto più appassionata tanto più rapida, era riuscita ad appianare contrasti che sembravano così insanabili da determinare uno spaventoso conflitto e mi era sufficiente sfilare una rivista dal mucchio, saltando i numeri intermedi, perché alla chiusura di frontiere e agli spostamenti massicci di truppe si sostituissero notizie di sfilate pacifiche, abbracci fra capi di stato, scambi di ambasciatori e promesse di secolare amicizia fra quegli stessi paesi che, lo ricordavo benissimo dall'ultima lettura, avevano giurato di combattere fino allo sterminio dell'ultimo soldato nemico.

Passano i giorni – e meno male; è la mia sola, attuale, certezza: che debbono passare. Per quanto lunghi, per quanto insensatamente penosi, questi giorni dovranno passare.

E mi sfiora la bocca un sorriso. Per un istante brevissimo posso dirmi felice. Per un istante brevissimo; perché, pronta, la logica mi inchioda a un'ammissione: questa permanenza lontano da tutti, questa esclusione dal mondo, questa diaspora, per così dire, da ogni compromesso affettivo come sociale sono solo io ad averla decisa e di conseguenza non c'è un termine a cui appellarmi, un conto alla rovescia, una meta alla quale, anche se con lentezza, avvicinarmi. Quando la sera l'occhio cade sul grande specchio adiacente al letto che spietatamente rivela la rigida pochezza del mio corpo, non posso fare a meno di chiedermi, ancora una volta chiedermi, se sia proprio io quella cosa macilenta e solitaria che si è sdoppiata da me, a me sempre più estranea, quasi ostile, ospite mai invitata ma inevitabile. E il sonno si spegne.

Davvero è la morte di mio padre ad aver messo in discussione tutto? Davvero fu questo l'evento designato a fare piazza pulita dell'ordine che avevo garantito alla mia vita, ora che veniva a mancare l'elemento di congiunzione fra me e tutto il resto, l'unica persona per cui la mia presenza, la mia stessa esistenza, fosse un fatto assolutamente imprescindibile? Più nulla mi tratteneva – finalmente. Ecco, pensai, nella sua equilibrata indifferenza se n'è incaricata la natura, ora il Gran Gioco comincia.

Un lungo permesso di malattia dall'ufficio, una piccola somma lasciata da mio padre, frettolosi saluti ai fratelli – i fratelli non sono *la famiglia*, anche quando non ne hanno una propria. Quattordici ore di aereo, una notte in un albergo di lusso, autobus all'assalto di inerpicati pendii, la vista dell'Oceano – l'improvvisa sensazione che fosse la mia meta. Da allora è passato un anno e mezzo, né saprei dire quanto ancora dovrà passarne.

Mi è cresciuta la barba e ho cominciato a tenere un diario,. vi annoto fatti importanti solo per me – quali giornali leggo, il numero delle sigarette che fumo, se ho avuto mal di testa, come va la mia insonnia, infallibile grafico della mia instabilità. Ho cominciato a bere birra, che avevo sempre detestato. Mi sono anche imposto di stare un mese senza guardarmi allo specchio.

A volte ho l'impressione di sentire il passo affaticato di mio padre che si avvicina alla porta, di istinto corro ad aprirla, anche se vederlo non mi farebbe piacere ora che è morto, e poi so che non può essere lui che detestava i paesi tropicali, eppure mi metto a controllare scrupolosamente in ogni stanza, su ogni sedia, sui letti, nello stanzino, in ogni spazio in cui potrebbe malauguratamente essere rimasto rinchiuso; se n'è già andato. Altre volte lo sento mentre dormo, sento il suo sonno affaticato, il respiro cavernoso, un gemito interrotto, ma di notte non mi alzo mai a controllare.

Sono rimasto senza latte, senza uova, senza pane, e in dispensa c'è solo qualche scatoletta di alici o tonno, qualche sugo pronto e un po' di cioccolata. Bisogna proprio che mi decida a uscire.

Per le vie c'è un movimento frenetico, un subbuglio che cresce inaspettato, porte che si aprono per riversare sulla strada i ritardatari, la luce rivela nel ristorante più gente del solito, le auto si inseriscono con brusche frenate, non lontano i cani si preparano a nuove scorribande: dev'essere, anzi è, una sera di festa.

Coppie di ragazze si incamminano sottobraccio verso il portico dove un nugolo di ragazzi aspetta quel passaggio con impazienza. Le ragazze si fermano, ridono, riprendono a passeggiare con esagerata lentezza: sanno di essere attese. Rispondono a monosillabi ma i ragazzi non si scoraggiano. Una ragazza si stacca dalle altre e scompare. «Non puoi lasciarmi sola» supplica quella che faceva coppia con lei. «Sola?» Quattro ragazzi hanno lasciato il loro gruppo e la circondano con spavalderia. Parlano serratamente ma debbono essere molto convincenti perché la ragazza non si sottrae al loro assedio. Adesso ridono tutti, anche la ragazza rimasta sola. Si fa coraggio e chiede una sigaretta a quello che le sta più vicino, il più bello dei quattro. Poi si siede su una cassetta di birra vuota, accavalla le gambe, la gonna si alza, lei ci ride ed anche i suoi quattro cavalieri.

Ci voleva questa serata fresca dopo tutto il caldo che ha fatto. Le siepi di ibisco, le acacie, i rami del *flamboyant* e della *jacarandà* oscillano ritmicamente. Lascio la camicia gonfiarsi al vento e svolazzare, e vado anch'io verso il portico. Due uomini discutono a voce alta, uno dei due vuole picchiare l'altro, un terzo spinge fino ad essi la sua sedia a rotelle, non parla, non mette pace, dà un sorso alla bottiglia e la passa al vicino. Presto sono una piccola folla, ora gridano tutti, poi se la prendono con la bottiglia, c'è sempre qualcuno che la tiene più degli altri. Ora non gridano più, anzi gridano, ma lo fanno ridendo. Lo storpio commenta con una frase oscena il passaggio di una donna, e via uno scambio di pacche sulla schiena. In questa ritrovata solidarietà l'incidente di qualche minuto prima è dimenticato e già se ne parla come di un fatto antico. «Ti ricordi?» dice quello che sembrava il più rissoso.

È sera di festa, anche i piccoli negri sono per strada. Escono fuori a grappoli, come di costume. Due o tre si tirano dietro un cane ma la bestia impunta le zampe; i negretti lo spingono in gruppo ma il cane è più testardo di loro; poi, inaspettatamente, si lancia avanti a fare strada. Lo segue un coro di fischi soddisfatti. Davanti al bidone della spazzatura si fermano – cane, bambini e altri cani richiamati dal primo. Il più audace dei negretti salta in cima, il cane lo segue, un grido di incoraggiamento e sono tutti sul bidone a lanciare i sacchi per terra. Ha inizio la spartizione, tanto a te tanto a me, le arance le vogliono tutti, anche quelle più ammaccate, il pesce del ristorante lo pretende il cane; obiezioni di principio non ci sono ma ad ogni buon conto viene esaminato attentamente. Il cane ringhia ma nessuno gli dà retta.

Un'ora dopo sono ancora lì, sazi e di conseguenza tranquilli: c'è chi fuma, chi mangia la cioccolata. Quello che fuma gli propone uno scambio, l'altro tentenna. Il cane dorme, o fa finta, acciambellato intorno al bidone sempre più maleolente. Un bambino meno nero degli altri corre verso il gruppo con un mazzo di carte. Cominciano puntate e contrattazioni; inconsistenti monetine di rame scivolano dalle tasche toccando la strada quasi senza rumore. Il cane l'ha risvegliato l'odore del pesce appiccicato nell'aria, dà una leccata senza guardare, si ributta pesantemente sull'asfalto. Il cielo si è fatto scuro, il vento più grave, la Croce del Sud sempre più riconoscibile. C'è chi grida sguaiatamente una canzone, fa eco da una finestra la protesta, «Vattene a letto, ubriaco».

Tutte le sere, quando arriva quest'ora, punto intermedio e brevissimo fra il crepuscolo e la notte, un uccello comincia a cantare. È, anzi *dev'essere* perché non mi è mai riuscito di vederlo, un uccello rapace, come nei campi se ne vedono d'estate – civette, allocchi, gufi, barbagianni – e la sua vita si svolge principalmente di notte – la caccia, il volo, i richiami di una compagna. La mia vita, invece, ha smesso di fare distinzioni fra notte e giorno, e perfino quelle operazioni che scandivano il passaggio – i pasti, il sonno, l'ora del lavoro e quella del riposo – hanno finito per somigliarsi e non è diventato raro che mi getti sul letto per sette ore di seguito anche se fuori c'è il sole, o che proprio quando l'ultima luce delle case si è spenta io mi risolva a una lunga passeggiata al mare. Non ho invertito le funzioni, piuttosto sono riuscito ad annullarne le differenze.

Ho finito per abituarmi a vivere in questo posto, anche se non mi abituo ad amarlo. La città, di cui giunge fino a me l'eco dei personaggi che ci vivono, è solo a pochi chilometri, come ho detto, ma non ci vado mai. Solo quando la silenziosità di questo borgo si fa intollerabile ed alle mie usuali fobie si aggiunge il pensiero che, come se non bastasse, dovrò anche morire, mi rituffo anch'io nel vivaio di piazze, viali, strade in cui le automobili sembrano segnare il ritmo del tempo, fra i negozi illuminati in cui si alterna l'andirivieni di clienti, o solo di curiosi entrati a sbirciare per subito dopo uscirne con un desiderio in più da soddisfare.

Non riesco a tenere il conto dei giorni; un giorno che passa è uno in più da sommare a quelli qui passati, per calcolare i quali senza tentennamenti sono obbligato a consultare la data del mio biglietto d'aereo, assunto, col passare dei mesi, a testimone infallibile di questa specie d'esilio. Fissare un termine alla mia permanenza in questo paese mi risulta impensabile; stavo per aggiungere "così lontano da casa". Lontano da casa? Ma quale? L'appartamento in cui ho trascorso gli ultimi anni insieme a mio padre è stato restituito al legittimo proprietario, i mobili divisi fra i miei fratelli e gli altri venduti, più spesso regalati, a qualche rigattiere; nella cantina di mia sorella, ammassati in una cassapanca, mazzi di lettere ed altri oggetti, più spesso ricordi, inequivocabilmente miei. Ho finito di avere una casa, una famiglia, almeno da quando è morta mia madre.

Talora, in quella confusa lucidità che precede il momento in cui dalla veglia passo al sonno completo, posso dire di sentirla, la voce di mia madre, non come negli ultimi anni era – flebile, alterata, a tratti impercettibile – ma come quando ancora ero bambino e tutti, mio padre, la mamma, fratelli e sorelle, vivevamo in una stessa casa, eravamo una famiglia. E non perché quella fosse un'epoca particolarmente felice – nella mia vita non ci sono stati periodi *particolarmente* felici – ma piuttosto perché quella voce che mi svegliava da bambino cantando canzonette, nel ricordo si fa testimone di un'irripetibilità – la giovinezza di mia madre, i giorni di vacanza, la città in cui vivevamo – che concede una tregua al mio stato attuale.

Così, le trame del sonno che sembravano con doviziosa pazienza cominciare a intrecciarsi si disfano ed io devo costringermi a ripercorrere per intero la superficie del letto alla ricerca di una posizione che formi l'ordito di nuove e più forti trame in grado di resistere al persistente assedio del ricordo.

Ma adesso mi bastano poche gocce d'oppio per riuscire a dormire. Con molta parsimonia, prima di coricarmi, verso il farmaco nel bicchiere a metà colmo d'acqua e lo mando giù in un unico sorso; il sonno si introduce senza fatica nel mio corpo, al punto che nemmeno riesco a percepire il momento in cui le palpebre ricadono sugli occhi finalmente annegati nel riposo.

Rifacendo la strada che dalla stazione porta alla casa in cui vivo, fui sorpreso nel notare che la chiesa fosse ancora aperta e illuminata come non l'avevo vista mai. Era quasi notte e questo aumentò la mia sorpresa, così decisi di entrare e, segnandomi velocemente, mi diressi verso un gruppo di persone che parlavano con voci concitate e sommesse.

«Che cosa è successo?»

Forse non mi risposero, forse fui io che non capii la risposta – in chiesa parlano tutti a voce bassissima –, così mi feci largo coi gomiti e conquistai quella specie di corridoio che passa tra i due filari di panche; dove le panche terminavano, quasi di fronte all'altare, giacevano allineate varie coppie di piccole bare bianche in posizione assolutamente simmetrica fra loro.

«È l'incidente della montagna» disse un prete grasso anticipando la mia domanda.

Ricordai che due giorni prima l'autobus che portava i bambini in gita sulla montagna era scivolato nel burrone che costeggia la strada.

«E sono morti dodici bambini?» chiesi contando le piccole bare che avevo davanti.

«No, i morti sono soltanto sei» mi tranquillizzò il religioso.

«Ma le bare sono dodici.»

«Lo abbiamo fatto per ingannarli» mi spiegò con un sorriso di intesa.

«Ingannare chi?» chiesi sempre più turbato.

Ma prima che potessi cogliere il senso della sua risposta, mi caddero gli occhiali e le stanghette si staccarono contemporaneamente dalle lenti. Era il terzo paio d'occhiali che rompevo in una settimana ed ero disperato; occhiali come i miei non se ne trovano mica da quelle parti. Il prete continuava a sorridere ondeggiando in cerca di una posizione stabile e le famiglie dei piccoli defunti si avvicinavano due per volta, ciascuna a una coppia di bare, incerte su quale consacrare la loro preghiera.

Ma adesso, la notte, mi bastano poche gocce d'oppio per riuscire a dormire. Le palpebre ricadono mollemente sugli occhi e quando sette ore dopo li riapro ricordo di aver dormito assai profondamente e guardo il giorno che mi attende con una specie di felice indifferenza.

Con una canna raccolta lungo il cammino traccio il limite oltre il quale il mare non dovrà arrivare. Un bambino mi guarda con l'aria di non crederlo. Le onde si rompono quasi ai nostri piedi ma l'Oceano non supera mai la barriera che soavemente gli ho imposto. Il bambino mi guarda con maggior rispetto.

È l'ora del tramonto, oggi è stato un giorno senza sole e ci circonda una luce opaca ed incerta. Cormorani, più che gabbiani, distinguibili dal colore più scuro e dalle maggiori dimensioni, stanno volando nello specchio di cielo in cui il mio sguardo è compreso; non è il volo immobile e solenne che siamo abituati a immaginare, non planano composti ed alteri, piuttosto sembrano voler compiere la circumnavigazione di se stessi e volteggiano come spinti da una crescente apprensione.

L'aria è sempre più statica, il vento momentaneamente sospeso, la spiaggia pressoché deserta. Il bambino rincorre le onde, quindi le onde rincorrono lui e allora comincia a gridare, le schiva, si apposta, ritorna alle onde; è per me che si esibisce. Pretenderebbe che giocassi con lui, glielo leggo negli sguardi che di tanto in tanto mi tende. Ha l'età che avrebbe mio figlio, se mi fossi deciso quand'era tempo, ma non gli somiglia affatto.

La mia vicina di casa non è più giovanissima, zoppica leggermente e ha un viso tondo che cela romanticherie. Passa da me quasi ogni giorno a tarda mattinata, mi cucina, riordina le mie cose, racconta fatti della sua famiglia o del suo paese.

«Che facevi prima di...» si interrompe turbata, stava per dire *prima di ridurti così*. Lei è convinta che dietro la mia vita ci sia qualche mistero, non sa il mio nome né da dove vengo e tutto questo, io lo so, la emoziona e la diverte. Ogni tanto, disarmata dalle mie risposte evasive, la scopro a rovistare fra le mie cose, vorrebbe almeno sapere la mia età, il mio lavoro. Un giorno riesce a mettere mano su una lettera, entro mentre sta piegando il foglio.

«Dammi quella lettera.»

Me la porge con qualche parola di scusa. Non so che mi prenda, ignoro perfino di che lettera si tratti, la donna è al mio fianco, confusa, comincio a batterla, il suo stupore mi eccita, so di darle uno schiaffo, poi un altro, un altro ancora, ma sempre con minor forza. La mia vicina conquista la porta, corre, per quello che può, verso il pianerottolo.

«Sei un animale!»

Si ricrede e subito si corregge:

«Sei un pazzo!»

Sono passati molti giorni, naturalmente non è più tornata; quando ci incontriamo si fa in là senza smettere di fissarmi.

Nella casa in cui vivo la scansione del tempo è indicata, fastidiosamente indicata, dal pendolare di un orologio posto al lato della finestra, proprio davanti al mio tavolo. Su questo tavolo si ammassano i libri che mi ero ripromesso di leggere, quaderni di appunti, pacchetti di sigarette alcuni dei quali vuoti, due mazzi di chiavi, qualche penna, un bicchiere sporco di vino. Io sovrasto tutto questo con ostentata soddisfazione e non mi azzardo a toccare nulla, a parte ciò che possa impedire ai miei gomiti di poggiare comodamente. Provo a spostare il braccio ed esso ondeggia sopra il tavolo come per inerzia. Posso misurare la distanza fra me e il mio dito, ma come misurare la distanza fra quel dito e il cielo? E quella che passa fra il cielo e l'insignificante porzione di cielo in cui adesso sono compreso?

Osservo il coito di due mosche in volo, rumoroso e ininterrotto. Se abbasso la tenda (in casa tutte le tende sono azzurre e lasciano filtrare una luce vagamente sofisticata) gli oggetti che ho prima descritto – i libri, il tavolo, l'orologio vicino alla finestra – sono scomparsi e posso tornare ad immergermi nel mio simulacro di pace; mi sto abituando a convivere con zone d'ombra sempre più ampie.

Se mi guardo allo specchio scopro che i miei occhi sono solo appoggiati al resto del viso; essi non ne fanno parte come ciò che alla faccia manca perché sia completa, ma sembra piuttosto che qualcuno ce li abbia sbadatamente lasciati, ripromettendosi in seguito di tornare ad incastrarli a dovere. Mi domando se non se ne accorgano anche gli altri e, se realmente se ne accorgono, come facciano a non aver pena di uno che ha gli occhi solo appoggiati sulla faccia. Preferirei la loro pena, perfino il loro disprezzo, all'indolente indifferenza che leggo nei loro occhi al mio passaggio. Nemmeno sembrano accorgersi che in me ci sia una vita vera e propria, a parte quel moto persistente ed inutile, presente in tutti gli esseri muniti di arti inferiori e superiori. Eppure non devono essere malvagi, li vedo scherzare fra loro, sorridere, perfino scambiarsi reciproci gesti d'affetto e di simpatia.

Sorveglio la pastosità della mia urina, ora che sono malato. Per esaminarla a dovere ho cominciato a orinare nel lavandino, coprendo il mio scroscio naturale con quello del rubinetto che, durante quest'operazione, lascio sempre aperto; ma prima che l'acqua abbia sgomberato ogni residuo, ho fatto a tempo a fotografare il colore intenso proveniente dal lembo di carne che mi avanza dalle mani: è un giallo denso e acceso, lo stesso di certi narcisi che crescono in campagna, dalle mie parti.

Fra le lenzuola ormai sporche dopo dieci giorni di degenza, posso ritrovare tutti quegli odori naturali che il tessuto, trattenendoli, ha fissato come in una lastra fotografica. C'è il sudore rappreso fra le pieghe del lenzuolo, l'afrore dei capelli che non mi decido a lavare, e sul cuscino un'ombra stantia si è imposta sull'abituale bianchezza; se sollevo la coperta posso rinvenire tracce di sfoghi fisiologici – urina, sperma, perfino l'ombra opaca di qualche lacrima – come anche capelli, peli, ricci rossicci della barba che inspiegabilmente comincio a perdere: questo letto è diventato l'implacabile custode del mio degrado.

Una mattina si è presentata una giovane negra che il padrone di casa, giustamente sospettoso di una mia indisposizione, aveva mandato ad informarsi se avessi bisogno di qualcosa. Ho avuto vergogna a dirle che era di lei, caso mai, che avevo bisogno, ma deve averlo capito da sé, forse dall'ambigua insistenza del mio sguardo, perché tutto a un tratto è scoppiata a ridere. Quando, incoraggiato da quel riso, l'ho tirata per il braccio verso di me, mi ha guardato sfacciatamente:

«Ma prima cambiamo le lenzuola.»

Ed eccomi in un letto bianchissimo dove l'odore del sandalo ha sostituito i miei, a cui pure cominciavo a abituarmi.

Delle donne negre mi è sempre piaciuto contemplare il corpo allungarsi accanto al mio senza nessun ornamento. Viadinha ha le braccia sode e ben tornite e il mio dito slitta da un capo all'altro senza mai inciampare in un brufolo, un neo, una cicatrice; la sua pelle è una superficie levigata e compatta che forma pieghe grasse come quelle dei neonati ed è forse questo a darle una sensualità quasi bambinesca. Il suo braccio può darmi l'impressione di un pube depilato per liberarsi più in fretta dai pidocchi, come spesso ho visto fare, e l'impressione generale del suo corpo è una grande e assolata pulizia.

Mi sento meglio, mi sporgo alla finestra: alterni scrosci di pioggia e vampate di improvvisi calori da questa parte di mondo annunziano che la primavera è vicina. Anche per me, col mare visto di lontano, col mare così spumoso ed azzurro su questa sabbia bianca, è una primavera di cui respiro l'imminente frangersi e subito annullarsi verso il largo, dove il mare è più fondo.

Viadinha è tornata altre volte, ha portato fiori sgargianti, ha aperto le finestre, ha riordinato il mio tavolo, ha sostituito le sigarette spente del posacenere con schegge di legno profumato, e la mia casa è un'altra casa. Le sue ripetute apparizioni hanno guarito la mia malattia, o quanto meno l'hanno interrotta. Una sera l'ho invitata al ristorante e le ho raccontato di mio padre che è morto. Ho l'impressione che non sempre capisca quello che dico (mi esprimo in una lingua appresa in questi ultimi quindici mesi) ma non me ne curo troppo perché neanche lei, lo vedo, se ne cura troppo. Viadinha è assai giovane ed è questo suo attributo, più della bellezza, più della sua distaccata dedizione con cui si occupa di me, che di lei ho più caro.

Anche se ha solo vent'anni, ha tre figli e ogni tanto me ne porta qualcuno. Al più piccolo, Viadinha dà ancora il latte ed è con grande turbamento che assisto al suo veloce denudarsi del seno verso cui pronta si protende la bocca del fanciullo nero. Quando non dorme lo prendo in braccio io e con forzata dolcezza freno quelle piccole mani ansiose di afferrare i miei occhiali; quando piange lo cullo come non ho potuto fare con mio figlio. Viadinha entra nella stanza e ci guarda tutti e due con tenerezza. Deve pensare che sarebbe bello che il padre fossi io. O forse è solo la mia vanità a farmelo pensare.

Mio padre non era prodigo di slanci o tenerezze, nemmeno quando eravamo piccolissimi. Non ricordo che ci tenesse in braccio o che, tornando a casa la sera, ci vezzeggiasse come si fa con i bambini. Aveva un modo silenzioso e fiscale di volerci bene e il suo amore si manifestava principalmente con un'esagerata apprensione per la nostra salute. Controllava il polso, poggiava la mano sulla fronte, la fronte sulla guancia, verificava la temperatura, e quando questa superava il limite di guardia dei trentasette gradi delegava alla degenza in un letto la miglior cura per la nostra malattia, obbligandoci poi ad una convalescenza pari ad almeno il doppio della durata della malattia stessa.

Si intende che ci pensavamo bene prima di ammettere "Papà, sono malato", la mente già rivolta a quel letto da cui per una settimana almeno nessuna forza al mondo ci avrebbe allontanato. Ma in quei giorni, per coerenza, mio padre sospendeva quella severa mancanza di ogni indulgenza che costituiva la più solida base del suo sistema educativo e, più in generale, del suo modo di amarci. E la mamma passava più tempo con noi, anch'essa meno dura e irritabile, rinviando a guarigione ultimata i castighi nel frattempo maturati. Come tutti i bambini capricciosi mi facevo a lungo pregare per mangiare, suscitando in mia madre non solo disappunto ma anche preoccupazione, gran parte della quale era costituita dal dover render conto del mio appetito quando, rientrato a sera dall'ufficio e prima ancora di togliersi cappello e cappotto, mio padre avrebbe domandato:

«Cosa ha mangiato il piccolo?»

Per stornare il pericolo di una risposta che mio padre difficilmente avrebbe apprezzato, la mamma era disposta a tutto; ed io, con l'istinto crudele dei bambini, lo sapevo. Così, animata da una pazienza che non possedeva, mia madre si disponeva ad esaudire tutte le mie richieste le quali, in fin dei conti, si riducevano ad una, costante, implacabile: «Mi racconti un fatto?»

Mia madre sapeva render vivo qualunque avvenimento, da un episodio della sua infanzia a una commedia sentita per radio, e aveva una disposizione particolare a raccontare fiabe, tratte da un libro o consegnate a voce da madre a figlia per generazioni senza che la depositaria di turno pensasse di renderle durature attraverso una registrazione scritta, animata forse anche dalla segreta sensazione che la memoria orale soltanto garantisce una dignitosa perennità. Ma la fiaba o l'aneddoto o il ricordo d'infanzia non erano che la materia bruta, il canovaccio sul quale mia madre avrebbe tessuto la sua narrazione, ogni volta con un filo diverso, anche se noi, sdegnosamente attestati sulla prima versione, avremmo rigettato come apocrife tutte le altre che si discostassero da quello che impropriamente ritenevamo essere il testo originale divenuto a mia madre, attraverso le artificiose elaborazioni di tante glosse e varianti, per sempre irrintracciabile. Così, la richiesta mia o dei miei fratelli di *un fatto*, forniva a mia madre l'occasione di spaziare per ogni dove del suo immaginario, attingendo ora alla fantasia ora all'evocazione di un ricordo, ora al mondo straripante dei suoi sogni ora a quello ben più ristretto della sua vita d'ogni giorno, una fuga in avanti o all'indietro che produceva qualcosa che non potendo più dirsi né fiaba né cronaca, finiva per costituire un genere nuovo, letterariamente nuovo, del quale lei era artefice e unica interprete: *il fatto*, appunto.

Ad ogni buon conto, per cercare di limitare le sue digressioni, obbligavamo mia madre a scegliere nel suo repertorio quelle storie che fossero fissate – sia pure da lei stessa fissate – in versi, così che al massimo avrebbe potuto variare gesti, pause, toni, ma non le parole che poco a poco la nostra memoria cominciava a ritenere. Io mi tenevo in esercizio raccontandole a mia volta ad amichetti e compagni, quando ero bambino, e a bambini d'altri, quando più bambino non ero, ed è per questo che mi basterebbe pochissimo ancora oggi per ricordarne alcune, e di buon grado lo farei se solo qualcuno fosse disposto a starle a sentire con la stessa appassionata tensione con cui io ascoltavo mia madre raccontare la storia di Argía.

Scende ogni sera Argía nel giardino delle suore che l'ospitano finché un giorno il figlio del re, che dal giardino vicino seguiva quelle passeggiate, le rivolge la parola:

> Argía, Argía, se tanta beltà ti elargisce natura
> e tanta virtù d'incanto, dimmi,
> quante foglie racchiude questa siepe di mortella,
> quante promesse un bocciolo di rosa
> e quanti baci il labbro tuo?

Per nulla intimidita, Argía è pronta a replicare:

> E tu che sei figlio di re
> e tanto alta sollevi la fronte, dimmi,
> quante stelle erano in cielo il dì che sei nato,
> amor dove conduce e di quanta gloria hai d'uopo
> per eguagliare un gaudio dell'amore?

L'inevitabile innamoramento dei due giovani si dipana tra schermaglie insensate e quasi crudeli; per strappare un bacio ad Argía, il figlio del re si finge pescatore (*E per un bacio, Argía/ebbe il pesce d'oro dalle squame d'argento*), ma la fanciulla è pronta a restituirgli il colpo e travestita da stalliere si presenta con una bellissima giumenta per ottenere la quale il figlio del re è disposto a baciarne la natica (*E per un bacio sulla natica della giumenta/ il figlio del re ebbe la cavalla d'oro dalla criniera d'argento*). La tragicommedia amorosa è giunta al suo apice; umiliato da quel bacio, ansioso della vendetta, durante la notte il figlio del re entra nella stanza di Argía:

Più volte il pugnale affondò nel suo bianco petto,
Ne sgorgò uno zampillo di sangue,
Com'è dolce il sangue di donna!
Il giovane figlio del re ne bevve fino all'ebbrezza.

Alla vendetta segue il rimorso e il principe comincia a consumarsi di un male misterioso ma Argía, accorsa al suo capezzale sotto le spoglie di un medico, lo guarisce con una confessione finale:

Non temere figlio di re, Argía è viva.
Non Argía, ma la sua bambola hai pugnalato,
Non il suo sangue, ma dolce rosolio quello che hai bevuto.

Improvvisamente guarito, il figlio del re si butta ai piedi di Argía giurandole eterno amore.

Molte volte mi sono chiesto come potesse una donna così serratamente puritana come mia madre risolversi a raccontare storie come questa, che a motivi rigorosamente all'indice per noi – l'amore, i baci, allusioni al mondo dei grandi – univa aspetti senza dubbio truculenti per bambini di sei o sette anni quali noi eravamo. Credo che l'unica risposta possibile sia da ritrovarsi nell'implacabile iato che nella più segreta coscienza di mia madre doveva esistere fra il mondo reale e quello fantastico il quale, appunto perché tale, poteva senza alcuno sforzo ammettere la liceità di quelle pulsioni che il mondo reale, dove alberga la moralità, aveva l'obbligo di controllare e censurare con ogni energia.

Viadinha mi ha regalato un cane.
«Ti farà compagnia quando ti senti solo.»
Dunque se n'è accorta anche lei – sembra proprio che non possa nasconderlo a nessuno. La mia silenziosa compagna è sempre con me e a nulla è servito il non parlarne, come se la prudenza del silenzio potesse cancellare la sua esistenza. Tutti, in tempi e luoghi pure tanto distanti gli uni dagli altri, hanno dovuto ammettere la fedele tenacia con cui si impegna a non staccarsi da me; compagni di svaghi e di lavoro, donne rimaste vicine qualche settimana o qualche anno, mio padre, e perfino gli abitanti di questo piccolo borgo sull'Oceano, dei quali soltanto così mi spiego l'ostinata diffidenza nei miei confronti: come potersi fidare di uno così solo?

È lei, inseparabile compagna, che con l'evocazione di tempi passati mina il volenteroso equilibrio di questo presente, è lei che giudica, è lei che censura i miei tentativi di affrancarmi col suo sgomento *refrain* "ne vale la pena?". Allora, rinunciato a ogni compagnia, mi rimetto in viaggio; forse questa volta, mi dico, non mi seguirà. Ma essa viaggia con me, come una valigia che riempita di oggetti diversi resta la stessa valigia, con lo stesso familiare sentore di sempre. Ci sono giorni che la sua fedeltà quasi mi intenerisce e mi avvicino a lei con una disposizione migliore: «Su, parla, io ti ascolto», ed essa risponde al mio richiamo e, sollevata la coperta, siede al mio fianco, si confessa. Non sempre questo raccoglimento induce a nuove paure, a volte le placa. «Che importa» pare sussurrarmi, «che possono farti? Tanto io resto con te», e alla sua presenza, questo soffio che si può estinguere solo con me, ho finito per abituarmi, come ci si può abituare a una cisti che si ha dalla nascita o a una ciocca di capelli precocemente imbianchiti. Posso ascoltare i suoi canti – in sordina, perché nessuno all'infuori di me possa sentirli –, posso prenderla in braccio come avrei fatto con un figlio o sollevarle la veste leggera come a una moglie. È di solito mentre la possiedo, che tra i suoi fremiti colgo ancora il presagio di quelle care parole:

E tu che sei figlio di re
E tanto alta sollevi la fronte, dimmi,
Quante stelle erano in cielo il dì che sei nato,
Amor dove conduce e di quanta gloria hai d'uopo
Per eguagliare un gaudio dell'amore?

Non posso ascoltare più oltre: quella voce poco a poco si spegne ed essa mi stampa sulla bocca le sue labbra volatili e dorate.

BRUNO ARPAIA

Macchia mediterranea

> Voici, sur la peau, en surface, l'âme
> changeante, ondoyante et fugace,
> l'âme striée, nuée, tigrée, zebrée,
> bariolée, chinée, troublée, constel-
> lée, chamarrée, diaprée, torren-
> tueuse et tourbillonnaire, incendiée.
>
> Michel Serres, *Les cinq sens*

Passata l'afa, il sole era restato abbandonato a se stesso nel cielo nudo. L'aria era secca, tersa, ma non avevo forze per godermela: dopo cinque ore di traversata e tre di corriera lungo una strada affogata nella polvere, ero stanco. Mi sono avviato per la stradina scalcinata che porta al mare e ho faticato a trovare la casa. Quando ho intravisto un quissimile di cancelletto, arrugginito e mezzo divelto, ho tirato un sospiro di sollievo. A piedi, ho percorso il viottolo dissestato che porta sull'aia ed ho visto Fabrice, il colono di Christine. Mi sono presentato, e lui si è molto meravigliato: non mi aspettava per oggi. Eppure, la data gliela avevo ripetuta più volte al telefono.

La villa è molto bella, immersa in una macchia verdissima: c'è un ampio salone col pavimento di cotto rustico, una piccola cucina da cui, attraversando una specie di patio con un grande camino, si arriva alle camere. Peccato che le altre due stanze in costruzione, dopo il furto di quest'inverno, siano state abbandonate a se stesse. Dappertutto tubi, fili scoperti, calcinacci: sembra di essere in un cantiere. Per di più, stanotte mi dovrò adattare a dormire circondato da un luridume di cui fatico a intuire la genesi. Fabrice ha promesso che domani pulirà tutto.

La casa, tuttavia, sembra ospitale. Dovrò ricordarmi di andare in paese per telefonare a Christine e ringraziarla di avermela offerta. Non so se sia stato giusto venire fin qui, ma questa volta ho voluto dare ascolto ai consigli di Bianca e del dottore: spero che qualche giorno di riposo mi servirà davvero a rimettermi e a stare meglio. Temo però che anche questa mia decisione nasca dal desiderio di affidarmi a qualcun altro, di liberarmi dal peso di decidere e di agire. Fatto sta che ne ho ricavato una grande calma. È quello che ci vuole per pensare: a me, a Bianca; e al ritorno, che mi fa paura.

Stasera ho cenato con Fabrice: spaghetti alla bolognese e formaggi francesi, innaffiati da un vino còrso che non mi è parso spregevole. Unica nota stonata, un paio di topolini di campagna intenti a sgattaiolare da un mobile all'altro. Ho finto di mantenere la calma e ho intavolato una piacevole conversazione con Fabrice: qui gli unici animali *méchants* – sostiene il biondastro – sono le vespe; degli altri non c'è da preoccuparsi. I topi, lui, li ammazza a pedate. Mi è passato improvvisamente l'appetito, anche perché, finito il pane che aveva comprato, Fabrice si è messo a mangiare una pagnotta su cui troneggiava un buco, evidente opera di roditore affamato.

«*Ils ont bouffé*» ha detto sghignazzando. Il suo unico timore è che gli animali possano mordere o pungere, il resto non lo disturba più di tanto. Dopo cena, ci siamo concessi un assaggio di armagnac; io ne ho assaggiato molto più di Fabrice, ma non sono riuscito a scrollarmi di dosso quella strana agitazione. Ero stanco, stanchissimo, eppure in camera, rannicchiato giusto al centro del letto, confinato nel perimetro delle lenzuola per non aver troppo a che fare col sudiciume in agguato, ho atteso a lungo il sonno che tardava a venire. Fuori, il vento faceva sbattere le persiane e si insinuava gemendo nelle commessure, coprendo ogni altro rumore, invadendo il silenzio.

Oggi ho trascorso quasi tutta la giornata fuori casa. Ho camminato fino alla spiaggia, ma è stato impossibile fare il bagno: l'acqua gelida, il mare cresputo e irrequieto, il maestrale che spazzava la sabbia... Dopo aver resistito un'ora, mi sono fatto prestare il motorino di Fabrice e sono andato in paese a mangiare in un ristorantino sul porto. Ho voluto sedere fuori anche se il vento, a raffiche, trascinava zampate e zampate di polvere. Dall'altra parte del golfo, dietro il promontorio dove c'è la casa, si è levata una colonna di fumo nero, prima esile, poi sempre più spessa.

«Un altro incendio» ha detto rassegnato il cameriere a un vecchio cliente che osservava col binocolo. Ho pagato in fretta e sono tornato indietro masticando polvere. L'aria sapeva di resina bruciata; mi lacrimavano gli occhi e avevo un raspo alla gola. Per fortuna, il fuoco era lontano qualche chilometro da casa, sparso su due o tre colline ai lati della strada. C'erano lunghe file di automobili ferme e una processione di gente che andava a chiedere quando si sarebbe potuto passare. Il sole, perso nelle colonne di fumo, prima è arrossito come in un tramonto, poi quasi si è spento, come offuscato da un'eclisse. Se il vento incalzava, le fiamme si ravvivavano, estendendo in un attimo il fronte del fuoco, aggredendo in una vampata la macchia lontana decine e decine di metri. Dove ormai tutto era arso, sul fianco della collina, tra il fumo già emergevano gli spettri degli alberi: neri, rinsecchiti, esili, come anime perdute nella nebbia. È durato fino a notte, in un viavai di pompieri e autobotti. Nel buio, per chilometri e chilometri, ai lati della strada s'intravedevano piccoli fuochi, tizzoni ardenti, alberi che ancora crepitavano. Ad un incrocio, un vecchio pino mezzo attizzato bruciava lento tra vapori di resina.

Stanotte ho dormito malissimo, svegliato più volte da sogni terribili, da un'eco di rumorose faccende in qualche indefinibile punto della stanza: tonfi, acciottolii, tramestii sul soppalco. Finché, più vicino, ho sentito uno sgranocchiare, uno sganasciare indefesso, e allora, saranno state le cinque, è cominciata la lotta col topo. Ho acceso la luce e l'ho visto, a metà della scaletta di legno, appollaiato sulla scatola dell'armagnac. Ho fatto rumore, ho battuto le mani, ma niente: lui rodeva incurante. Solo quando gli ho tirato una scarpa è scappato, ma non verso i recessi da dove era venuto. Ha sceso a balzelloni i gradini e si è andato a ficcare sotto il comò accanto al letto. E lì è restato, per quanto mi agitassi e battessi a terra con la scarpa residua. Anzi, rimaneva acquattato, s'affacciava ogni poco, mi squadrava inclinando quel muso dal quale era assente qualsiasi domanda, qualsiasi timore.

Che potevo fare? Così vicino e impassibile... Mi sono alzato, ho fatto colazione in piedi, spostandomi più volte per evitare le vespe che mi ronzavano attorno, ho letto un po', ma gli occhi mi si chiudevano dal sonno. Allora sono rientrato in camera con la massima circospezione. Tutto raggomitolato in mezzo al letto, mi sono mosso il meno possibile per non disturbare il silenzio rotto soltanto dal suo imperterrito scricchìo. Neanche drizzando la testa e tendendo le orecchie sono riuscito a individuare se provenisse dal soppalco, lontano, là in alto, o da qualche angolino, vicino, fin troppo vicino, della stanza.

Di solito, mi piace vivere nell'oscurità, in tutti i sensi. La luce mi pare aggressiva, a volte perfino crudele. Spesso mi esercito a vedere nel buio; ma soprattutto, nel buio, mi piace ascoltare i suoni che occupano lo spazio. Il più delle volte la sorgente è vaga e il suono ci invade il corpo, lo percepiamo con la pelle. La vista definisce un luogo, un punto; l'udito è ubiquo, quasi divino. Ma oggi la sensazione di onnipotenza è durata poco, vinta dalla paura. Roba di un quarto d'ora: da dietro la spalliera ho sentito una corsa, poi lo sbattere della maniglia del lettino accanto al mio, infine l'ho visto saltare e sparire dietro la cornice della rete. Mi sono alzato di nuovo. Era lì, quasi allo scoperto, vicino al veleno che avevo comprato, immobile come in un quadro. Che gl'importava se io scuotevo il letto in su e in giù? Poi a un tratto è scomparso, ma ormai lo conoscevo bene. Infatti si era sistemato sotto il materasso a rosicchiare beato. Era troppo. Ho preso in fretta le mie cose e ho deciso di andare in spiaggia.

A quel punto, era inutile fare l'indifferente: ero teso, eccome. Dovunque, vedevo forme che guizzavano; ogni corpo in moto, fosse una pagliuzza agitata dalla brezza o l'ombra di una farfalla sul terreno, mi sembrava un pericolo da cui dovevo guardarmi. Arrivando in spiaggia, per un attimo ho perfino scambiato una boa per un orso polare: gli ho visto gli occhi, il punto nero del naso, mi è sembrato finanche di intravedere le zanne. Meno male che la baia era stupenda, l'acqua limpida e calma, la rena bianca e sottile. Ho seguito con lo sguardo un piccolo catamarano che sdruciva il mare, virando e strambando prima di arrivare in acque aperte. In cielo, c'erano nuvole alte e leggere, tutte sfilacciate come se in mezzo ci fosse passato un enorme pettine. E c'era un altro aspetto piacevole della storia: quattro ragazze che si giravano e rigiravano al sole. Sembravano nude, ma erano tutte vestite della loro abbronzatura. Ne ho adocchiata una in particolare, la seconda da destra: credo di esserle piaciuto perché ogni tanto, fingendo di parlare con le altre, ricambiava le mie occhiate.

Aveva un modo fantastico di essere cosa, di darsi allo sguardo. Era un oggetto assoluto, totale; eppure era lei che vinceva quelle guerre sottili. A me è rimasta la consolazione di aver vissuto uno di quei momenti speciali, quando vedere è una specie di tatto, di contatto a distanza. Anche adesso, se cerco di ricordare il corpo di Bianca, devo concentrare la memoria sulle mie dita, sulle palme delle mani e provare a percorrerlo...

Faceva caldo, e l'afa mi si accaniva sul collo, di dietro, a tradimento. Poi le ragazze se ne sono andate, lasciandomi solo come una spia. Sulla spiaggia è sceso un lungo silenzio, agitato da una brezza che ha portato fino al mare gli odori della macchia. Ho seguito quel profumo, tornando a casa per i sentieri, tentando inutilmente di riconoscere le varie specie di piante che vedevo tutt'intorno, che mi graffiavano i piedi e le caviglie. Del sole che picchiava non m'importava granché; ero contento e in forze nonostante la lunga camminata. Per la prima volta da tempo, mi sentivo anche bene fisicamente: la pelle viva, come tesa da un'energia interna di cui avevo perduto perfino il ricordo. La pelle è la tela di fondo, il continuo, la nota tenuta dei sensi, il loro denominatore comune. È il punto in cui il mondo e il corpo si mescolano: tutte le cose si mescolano, e io non faccio eccezione. "Io mi mescolo al mondo che si mescola a me."

Arrivato a casa, ho battuto con forza i piedi, poi sono entrato in camera per prendere un libro e andarmene a leggere fuori. Ho chiuso la porta senza poter nemmeno lontanamente immaginare quello che stava per accadere: sui gradini del corridoio, addossato ai tubi dell'acqua, c'era un lungo, ributtante serpente nero, un metro e mezzo di viscidume uscito da chissà dove.

«Oddio, aiuto» ho detto tentando di mantenere la calma, ma era come se l'angelo della morte mi avesse solleticato il cuore con le ali. Per fortuna anche la bestia ha avuto paura di me: ha sollevato la testa e si è riavvolta lentamente a marcia indietro, con quel suo sinueggiare schifoso, sparendo in non so quale buco. "Cosa ci sarà dopo i topi e il serpente?" ho pensato quando il battito mi è tornato più o meno regolare. Ma subito dopo mi sono reso conto che non riuscivo a spingere oltre l'immaginazione. Infine, visto che i serpenti si nutrono anche di topi, ho creduto che quell'apparizione fosse la risposta del cielo alle mie insistenti preghiere di liberarmi dai ratti. Ma, già che c'erano, di lassù non potevano mandarmi un gatto?

Di nuovo teso, tesissimo, col mal di testa alle stelle, ho deciso di tornare a mare, l'unico posto che mi sembrava tranquillo. Siccome mi bruciavano le spalle, ho messo su un po' di crema idratante. Il suo odore, evidentemente, deve piacere alle mosche del luogo: ce n'è una decina che mi ha seguito per un chilometro e mezzo, fino alla spiaggia. Chi mi ha incontrato per strada, vedendomi smanacciare continuamente per aria, m'avrà preso per pazzo. Il calvario, però, non era ancora finito: anche a mare, tra il mal di testa e un leggero colpo di sole, sono stato davvero male. Allora mi sono trascinato di nuovo fino a casa: proprio all'ora in cui i topi che abitavano nella mia camera dovevano aver dato una festa approfittando della mia assenza. Aprendo la porta, ne ho visti due, uno dietro l'altro, che svicolavano da sotto il letto. Al centro della stanza, bene in fila, si sono prodotti in un salto da antilope, ad altezza materasso. Con l'ultima barriera fisica, è caduta anche la mia ultima barriera psicologica. Quando ne ho visto un terzo nell'angolo a sinistra, ho ceduto le armi e sono corso via bestemmiando.

È passata un'ora, è passato un minuto o due, non lo so. Quando ho rappattumato un po' di coraggio, sono riuscito, in quattro o cinque viaggi sempre più timorosi, a raccogliere i miei bagagli e a portarli sul soppalco che dà in salotto, dove pare che i topi siano disturbati dall'odore della cera da legno. Dormirò là. O meglio: cercherò di dormire, perché anche adesso che scrivo in cucina per rimandare quanto più è possibile l'ora di andare a letto, li sento rosicchiare dietro la cassapanca e sotto il divano. Il fatto strano è che il veleno che ho sparso qua e là è tutto sbocconcellato, ma loro non muoiono, sono ancora lì a saltare, vispissimi come dopo una sauna svedese. Se si limitassero a restare in cucina, non mi preoccuperebbero molto: basterebbe fare in modo che non arrivino alle provviste. Li temo solo di notte, quando dormo, quando sono senza difese, quando ho già il mio bel da fare a sopportare i miei sogni.

I sogni di queste notti, per quel poco che mi ricordo, sono intensi e confusi. Credo di aver pianto nel sonno sognando mio padre. Mi sono svegliato con le guance bagnate e ho sentito il topo: dal vivo, non in sogno come, naturalmente, mi è capitato spessissimo: topi di tutte le dimensioni mi hanno sfiorato, mi hanno morso in uno strano mare oleoso, mi hanno toccato sul collo con la coda viscida... E poi ho sognato Bianca, ma di quel sogno non ricordo nulla. Sono stati sonni agitati, da cui mi svegliavo esausto dopo tanto lavoro onirico. Mio padre è tornato ogni notte: anche se il suo ricordo mi fa male, sono contento di sognarlo. È l'unica cosa che mi resta di lui. Così, almeno, lo sento vicino. Ma lo vorrei ancora più vicino, e piango. Come adesso. E non so fermarmi.

Nonostante le difficoltà per il sonno, le cose sembravano volgere al meglio. Ieri sera sono uscito sull'aia e mi sono steso per terra a guardare il cielo. Dalla macchia veniva un odore di mirto, di mentuccia che viaggiava nell'aria calma, come portato dal frinire delle cicale. Sono restato per quasi due ore a terra, quasi immobile, a contemplare il cielo più bello che avessi mai visto. Le stelle, nitide nel buio terso, si addensavano attorno ad una Via Lattea come scolpita, tanto era evidente. Rivolto a nord, ho guardato il Grande Carro scendere verso l'orizzonte, dietro la collina che nasconde la baia. Ne ho quasi avvertito il movimento lentissimo ed ho pensato a quella vòlta che ruota attorno alla stella polare e a noi che giriamo sotto l'universo. Quando anche la testa mi è cominciata a girare, forse per le troppe sciocchezze che avevo pensato, mi sono rintanato nel mio soppalchetto, senza riuscire a far molto di più che dormicchiare e pensare ai topi, con l'orecchio pésolo a seguire gli spostamenti dei loro rumori.

Mi sono alzato prestissimo, appena dopo l'alba, e l'aia era ancora umida di brina. A ovest, sbiadivano le ultime stelle. A poca distanza dal pozzo, ho visto perfino una gazza, con la coda lunga e il piumaggio bianco e nero. Si è lasciata avvicinare fino a un paio di metri, poi ha cambiato albero con un volo basso, fatto di pochi battiti d'ali. Che pace. Ma il pensiero dei topi mi ha aggredito di nuovo. Verso le nove sono andato in paese, ho comprato del nastro da imballaggio e ho cercato di tappare tutti i buchi del bagno: nella vasca, vicino ai rubinetti, sotto il lavandino. Naturalmente, è stato inutile. I bastioni hanno resistito poche ore, poi sono stati sfondati. Il brutto è venuto dopo. Le cose peggiori si materializzano sempre nel corridoio fra il bagno e le stanze. Stavolta, in pieno giorno, mi ha svolazzato davanti un pipistrello, passandomi molto, molto vicino. Si è sistemato a testa in giù sotto lo squadro della porta, lisciandosi le zampe e quel suo muso a metà tra il topo e il vampiro. Sono restato un paio di minuti in attesa che mi liberasse il passaggio, finché è volato in cortile, qualche metro più fuori. Allora, tutto chino, quasi di corsa, sono rientrato in cucina. Mi sono preparato un altro caffè, chiedendomi perché non avevo avuto problemi a dormire all'aperto in piena giungla amazzonica, esposto a ogni tipo di insetti e animali pericolosi, ed ora non sopporto qualche topo e un pipistrello in casa. Sto diventando vecchio? Oppure, in fondo, anche stare qui mi sembra un atto senza senso, come tante altre cose della vita, e allora penso che il gioco non valga la candela? Ci ho riflettuto tutto il giorno, in spiaggia, dove sono restato fino al tramonto: dal mare, nessuna risposta.

Ieri sera ero tanto stanco e rassegnato che sarei riuscito a dormire nonostante i topi che si davano a corse pazze su per le intravature del soffitto, dietro la cassapanca in salotto, forse dentro il pianoforte sul mio soppalco. Senonché Fabrice, la cui camera da letto è divisa dalla mia soltanto da una porta, deve essersi portato a casa una ragazzotta del luogo. Il biondo è giovane, non avrà più di venticinque, ventisei anni: hanno fatto l'amore due, tre volte, fino a notte alta. Ma mentre lui si limitava agli ansimi di prammatica, lei ululava a ogni affondo, come se a ogni colpo temesse di spaccarsi in due. Non basta. Sopravvissuto per puro miracolo a tante notti bianche, oggi pomeriggio ero quasi sul punto di addormentarmi quando i due compari mi hanno svegliato con dell'orribile musica a tutto volume.

Ero già di cattivo umore dalla mattina, poi è venuto quest'ennesimo attentato al mio sonno, infine, per giunta di ròtolo, ho pensato a Bianca e a quello che ci attende al ritorno: chiarire, lasciarsi? Mi sono incupito definitivamente, colto da un altro attacco della mia malattia: atrabile, astenia, accidia, malinconia... Non so più come chiamarla. Certo è che, come al solito, non avevo entusiasmo, il semplice lasciarmi vivere mi era di peso. Mi sono ritrovato a camminare per la macchia, fra le mille sfumature di verde e i profumi così intensi che anch'io li avvertivo distinti, ma non riuscivo a mandare avanti le gambe, stremato da una specie di noia sottile. Sapevo che era solo una questione di volontà, di pensiero: dovevo solo convincermi che la lebbra dell'insensatezza non si attaccava a tutto quello che mi circondava, a ogni mio ridicolo atto. È stata la prima volta che son riuscito a cogliere sul fatto, *in actu*, l'insorgere della crisi; di solito, non ho nemmeno il tempo di rendermi conto di quello che sta succedendo e già son chiuso nel mio mutismo, nella mia annoiata indifferenza, nel mio non esserci del tutto, mai. Stavolta, sarà stata la passeggiata nei boschi, sarà stato il pensiero dei topi, del pericolo in agguato, è successo qualcosa e son riuscito a tirarmi fuori. Il passo si è fatto più elastico; nella sorpresa del vento, in groppa alla collina, il cuore è tornato a battere dopo l'aspra salita. E di nuovo ho sentito la pelle respirare, le percezioni acute. Ho camminato tanto, fino a quando è cambiato il tempo. Ancora non pioveva, ma i fulmini erano tanti e così bassi che a ogni istante il mare e i promontori della baia e le colline intorno si allagavano di viola.

Ieri ha girato il vento e oggi la giornata è grigia, soffocata da un cielo basso sul mare, da nuvole nere e pesanti. Piove a tratti, con rovesci improvvisi che riempiono di fango i viottoli e danno un po' di respiro al terreno screpolato, all'erba giallastra sciupata dal sole. Il tempo sembra allungarsi, riluttante a passare. Con gli occhi pesanti per il troppo sonno rimandato, ho cercato di leggere un libro, poi sono andato in bagno e ho raccolto il primo topo morto della mia vita. Era stecchito, con le zampe tese, tra la vasca e il lavandino. Mentre l'ho caricato con la scopa sulla ruscaiola, mi ha fatto perfino un po' pena; poi me ne sono liberato in fretta, scaricandolo nella spazzatura. Un altro mi era sfrecciato sotto le gambe mentre leggevo in salotto, sparendo sotto il divano. Sentivo che dentro mi cresceva una strana determinazione, un'incontenibile voglia di farla finita una volta per tutte. Ho cercato di dominarmi e d'ingannare il tempo mettendomi a guardare la febbrile processione delle enormi formiche, lunghe quanto un polpastrello, sul davanzale della finestra del soggiorno. Di solito, le formiche mi affascinano, così indaffarate, indifferenti al senso del loro continuo affannarsi. Stavolta, però, la loro dismisura mi ha inquietato. Tanto più che ne ho vista una intenta a trasportare sotto la pioggia una di quelle palline di merda di topo disseminate per tutta la casa. Certo, ho pensato, giacché la natura non butta via nulla, le formiche saranno utilissime come spazzini. Ma ho provato ugualmente un ribrezzo profondo: sarà stato quell'odore di merda così particolare che avevo l'impressione di avvertire per la prima volta.

Quando è scesa la sera, me ne sono salito in soppalco a tentare di dormire. Ma l'abitatore della cassapanca ha ruminato, sgranocchiato, digerito tutta la notte, smovendo gli oggetti della cesta e facendo cadere la racchetta da tennis nel cuore del silenzio. Ho sonnecchiato a brevi capitoli, perdendo sempre il filo del sonno, coi sensi all'erta come prima di una catastrofe. Al buio, non potevo vedere; il mio odorato non è mai stato granché; anche l'udito, allenato all'oscurità, sembrava venir meno. Eppure tutta la stanza, e quel topo, e la macchia là fuori, erano alla mia portata. Sentivo solo la pelle, che conteneva tutti i sensi e non ne era nessuno: la pelle striata, tesa, turbata, vibrante, iridata, varia, turbinante e impetuosa, incendiata, abbronzata come le ragazze giù al mare. Finché, verso l'alba, ho avvertito lo sgranocchìo che si appropinquava su per la scaletta di legno, avvicinandosi al letto. Allora mi sono sentito dentro uno strano rimescolìo ed ho agito con più convinzione di quanta ne abbia avuta da molti anni a questa parte. Mi sono alzato e mi sono acquattato dietro la balaustra di legno, impugnando un coltello da vela, con le orecchie tese e i nervi pronti a scattare. Da fuori, in direzione dell'aia, è venuto uno scalpiccìo delicato, un leggero e ordinato smottare di ciottoli sotto l'incalzare di qualcosa di molto simile a una fuga o a una processione. Poi tutti i rumori si sono smorzati. Sono rimasto solo: nel buio, nel minerale silenzio della casa ormai vuota.

MARCO BACCI

Non fosse morto a Praga?

«Ah, signor Pavelich, cosa sarà mai questa bestia immonda...?!»

«Un insetto direi... Non fosse grosso come un uomo piccolo come un cane.»

«Grosso come un uomo piccolo come un cane? Ma vi esprimete in maniera davvero incongrua, signor Pavelich!»

«Mi scuso, signor spazzino Grunich. Ma vi rammento anche che fate il mio stesso mestiere. Fossi in voi non guarderei troppo per il sottile la mia maniera di esprimermi!»

«Grosso come un uomo piccolo come un cane... tsé» borbottò il signor Grunich. Dette un colpo di scopa delicato sulla schiena polverosa dell'insetto, là dove una mela, o quel che ne restava, marciva in una fessura della chitina.

«L'ho detto perché, insomma, questa brutta creatura mi ricorda un uomo. Ma nessun uomo può essere piccolo come un insetto...»

«O nessun insetto grosso come un uomo...» aggiunse Grunich dando un altro leggero colpo con la saggina e i rametti.

«Ma piccolo come un cane, forse sì... non trovate?!» insisteva lo spazzino Pavelich.

«Un uomo forse...» acconsentì Grunich. «Un insetto mai. Sarebbe orribile un insetto grosso come un cane!»

«Orribile, in verità. Pure, questo lo è» sussurrò Pavelich.

«Metà della mia scopa. Davvero» aggiunse turbato Grunich.

«Ah...» pigolò una vocina.

Grunich voltò piano la testa e Pavelich distolse lo sguardo dall'occhio bianco, il sinistro, di Grunich.

«Avete detto?»

«Nulla, io. Forse qualcosa nel pattume.»

«Via. In questa zona non scaricano moribondi. Per quanto Praga sia diventata quella discarica infame che è, qui vivono persone perbene, che prendono i loro treni in orario e spolverano ogni mattina i loro vestiti da viaggio!»

Pavelich guardò Grunich e gli immaginò il sogno nascosto d'essere un impiegato di concetto o un viaggiatore di commercio. Lui mai, benché ritenesse che il suo fisico pingue ben si sarebbe adattato a quelle grisaglie e quei panciotti che sapevano di onestà e solerzia.

«Vero» ammise. «Qui non scaricano mai moribondi. Solo oltre la stazione. So di uno della terza squadra che s'è visto strappare la scopa da un mucchio di immondizia che voleva percuoterlo!»

«Ma è tremendo!» sospirò Grunich.

«Davvero. Ma è spirato mentre sollevava il manico.»

«Capisco.»

«Ah!» si levò più forte il pigolìo. Pavelich ebbe

la sensazione che la creatura con la mela nella schiena avesse vibrato appena. Che una di quelle zampette avesse scansato l'aria in un rantolo spostando certe scatole che comunque non erano in buon equilibrio nel mucchio dei rifiuti.

«Ah, padre mio! La mela no! Perché punirmi in questo modo?»

«Ha parlato!» strillò Pavelich. «Ha parlato e prima ha spostato una zampa!»

«Signor Pavelich smettetela! Non sono dell'umore giusto. Non avete il diritto di beffarvi di me in maniera tanto crudele!»

«Padre mio, sorella mia, madre cara, vi prego! Quest'oggi prenderò il treno in tempo, mi alzo, ecco, vedete che mi alzo?»

Vecchie calze frusciarono di lato e si confusero con vari rifiuti mentre tutto il carapace dell'insetto aveva un fremito e un'antenna, o quel che ne restava, si ergeva di scatto, orribile, annerita da polvere di carbone che nessuno era riuscito a bruciare. L'insetto avanzò di un paio di passi. Ma alcune delle zampe sembravano incapaci di sostenere il peso. Una poi, curiosamente, terminava con quello che il signor Pavelich avrebbe definito un abbozzo di piede umano. Ma non l'avrebbe ammesso mai. Pavelich si limitò a stringere il labbro inferiore tra i denti. Grunich, no. Lui tirò un colpo di scopa.

«Ah, la bestia s'è mossa! Ma la finisco io! La finisco!»

«Grunich che fate? Quella creatura ha parlato come noi!»

«Pavelich, badate! Questo scherzo è durato anche troppo! Smettetela di sibilare tra i denti e aiutatemi a finire quel mostro!»

«Ma signor procuratore» pigolò di nuovo la voce «le apro subito, all'istante. Un lieve malessere, un capogiro mi ha impedito di alzarmi. Sono ancora coricato, ma ormai mi sono rimesso! Ecco, sto scendendo dal letto, pazienti ancora un minuto!»

L'antenna scattò ancora e Pavelich seguì un foglio di carta volare. Vi fu un fischiare convulso e alcune foglie secche crepitarono mentre l'animale vibrava.

«Dio mio!» strillò Grunich. «Guardate le zampe!»

Tutte le zampe di destra fecero leva e l'animale si ribaltò lanciando uno squittìo disperato. Pavelich vide appena il ventre convesso, bruniccio, spartito da solchi arcuati e chiuse gli occhi per il ribrezzo.

«Ah sorella mia! Il latte dolce coi pezzi di pane!» gridò la bestia. Poi parve svenire e Grunich aveva alzato la scopa. I suoi occhi erano rossi e infuriati.

«No!» disse Pavelich. «No, signor Grunich. Questa... questa cosa va soccorsa, da buoni cristiani!»

«Io non l'ho neppure vista!» urlò isterico Grunich e con un secco colpo di scopa gettò terra e fuliggine sulle zampette che sferzavano l'aria impazzite.

«Io non l'ho neppure vista!» ripeté. «E neanche voi, signor Pavelich. Per la nostra salute mentale!»

«Eppure...»

«No!»

«Io...»

«Spazzate, dunque, signor Pavelich!»

Spazzarono i rifiuti sull'insetto. Ma dopo il tramonto lo spazzino Pavelich tornò a frugare nel mucchio, perché i suoi accorti colpi di scopa avevano alleggerito il fardello che quelli di Grunich appesantivano.

«Non sei morta bestia, vero?» sussurrava. «Vero che non sei morta?»

«Mamma...» pigolò l'insetto con un colpo di tosse. Pavelich toglieva delicatamente il terriccio con una leggera spazzola da barbiere.

«Chi sei bestia?» chiese Pavelich distogliendo lo sguardo.

«Signor procuratore! Abbia clemenza per i miei genitori!» piangeva l'insetto.

«In fede mia non sono procuratore» mormorò lo spazzino Pavelich. «Ma tu sei un mostruoso prodigio. E ti curerò.»

L'uomo infilò dei grossi guanti e svolse un sacco di juta che aveva contenuto caffè sudamericano e senza guardarlo infilò l'insetto nel sacco e a fatica lo sollevò. Era una sensazione orribile, che il sacco accentuava al tatto, come trasportare un crostaceo del peso di un cane che parlava come un funzionario. Per tutta la strada dal sacco uscirono nel delirio orari ferroviari e ordinazioni.

«Un prodigio» ripeteva trasognato e al contempo disgustato lo spazzino Pavelich. Aveva, chissà perché, la sensazione che la bestia si stesse rilassando, e rilassandosi si distendesse, e aumentasse di misura e di peso. A un tratto una delle antenne forò la juta del sacco con una lacerazione secca.

«Buon Dio!» ansimò lo spazzino, impedito dall'ingombro a farsi il segno della croce.

«Buonasera a voi, signor Pavelich» disse una voce. Pavelich sussultò e si irrigidì.

«Buonasera, dottore. Una chiamata notturna?»

«Già. E voi, con quel sacco di caffè? Affari?»

«Leciti» disse Pavelich coprendo con un guanto l'antenna che ciondolava.

«Me ne offrirete una tazza» sorrise il medico.

«Immancabilmente partirò col treno delle otto!» squittì la bestia nel sacco.

«E dove andate, signor Pavelich?»

«Un parente, sul confine polacco» gridò Pavelich per coprire la voce che usciva dal sacco. Nell'aria si diffondeva un aroma misto di caffè e ammoniaca e il medico si toccò piano il naso.

«Avete parenti polacchi?» mormorò stupito.

«Uno, contadino, moribondo» sospirò Pavelich.

«Ma si spera sempre di poter vincere la malattia, senza bisogno di rimanere a casa!» squittì il sacco.

«Come?» sobbalzò il medico. «Che c'entra?»

«Dicevo che si spera sempre fino all'ultimo!»

«Anche contro l'evidenza, certo» scosse la testa il dottore. «Auguri dunque, signor Pavelich.»

«Auguri a lei, dottore.»

«Non si trattenga, signor procuratore...» disse la juta nel buio. Il medico esitò e poi si allontanò con un sorriso.

Pavelich sospirò. Gli facevano male le braccia. La bestia nel sacco sembrava pesare di momento in momento di più. E pareva allungarsi.

«E chi ti curerà?» mormorò a un tratto, quasi pentito. «Non posso certo metterti tra le mie lenzuola. Ti laverò un poco con acqua tiepida e ti darò una vecchia coperta. E per cibo quel latte dolce col pane di cui farneticavi poco fa.»

Si fermò e guardò il sacco di juta che gli franava dalle braccia. Rimase qualche istante trasognato. «Ti darò una stanza brutta, ma asciutta. E forse anche un nome, se già non l'hai. Hai un nome, bestia?»

«Gregor» rispose il sacco. Ma Pavelich non aveva sentito. Provava a sorridere, per vincere l'ansia e la confusione che ormai l'avevano vinto. Entrò in casa e non accese luci. Teneva sulle gambe il sacco che si gonfiava appena. Poi, ancora senza accendere le luci, prese una decisione: aprì la stanza, tirò pochi colpi di scopa precisi e inutili, e cantò tra sé una vecchia canzone morava mentre spazzava nel buio. Preparò del pane secco in un bagno di latte un po' vecchio e posò la scodella al centro della stanza. Quindi, ancora senza accendere le luci prese un flacone di etere e stese il sacco su un tavolo. Infilò la mano guantata nel sacco e a tatto ritrovò il frutto appassito e lo scalzò dal carapace con un moto di disgusto e frettolosamente reinfilò la mano nel sacco armata del flacone e versò l'etere nella ferita. Chiuse gli occhi.

«Ahhh» strillò la bestia e tutte le zampe gonfiarono la juta.

Il signor Pavelich richiuse il sacco e lo vuotò con una certa grazia all'interno della stanza. Vi gettò una coperta e subito chiuse la porta a chiave. Di più non se la sentiva. Rimase seduto sul pavimento ad ascoltare il curioso zampettìo che veniva oltre la porta.

«Anna! Sei tu Anna!» strillava la bestia. «Sorella mia aprimi!»

Il signor Pavelich si ritrovò una lacrima nell'angolo dell'occhio. La voce ora era più umana. Triste, disperata, e delirante. Ma non era più una voce da bestia. Dopo qualche minuto i richiami cessarono e giunse il suono di una piccola lingua affondata nella ciotola che succhiava latte e i pezzi del pane ormai sciolto.

Quella notte il signor Pavelich accese una candela e pregò per la bestia finché non giunse il sonno. All'alba si recò al lavoro senza guardare nella stanza. Nessuno sarebbe tornato nella casa fino a sera e mentre spazzava un acciottolato presso la sinagoga si ritrovò a pensare alla bestia che l'attendeva. Il cibo era sufficiente? Sarebbe sopravvissuta?

«Buongiorno signor Pavelich.»

«Buongiorno spazzino Grunich.»

Questo si dissero e non altro. Non tornarono nel luogo in cui la bestia era stata abbandonata. Da lontano guardarono il falò che consumava i detriti là dove l'insetto avrebbe dovuto giacere e Pavelich notò Grunich tirare un sospiro. Ma non disse nulla.

A sera fatta tornò a casa e rimase nell'oscurità ad ascoltare fuori dalla stanza. Nessun rumore ne usciva e allora si decise ad aprire uno spiraglio, in realtà un poco intimorito dalle possibili reazioni della bestia. E se si fosse ripresa e l'avesse atteso infuriata, arrampicata allo stipite? E che volto aveva, se di volto si poteva parlare per quelle aperture che potevano essere mandibole? Nella sua immaginazione lo spazzino Pavelich vide l'insetto ingigantito fino a occupare la stanza intera, compresso tra le pareti, infuriato e crudele.

«Via» si scosse. «Pavelich, l'hai tenuto in braccio come un cucciolo. Non sarà stato il tuo pane e latte a farlo mutare in un elefante...»

Girò la chiave con cautela e guardò la scopa di saggina e rami che teneva nella mano sinistra. Sarebbe bastata per quel crostaceo impazzito? Ebbe la fantasia che entrando non l'avrebbe visto subito perché la bestia l'attendeva per un agguato mortale appesa al soffitto: sarebbe bastato cadergli addosso per fermargli il cuore per sempre...

Socchiuse la porta. Niente.

«Bestia» sussurrò deglutendo. «Dove sei?»

«Gregor, signore...» giunse una voce. «Sono qui, ma non si avvicini e non accenda ancora la luce, per carità!»

«Ma dove sei?» chiese Pavelich.

«Sotto la coperta signore, nell'angolo in fondo della stanza. Devo avere una linea di febbre e la schiena, al centro, mi brucia terribilmente. Ma in effetti sto meglio di ieri. Mi son svegliato da sogni inquieti mentre lei mi soccorreva con umanità. Del che la ringrazio. Posso sapere il giorno e l'ora? E il mese, magari, o l'anno, per gentilezza...»

Pavelich rispose stordito mentre cercava nel buio la bestia nell'angolo. Intuì il chiarore della coperta gonfio di una forma che respirava appena.

«Hai bisogno di qualcosa... bestia?»

«Gregor, signore, la prego. Un po' di cibo, se non le è di disturbo. E un po' di discrezione e di carità...»

«Carità... Gregor...?» sussurrò Pavelich.

«Un contenitore per i miei bisogni, signore. Mi vergogno a insozzare il pavimento di questa bella stanza...»

«Oh...» sorrise Pavelich. «Io sono spazzino.»

«È una bella stanza pulita. I miei complimenti signor...»

«Pavelich.»

«I miei complimenti signor spazzino Pavelich. Un contenitore di ceramica o anche di ferro smaltato sarebbe perfetto.»

«Nient'altro, Gregor?»

«Discrezione. Vorrei star solo un paio di giorni. Sento che torno come nuovo in due giorni o tre e non vorrei essere visto in queste condizioni. Lei capisce, signor Pavelich...»

Pavelich trattenne un sorriso. Accostò e dopo qualche istante spinse nel buio un pitale, con delicatezza, col manico della scopa. Dopo il frusciare del metallo sul pavimento, nulla.

«Chiuda, la prego. Non credo che potrei...»

«Già» arrossì il signor Pavelich. E in cuor suo pensò: «Che ragazzo fine quel Gregor».

«Busserò io tra poco.»

«Certo» sussurrò Pavelich e chiuse. Quando Gregor bussò il signor Pavelich trovò il pitale all'ingresso della stanza, ben chiuso dal suo coperchio. E dopo un'esitazione ne spiò il contenuto.

«Un uomo» mormorò tra sé e sorrise.

«Signor Pavelich!» gridò la bestia.

«Sì?!»

«Quel sacco dal buon odore di caffè?»

«Sì?!»

«Vorrei averlo per metterci certe cose mie.»

Pavelich era troppo stordito per chiedere quali cose. Aprì la porta e lo stese piano sul pavimento.

Nella notte sentì l'animale piangere con voce sommessa. Ogni tanto giungeva un rumore terribile, come di una tela lacerata cui faceva seguito un colpo sul pavimento, di cose che vi cadevano appena attutite dalla juta.

«Dio mio, che dolore!» si lamentava piano la bestia.

«Tutto bene?!» chiese sconvolto Pavelich.

«Potrebbe andar meglio. Posso chiedere una cortesia?»

«Dimmi, bestia. Scusa, volevo dire Gregor.»

«Bende. Acqua tiepida e bende. Molte bende di garza pulita e un disinfettante, se non è chiedere troppo...»

«Ma domani» sussurrò Pavelich. «È notte fonda.»

«Va bene anche domani» giunse la voce rassegnata di Gregor. Per cui Pavelich uscì nel buio e cercò il dottore.

«Dottore la prego: un disinfettante e bende di garza!»

«Un incidente? Vengo io!»

«Non è necessario. Il malato...»

«Sì?!»

«In verità il malato è molto pudico e non sopporta che lo si guardi mentre si cambia le fasciature.»

«Che razza di malato è?» chiese il dottore insospettito.

«Si crede una bestia» disse Pavelich a voce bassa, guardandolo con complicità. Per dare un'impressione più esatta girò il dito indice contro la tempia.

Il dottore scosse il capo.

«Ma son cure adatte o è un'altra fantasia matta?»

«Le cure son quelle, il resto è la sua fantasia» ammise Pavelich con aria professionale.

«È sicuro che non lo devo vedere?»

«È incurabile e orribile a vedersi. È pura carità. Anche bende non bellissime, purché asettiche.»

Mise tutto in una scatoletta e la spinse nella porta.

«Il sacco, signor Pavelich» pigolò Gregor.

«Il sacco, certo.» Pavelich tastò nel buio e ritirò il sacco di juta: mandava un rumore di croste di pane in un barattolo e Pavelich non resistette: infilò di nuovo quei guanti spessi e con cautela tastò nella juta. Una zampa! Una minuscola zampa chitinosa e coperta di ciuffi di un muschio color melanzana! Fu automatico: il signor Pavelich gettò il sacco lontano e quello si rovesciò spargendo il suo contenuto: scaglie a pezzi o intere coprirono il pavimento, e un'antenna, spezzata, da cui colava qualcosa che...

«Bestia!» gridò il signor Pavelich. «Ma cosa hai fatto!?»

«Tutto bene signore» replicò la voce dolorante, ma quasi allegra. «Le bende sono buone e non fa poi così male. Non guardi il contenuto del sacco che fa impressione.»

«Purtroppo l'ho visto.»

«Amen. Me lo può ridare quando l'ha vuotato?»

Pavelich contò con lo sguardo le zampe a terra e le scaglie e rabbrividì. "Ancora?!" pensò in cuor suo. "Che succede?"

«Bestia che succede?»

«Non so ancora bene, signor Pavelich. Ma non mi guardi ora, la prego. Sono nel mezzo di qualcosa che non capisco, ma comincio a intuire. Se vuole aiutarmi...»

«Sì...?»

«Se vuole aiutarmi mi parli, da dietro la porta. E mi chiami Gregor, la prego...»

«Certo» si schiarì la voce Pavelich. «Oh, buongiorno Gregor... dunque, mi vuol dire qualcosa di lei...»

«Ahh, Dio che dolore terribile!» strillò Gregor e Pavelich sentì uno strappo che gli fece rizzare i capelli in testa. Non resistette e spalancò la porta e intuì qualcosa che si dibatteva sotto la coperta macchiata di sangue.

«Dio mio!» mormorò Pavelich.

«Esca la prego!» strillò la cosa da sotto la coperta. E la voce ora pareva tornare più simile allo squittìo disperato che era uscito dai rifiuti.

«Non mi guardi ora!»

«No. Scusa, bestia!»

«Gregor.»

«Gregor, certo. Devo avvertire qualcuno?»

«No. Due giorni, la prego. Solo due giorni.»

Pavelich arretrò e chiuse la porta.

«Avete un padre, signor Gregor?»

«Credo che ora faccia l'usciere. L'ho intravisto in una divisa azzurra coi galloni d'oro di una banca, prima di cadere nel deliquio da cui mi avete soccorso.»

«Devo avvertirlo?»

«Forse, a suo tempo.»

«Una madre, fratelli?»

«Una sorella.»

«Avverto lei.»

«No!» gridò la bestia dal buio.

«Lavoravate nelle ferrovie?»

«Cosa ve lo fa pensare?»

«Farneticavate di orari di treni.»

«Ancora? È proprio il mio incubo. Ma è vero, ne sentivo la mancanza. Prendevo molti treni a ore orribili del mattino. Voi, signor spazzino, uscite presto il mattino?»

«All'alba, quasi sempre. Tra un po', credo, dovrò andare.»

«Io quest'ora la odio. Vorrei poltrire fino a che il sole, anche d'inverno, non ha scaldato le pietre delle case.»

«Ma cosa eravate, dunque?»

«Un venditore. Alla fine un po' sfortunato, davvero.»

«Nel delirio parlavate di un procuratore.»

«Ah, sì?! Be', quell'uomo lo odio, cordialmente.»

«Ora devo andare, signor Gregor. Avete bisogno di niente.»

«Un giornale, se non vi è di peso, signor Pavelich. Per capire cos'è successo al mondo mentre...»

«Mentre?»

«Mentre ero così.»

«Dove stavate?»

«In casa. Strisciavo per le pareti. Non era male, era tutto così ottuso... ahi!»

«Va tutto bene?» si informò Pavelich.

«Miglioro progressivamente» sussurrò Gregor.

Pavelich salutò e uscì a spazzare le strade di Praga. Un'alba fredda, azzurra e sporca che faceva male ai polmoni. Pavelich lavorò e non dimenticò il giornale.

«Signor Gregor?»

«Sì?! Avete il giornale signor Pavelich?»

«Posso aprire?»

«Vi prego, no! Lasciatelo davanti alla porta e arretrate di un passo, se siete un'anima sensibile.»

Pavelich fece così e sedette su una sedia di paglia a fissare la porta. Che si schiuse e ne uscì un braccio bendato e rosa di muco sanguigno che afferrò di scatto il giornale.

«Oddìo!» si lamentò Pavelich piano.

«Sto bene signor Pavelich. Mi brucia dappertutto, ma nel complesso sto bene. Può ridarmi il sacco vuoto?»

Pavelich lo spinse dentro e il sacco ritornò con altre scaglie e spuntoni e croste pelose di muffe cui si erano aggiunte bende insanguinate.

«Per l'amor di Dio, signor Gregor, vuole spiegarmi che le succede?»

«Va tutto bene signor Pavelich. È come una nuova vita. Brucia un po' e basta.»

«Brucia cosa?»

«Brucia. Di più non posso dire.»

«Posso fare qualcosa?»

«Non so se posso ardire...»

«Dica dunque.»

«Abiti. Temo che avrò bisogno di abiti...»

Pavelich trasecolò.

«Abiti come?» e voleva chiedere se con giacca e calzoni e quanto ai calzoni, con quante gambe, ma si trattenne.

«Abiti» ripeté Gregor. «La prego.»

Il giorno dopo lo spazzino Pavelich indugiò davanti a un rigattiere calcolando i pochi soldi che aveva in tasca.

«Qualcosa vi interessa, non lo negate» uscì il rigattiere sulla soglia.

«Un abito completo e della biancheria. E un paio di scarpe. Da spendere davvero molto poco.»

«Per voi?»

«Per mio nipote che esce da una lunga degenza.»

«E come sarebbe questo nipote?»

Pavelich guardò la sua scopa, ne considerò la metà più un quarto e ci aggiunse un ottavo e la porse a braccia aperte al rigattiere. Senza capire bene perché lo facesse.

«Ho qualcosa di adatto per questa... scopa» sorrise il rigattiere. Prese da uno scaffale un pacco di abiti avvolti in carta da giornale.

«Un'occasione. Il figlio dell'usciere Samsa è andato a prestare servizio nell'esercito imperiale. Una vocazione improvvisa: non ha più voluto vedere i suoi abiti borghesi. È venuto il padre stesso a mostrarmeli. Roba buona, un po' consunta, ma ben tenuta, dignitosa. Biancheria anche fine, con pochi rammendi, pulita. Scarpe di vitello nero. Camicie col colletto di celluloide e un abito scuro assai buono, ancora profumato di naftalina. Vostro nipote ci si potrebbe sposare!»

«Quanto?» mormorò Pavelich spaventato. Erano anni che non faceva spese così.

«Ci mettiamo d'accordo.»

Si misero d'accordo e lo spazzino Pavelich tornò a casa con l'involto sottobraccio. Lo mise in un armadio e bussò alla porta della stanza.

Dentro Gregor cantava e Pavelich bussò più forte.

«Signor Pavelich, che bella sorpresa!»

Pavelich sorrise suo malgrado.

«Come andiamo?»

«Quasi bene. Mi sento forte e nuovo. Vorrei guardare da una finestra. Toglierò le bende appena mi avrete portato gli abiti. Perché li avete presi, vero?!»

«Li ho presi sì.»

«Oh, gettateli dentro, vi prego.»

«Cosa ne farete, di grazia?»

«Ma li indosserò, no?! Domani mattina è domenica.»

Pavelich soppesò l'involto e lo gettò nella stanza.

"Ma cosa sto facendo?" pensava. "Ho comprato discreti vestiti, come mai ne ho avuti, per un insetto pazzo che perde pezzi di corazza!»

Ascoltò la carta da giornale dell'involto lacerata con frenesia da quelle che immaginava zampe scorticate e folli. E delle scarpe, solo due, cosa ne avrebbe fatto? E dove avrebbe avvolto la cravatta, a un'antenna, se mai gli era ricresciuta?

Toc! E toc! Le scarpe erano cadute sul pavimento. Gli abiti frusciavano davvero. Ma come li infilava? Flettendosi in acrobazie sui muri?

Trascorse la notte in un dormiveglia sconnesso accanto alla porta. Fuori era l'alba quando Gregor chiamò.

«Signor Pavelich, la prego, avrebbe un pettine?»

«Un pettine come? Per i capelli?»

«Sì.»

Pavelich ne aveva uno, di osso. Per lui praticamente inutile: non aveva più capelli. Ma se lo teneva lui per niente, perché non lo doveva volere un insetto matto per pettinarsi?

«Eccovi il vostro pettine.»

«Grazie. Dove avete trovato questi vestiti? Accanto a me?»

«Ma no di certo!» si offese Pavelich. «Li ho comprati!»

«Sono perfetti signor Pavelich, complimenti!»

«Grazie» sorrise amaro Pavelich. Bestia pazza!

«Entrate ora, signor Pavelich!»

Pavelich tirò un sorso d'aria, quindi aprì con cautela la porta della stanza, pronto al peggio. La bestia scorticata doveva essersi avvolta nei vestiti come l'aveva trovata nella discarica dei rifiuti. Avanzò con circospezione, guardando ora il pavimento, ora le pareti, ora il soffitto. Alcune scaglie fuoriuscivano dal sacco ordinatamente poggiato in un angolo con le bende sporche.

«Io sono Gregor. Buongiorno, finalmente!»

Pavelich sentì le gambe mancare e si appoggiò al muro. Dietro la porta stava un giovanotto dai capelli neri e gli occhi scuri profondi. Aveva un naso forte e la bocca sottile e ironica. Le orecchie erano larghe e sporgenti. Il vestito scuro sembrava pennellato sul suo corpo. Gregor gli porgeva la mano.

«Gregor?» mormorò il signor Pavelich. Lo scrutò più e più volte cercando tracce della bestia pigolante in lui e infine notò una crosta violacea sul dorso della mano sinistra. Gregor se ne accorse e la infilò con delicatezza nella tasca della giacca.

«Avrei bisogno di un paio di guanti per qualche giorno, forse. Questa è dura da staccare.»

«Dura da staccare...» ripeté Pavelich sconvolto.

«Via!» rise Gregor, «anche voi siete differente, molto differente da quella cosa rotonda e grigia che ricordavo attaccata a una scopa. Nel delirio vedevo solo mostri che infierivano su di me come spazzatura. Vi devo la mia nuova vita, signor spazzino Pavelich. A proposito, ho una grande voglia di caffè. Quel sacco mi ha risvegliato ricordi deliziosi...»

Pavelich ansimava accanto al muro, indeciso tra il mancamento e una strana allegria irrequieta.

«Purtroppo ho un surrogato d'orzo in casa.»

«Andrà benissimo. Adoravo il surrogato d'orzo.»

«Non mi sento bene» mormorò il signor Pavelich.

«Vi ho sconvolto a tal punto?»

«Non so. Non mi sento bene.»

«Appoggiatevi a me» sussurrò premuroso Gregor. Il signor Pavelich si sostenne a quel corpo muscoloso e asciutto che lo portò nella cucina e lo aiutò a sedere. Quindi Gregor, in preda a un'energia meravigliosa, mise sul fuoco il surrogato.

«E adesso?» mormorò il signor Pavelich mentre sorseggiava dalla tazza.

«Adesso» rispose Gregor con lo sguardo trasognato, «adesso voglio una nuova vita!»

Pavelich sorrise amaro. Beata gioventù: bestiole

mostruose prima e poi giovani principi alla conquista del mondo.

«Avete un'idea, signor Gregor, di quel che il mondo può offrirvi?» Pavelich spiava la crosta viola di corazza che ancora risaliva il polso sinistro di Gregor.

«Ce l'ho sì, signor Pavelich. L'America!»

«Quella di dove viene il caffè?»

«L'altra, quella del Nord. Indiani, negri e milionari. Quanto l'ho sognata! Imploravo che la sveglia non suonasse ancora certe mattine! Ho deciso, noi due andremo in America a fare fortuna!»

«Noi due?» si stupì Pavelich. «Lei forse, ma io sono uno spazzino céco di mezza età. Non so neppure dov'è l'America...»

«Centomila finestre di grattacieli, signor Pavelich!»

«E sia, ma come ci arriveremo?»

«Avete un abito buono e dei risparmi, signor Pavelich?»

«Pochi risparmi, un abito solo e quell'orologio.»

Gregor guardò il minuscolo meccanismo a sfere, incongruo tra le nude pareti della casa. Appena prezioso.

«Come l'avete avuto?»

«Un'eredità.»

«È fatta. Datemelo!»

«Non sono a mio agio così agghindato» sospirò il signor Pavelich. Le punte del collo della camicia stretta si alzavano a sfiorargli il mento.

«Eppure apparire è importante. Lo so ben io!» sorrise Gregor e si aggiustò la cravatta di vera seta nera. Controllò nel vetro dell'atrio l'effetto dei loro abiti scuri: vide riflessi due uomini eleganti e severi, uno alto e magro e uno basso e rotondo che ispirava agiatezza. I capelli duri da affaristi facevano la loro parte.

«Dopo di voi signor Pavelich!» sorrise.

«Grazie signor Gregor.»

«Siete nervoso?»

«Un poco...»

«Molto bene! Pensate all'America, dunque!»

«Centomila finestre...»

«Centomila, signor Pavelich!»

«E sia...»

Entrarono risoluti tra i marmi lucidi della Banca Coloniale: in un angolo tre uscieri in giacche turchine coi berretti gallonati si controllavano reciprocamente le divise. Un funzionario stava riponendo un registro in una garitta di mogano e l'addetto alle pulizie armeggiava con la scopa e il secchio davanti a una porticina. Pochi clienti ai banchi. Gregor depose la sua borsa di cuoio grasso su un tavolo coperto di vetro e il signor Pavelich l'imitò con un sospiro.

Gregor a capo chino estrasse una maschera che fissò al viso con un laccio sotto il cappello: una crosta color melanzana e muschio che traversava in diagonale il volto e lo rese simile a un insetto. Quindi parve accendere una sigaretta e di scatto corse verso il banco del cassiere: la mano sinistra guantata di nero porgeva una granata sferica, opaca, da cui partiva una lunghissima miccia sfrigolante che terminava stretta tra le dita della mano destra. Un cliente soffocò un grido.

«Buongiorno a lorsignori! Un minuto di tempo per riempire le borse del mio socio e non finire a pezzi, grazie!»

Il signor Pavelich avanzò col capo celato da un sacco di juta di caffè brasiliano su cui era calcato il cappello. Brancolò attorno e porse al cassiere le borse vuote con la mano sinistra. Nella destra brandiva una lucida ascia da boscaiolo. Con quella cominciò un balletto attorno ai presenti minacciando di mutilarli se fossero intervenuti.

«Alzino le mani, prego, o gliele taglio!» uscì la voce dal sacco.

Poiché il cassiere non ubbidì subito, Gregor dette in un balzo iroso e stupefacente sul bancone, quindi corse avanti e indietro sulle teste dei presenti lanciando stridii acuti che fecero svenire alcune signore. Teneva alta la granata la cui miccia si consumava a vista.

«Una bomba, signori! Un minuto!»

Sferrò una gomitata a un cristallo che esplose in frammenti minuti sul marmo, poi d'un tratto parve ascendere il muro accanto alla cassa guizzando come un grosso insetto. Il cassiere riempì frenetico le borse e le diede a Pavelich. Gli uscieri si avvicinavano con cautela. Il signor Pavelich con la testa nel sacco roteò l'ascia senza convinzione. Un usciere ghignante già allungava le mani incurante della lama.

«Attento che ti mutilo!» strillò l'omino dal sacco.

L'usciere sorrise maligno.

«Sporco ladro!» tuonò. «Maledetto ladro!»

I clienti ondeggiarono mentre Gregor saltava il bancone con la granata sollevata nella sinistra. La miccia mandava sempre più scintille e fumo. Rubò all'uomo delle pulizie lo spazzolone e lo roteò lanciando uno stridìo agghiacciante. Due uscieri arretrarono e si coprirono il volto, limitandosi a insultarlo. Quello coi capelli grigi si levò davanti al giovane e lo minacciò.

«T'ho riconosciuto, assassino!»

Gregor sotto la maschera piegò le labbra e gli puntò lo spazzolone nel petto.

«Indietro, per favore» chiese con un sorriso.

«Parassita! Torna nella tua camera!»

«Prudenza, usciere Samsa!» gridò il funzionario dalla garitta.

«Più indietro, per favore» mormorava Gregor.

«Torna all'immondizia da cui sei salito, insetto disgustoso! L'ho sempre saputo che si celava in te qualcosa di orribile!» continuò l'usciere.

«Misericordia» sorrise Gregor. «Misericordia, per amor di Dio.» E lo sgambettò con un preciso colpo di spazzolone: mentre il vecchio si trascinava affannato sul pavimento di marmo per trovare rifugio sotto un tavolo, lo incalzava ridendo, pungolandolo col bastone e levando alta la granata la cui miccia in quel momento parve consumata del tutto.

«A terra!» gridò il funzionario.

Ma non avvenne nulla.

Gregor frugava sotto il tavolo con lo spazzolone costringendo l'usciere a trascinarsi gattoni verso il muro. Quando tentava di sollevarsi con un colpo leggero lo ricacciava a terra.

«Misericordia» sussurrava.

«Ti maledico» replicava affannato l'usciere.

«La mela, babbo!» disse infine Gregor e gli scagliò la granata che si conficcò con un tonfo nella schiena. Il disgraziato fece ancora un movimento e si inchiodò a terra in uno spasmo.

Allora Gregor si cavò la maschera, strappò il sacco dal capo del signor Pavelich e, mentre tutti fissavano paralizzati l'usciere tremante, i due si inchinarono e uscirono con dignità sulla pubblica via con le borse alla mano. In quel momento passava un traffico sterminato e il frastuono coprì l'ovattata esplosione anche nel cuore di Gregor.

PINO CACUCCI

Consegna a domicilio

La luce rossastra comincia a lampeggiare, e tutti si infilano i guanti anneriti, unti di titoli e telefoto, tutti ai loro posti per il rito di ogni notte. I nastri sferragliano, annunciano la valanga di cubi impacchettati, di giornali a balle squadrate che tra pochi secondi si sgraneranno sui rulli, disperdendosi per i rivoli suddivisi in regioni e redazioni. Gli autisti aspettano in gruppetti, gli unici rimasti a sbadigliare e a inghiottire caffè mentre la truppa degli smistatori prende posizione.

Afferri il primo pacco e lo butti sul carrello, il secondo e il terzo li lasci a Baldi che stanotte ti sta di fronte, come sempre soddisfatto e adrenalinico per questo suo lavoro che dura poche ore e gli dà quanto basta per campare in quelle che gli avanzano. Ti tocca il quarto pacco, e girando svelto riesci a sfilargli anche il quinto. Baldi sorride, fa segno di sì e pensa che vuoi fare una gara. In quattro anni ha limato le sue giornate in funzione di queste sei ore, "che poi ne lavori solo tre", e gli sembra una gran cosa aver regolato il corpo per farlo addormentare "dalle otto del mattino alle undici e poi dalle quattro alle otto di sera". E ti ha preso in simpatia: "se fai le cose come si deve, ogni volta che uno si mette in ferie o in malattia, il giornale ti richiama senza passare dal collocamento". Tu pensi al mese che hai passato, a queste trenta notti e alle trenta che mancano per chiudere il contratto, guardi l'orologio fisso sulle zero e ti chiedi come accidente farai per arrivare alle sei.

Eppure ci arrivi, e getti i guanti incrostati d'inchiostro, sorridi a Baldi che ti raccomanda di chiuderli nell'armadietto, e li lasci tutti alla loro felicità del cappuccino nel bar del benzinaio.

Ci vuole un po', perché la cinquecento arranchi. Se Baldi vuole proprio regalarla a sua moglie, una di queste mattine gliela vendi per quei quattro soldi che può darti.

È l'unica cosa decente, la nebbia chiara che annuncia il giorno, con le prime auto di quelli che cominciano. Se non altro la tua, di giornata, è appena finita.

A casa, la serratura è senza mandate. Segno che Biro non ha trovato un posto migliore per starsene da solo. È sul divano, seduto come se fosse sveglio. Lo scuoti con la solita paura, ma lui apre gli occhi subito e ti fissa con quelle piccolissime pupille a spillo. Continua a guardarti. Non capisce che ore siano, di quale mese, forse neppure chi sei tu, che lo costringi a rientrare in questa fettina di mondo chiuso in due stanze. Gli dici piano: «Non vuoi buttarti un po' in branda», e Biro finalmente alza le spalle, sospira, e chiude gli occhi. Lo lasci lì, al suo tepore insano, promettendo che stavolta gli richiederai le chiavi, se più tardi lo rivedi.

Sul letto ci caschi a faccia in giù, la bocca sul cuscino, senza il sonno che non arriverà prima di mezzogiorno.

Biro è uscito, salutando col solito biglietto scarabocchiato in fretta. Non cerchi le chiavi, sai che le ha in tasca lui e che le userà ancora, una di queste notti, premuroso di far sparire l'ago nel cartoccio di spazzatura che si porta sempre via. In bagno trovi le tracce del suo rimettersi a posto, per affrontare la vicina che fa sempre finta di pulire il cortile. Poi vedi il lampeggiare della segreteria, premi il tasto e alzi il volume, tanto da distorcere la voce squittente di Baldi che ti ricorda il turno di riposo. E ti chiedi se l'avresti ricordato, prima di arrivare davanti al giornale e tornare indietro come hai fatto altre volte. La seconda telefonata è di Maurina, che si lamenta per Biro e riempie un minuto di registrazione solo per convincerti a parlargli. È sua anche la terza, dove riprende dal punto interrotto e spreca un altro minuto per raccomandarti di chiamarla appena sai dove sia finito. Rimandi indietro il nastro, esci. A quest'ora Biro sarà già tornato da Maurina.

Giri per un po' e aspetti che venga buio, guidando sui viali intasati. Quando ti sorpassa una moto che scivola veloce fra le auto in coda, credi di riconoscere Ubi. Casco e giubbotto assomigliavano ai suoi, e la casa dove dovrebbe ancora vivere è giusto in questa zona. Così, quando l'ingorgo si sposta di qualche metro, cominci a masticare l'idea di svoltare verso i colli, un chilometro più avanti. Non devi andare a smistare pacchi di carta, stanotte. Potresti rivedere Ubi e sentire come se la passa. Ma cento metri dopo ci ripensi, decidi che non vale più la pena, che hai ancora un mese di lavoro e Ubi lo puoi cercare quando vuoi. Però arrivi all'incrocio tenendoti a sinistra, e giri. Rallenti, vedi la moto parcheggiata di traverso sul marciapiede ingombro di sacchetti e scatoloni, e ti fermi. Scendi, spegni la sigaretta, e respiri l'aria che all'improvviso ti sembra pulita. L'aria che immagini, non quella che c'è. L'aria di un altro posto, sotto un altro cielo.

Ubi spalanca la porta e scoppia a ridere. Ti squadra per un po', non chiede niente, e torna a tasteggiare sul suo computer variopinto, la faccia scomposta dai riflessi dello schermo. Poi attacca a raccontare di quelli che non vedi mai, di storie che "non sai cosa ti sei perso", e tu fingi di interessarti ai dischi, ne tiri fuori uno e pensi a come dirglielo, mentre lui impreca e picchia una manata sulla testa del computer, dice «carcassa di merda, meno male che lunedì arriva quello nuovo».

Così, nel momento meno adatto, che è poi una tua abitudine, glielo chiedi, e resti ad ascoltare il silenzio che ne segue. Ubi ti guarda, ma non in faccia. Fissa il disco che hai in mano, sbuffa e scuote il testone riccioluto, alza gli occhi al soffitto per sibilare «potresti anche leggerli, quei giornali che impacchetti». Tu fai segno di sì, ma lui aggiunge con una smorfia schifata: «Se non esiste più il Kuwait, a chi cazzo vuoi che le vendano?».

Rimetti il disco a posto, vai a sederti sulla poltrona sotto la finestra, e pensi che è meglio così, che sei stato un cretino a non tirare dritto al semaforo. Ubi cambia subito discorso, si alza e prende una bottiglia, chiede se ti ricordi di una tipa che tu non ricordi, e lo interrompi prima di sapere come sia finita. Dici che volevi fare un giro in un paio di posti e vedere un po' di gente, sicuro che lui non si schioderà dalla sua tana piena di giocattoli. Invece Ubi stacca il giubbotto appeso a una maniglia, dice «c'è giusto un gruppo di sderenati che suona al capannone dei negri, magari, si rimedia qualcosa». Non riesci neppure a usare la tua macchina, pensando di andartene appena l'avrai perso nella calca, perché Ubi ti spinge verso la sua Toyota e ride di gusto indicando la cinquecento che hai chiamato "macchina".

Accende lo stereo e lo spara a mezza manopola di volume, quel che basta a far vibrare i vetri e il tuo intestino pieno di acidi. Guida come se fosse l'ultima possibilità di sfuggire al cataclisma, innesta marce e spedala su acceleratore e freno sbalzando e schivando, mentre tu guardi il radiotelefono, lo prendi e aspetti che dica "chiama chi ti pare, è lì apposta". Così fai il numero di casa tua, l'unico che sai a memoria, e ascolti la musichetta scema e la tua voce estranea, che dice di lasciare un messaggio "se volete".

Ubi arriva sullo spiazzo di erba gelata quasi in controsterzo, inchioda fra due alberi stecchiti e si blocca un attimo. Fissa qualcosa davanti, dove tu non vedi che buio nero. E alla fine lo butta fuori, in un fiato solo per non tornarci su.

«Una consegna da fare ci sarebbe, ma è dalla parte opposta a dove sei abituato tu. Una bazza buona, Mercedes di due mesi che di listino vale qualche cento meloni tondi. Se la scassi, meglio che sparisci. Per te c'è solo un palo, ma il viaggio ce lo metto io. Due settimane al sole, comprese nel prezzo. Arrivi a San Diego, la ritiri, e la porti oltre il confine, giù, fino a un buco di culo che si chiama Cabo San Lucas. Se è sì, lo dici subito, così stanotte chiamo un tipo laggiù e gli do le dritte. Se è no, scorda che te l'ho detto.»

Fai segno di sì. Perché se dicessi no, domani non riusciresti mai ad agguantarti quelle sei ore di giornali impaccati.

Te lo eri immaginato diverso, il tipo. Un ragioniere dimesso e legnoso, che parla un inglese da televisione e ha la faccia di chi trattiene la colite a stento. Sapeva già tutto, gli hai solo mostrato il foglietto che ti aveva dato Ubi, e poi sei salito sulla sua macchina senza neppure chiedere dove ti stava portando. Non ha più aperto bocca, segno che apprezzava il tuo silenzio. Nella rimessa pubblica per poco non hai vomitato, dopo i dieci piani in una sola curva a spirale. Ti ha mostrato la Mercedes nera limitandosi ad allungare le chiavi con due dita. Non si è avvicinato, per mettere in chiaro che da quel momento era una questione solo tua. Mentre aprivi lo sportello hai sentito le sue gomme che fischiavano, e hai fatto appena in tempo a vederlo passare sul fondo. Era troppo tardi, per ripensarci. Hai riguardato il nome e le poche indicazioni per arrivare in un posto che potrebbe non esistere nemmeno. E sei rimasto qualche minuto a stringere il volante, a provare tutti i tasti, e quando hai trovato i documenti nel cassettino, ti sei reso conto che stavi perdendo tempo nel posto meno adatto.

Fuori cominciava a fare buio, ti sei perso cercando l'autostrada in una San Diego dove la cosa più facile è andare verso sud, e quando alla fine l'hai trovata, era già notte fitta.

Adesso guidi curvo in avanti, chiedendoti che c'entra tutta questa nebbia con le palme e il caldo vischioso, tieni gli occhi fissi sui fanalini di quello che hai davanti, e con tutti i cavalli che ti porti dentro il cofano continui sui quaranta all'ora, e bestemmi, e sudi, e non trovi un attimo per accendere l'aria condizionata che era la prima cosa da imparare in quel garage.

I cartelli che ti passano sulla testa scandiscono il conto alla rovescia dei chilometri, l'avvicinarsi della frontiera nonostante tu stia facendo di tutto per rimandare quel momento. E rivedi facce di doganieri turchi, giordani, sauditi, e ti chiedi come saranno questi, quali codici useranno per rimediare soldi. Il traffico è un buon segno, meglio che arrivare da solo a un confine suscitando la curiosità di tutti. Ma se qualcosa va storto, non c'è marcia indietro in questa autostrada che ti obbliga a seguire il flusso, senza possibilità di fermarti a pensare.

All'improvviso è un mare di luci rosse, un intasamento che ti ingoia nell'ammasso di auto in coda. È laggiù, la frontiera. Adesso hai tutto il tempo per pigiare bottoni, ma il caldo non lo senti più e preferisci provare con la radio. Cambi canale e ogni voce o musica ti aumenta la confusione in testa. Azzeri il volume e ti concentri sulle frasi da recitare. Manca poco, ormai. La nebbia si dirada, e ora puoi intravvedere le garitte di alluminio e vetro, ma non capisci dove sia il punto di non ritorno, da quale buco spunterà uno a chiederti chi sei e dove vuoi andare e perché usi questa macchina intestata a una società che non esiste. Continui a stare incollato al camper che hai davanti, e ti prende la smania di vedere. Pensi di aver fatto la peggiore delle idiozie, perché così non saprai quando arriverà il momento.

Passa di lato una prima fila di vetrate, vai avanti e aspetti la prossima, ti guardi intorno in cerca di facce, ma non succede niente.

Finché il camper non sparisce di lato, e cerchi di ingranare la marcia scordando che non esiste, stramaledici il cambio automatico, e intanto avverti che qualcuno si sta muovendo a mezzo metro dal finestrino, ti volti e sorridi senza sapere a chi. Metti a fuoco un ragazzo che ride pure lui e fa segno di andare oltre. Aveva una specie di uniforme, quindi ci siamo, pensi, e ti muovi lento, ma quelli dietro sorpassano e schizzano via. Non capisci come funzioni, questo confine che si trasforma in strade e vicoli e gente, così ti fermi da una parte e aspetti.

Ci sei già, a Tijuana.

Scendi, premi bene i piedi sull'asfalto polveroso, e senti questa sensazione strana, di vuoto senza euforia, per aver sprecato giorni di tensione e poi è andata proprio come diceva Ubi. Neanche il visto da turista, ti hanno dato. Hai la targa di Palm Beach, a Tijuana puoi restarci il fine settimana senza bisogno di permessi. Risali, prendi a guidare piano nell'intrico di viali e case basse, e non hai la minima idea di come arrivare all'albergo. Ubi si è raccomandato di non viaggiare col buio. Dice che la Baja California è uno sputo di deserto col mare intorno, se non vedi una buca e resti a piedi puoi solo trovare trentamila dollari per pagargliela o sparire in una fogna. Ti ha dato "il minimo per le spese", e a te sembrava anche troppo, ma lui ha spiegato che se non spendi cento dollari a notte non ci trovi il garage per la macchina. Lei deve dormire al chiuso, se no te la smontano in dieci minuti, mentre dove e come dormi tu non gliene frega niente, così ha detto.

Il Fiesta Americana dovrebbe andare bene. Te lo ha indicato un tipo dopo averti venduto una stecca intera di gomme da masticare, e alla fine lo trovi, questo blocco lugubre di vetro nero, con gli ammiragli in alta uniforme sulla scalinata che si precipitano a spalancare porte e a chiedere se hai bagagli. Ti ostini a volerla portare tu, in garage, e poi non ti decidi a venir via, da questa piazza sotterranea piena di carrozzerie brillanti. Hai paura che chiunque possa entrarci e portarsi via una ruota, e il ragazzino in livrea ride, dice che puoi stare tranquillo, e ti senti cretino per aver fatto capire quanto devi essere attaccato a quella portaerei nera col muso da carogna.

Ti guidano al ventisettesimo piano, dove non provi neppure a guardare oltre la vetrata, convinto come sei di dover dormire subito per riuscire a metterti in strada all'alba. Invece passi ore a rotolare da una parte all'altra del letto, senza deciderti a tornare giù e camminare un po' per la città. Accendi il televisore, e guardi le pubblicità che rivedrai fra un anno a casa tua.

Che è giorno, lo capisci dal bianco dietro il vetro, ma quando ci premi contro il naso non vedi niente. Ancora nebbia. Spalanchi l'unico pezzetto di finestra apribile, e fuori fa più caldo che dentro. Poi scorgi le colline brulle sullo sfondo, e piano piano il magma lattiginoso scende. Quassù c'è il sole, adesso.

Sbucando in cima alla rampa ti ritrovi immerso nel niente, e freni, per capire se devi girare o tirar dritto. L'ammiraglio si materializza sul portone, corre solerte attraversando il vapore grigio, ti spiega che per Ensenada è facile, fai così e così e non puoi sbagliare. Tu invece sbagli, ma non di molto. Comunque, la nebbia si dissolve in fretta e subito è un sole che ti cuoce, e quando arrivi sulla Mexico 1, l'unica strada possibile per scendere a sud, hai persino imparato a usare l'aria condizionata.

L'asfalto è ancora buono, se non la provi qui, più avanti sarà troppo pericoloso. Affondi il pedale a strappi, odiandola per questo motore silenzioso e impalpabile. Ogni volta si avventa con un balzo, risponde bene e il contagiri sale svelto, ma qui dentro non ti arriva neppure un tremolio, niente che la renda viva. È una macchina senz'anima, non vedi l'ora di consegnarla. E odi il destinatario, chiunque sia. Ma questo accadeva anche prima, con qualsiasi consegna.

Dopo Ensenada trovi un distributore. C'è ancora più di mezzo serbatoio, ma lo riempi perché il prossimo chissà quando sarà.

Poi, comincia il deserto. Le montagne della Sierra, scure sullo sfondo limpido. Il sole è perpendicolare, appena fai scorrere la fetta di tettuccio te lo ritrovi dritto sul cranio. Sei in ritardo, secondo il programma che ti eri fatto sulle carte. Però scivoli di lato e ti fermi. Spegni il motore. Esci, cammini su questa sabbia che aspettavi da due anni. È un altro deserto, diverso da quelli a cui eri abituato. Questo è vivo, pulsante di energia. Il silenzio sì, è lo stesso. Il silenzio assoluto. Guardi i cactus alti dieci, venti metri. Colonne di carne verde, che succhiano tutta l'umidità e crescono in secoli di pazienza immobile. Guardi l'orizzonte, la fine della strada che si perde nell'azzurro denso. Riparti.

Le macchine sembrano spingersi fin quaggiù per venirci a morire. In ogni radura, accanto a ogni baracca isolata c'è un ammasso di ferraglie incolori, cimiteri di carcasse prosciugate. Premi l'acceleratore, con questo rancore sordo che ti fa prendere le buche per vedere fino a che punto resistono le sospensioni. Neanche un cigolio. Però vibra, quando la porti sul ciglio e dalle ruote sprizza sassi come proiettili in un rombo cupo. Qualche rumore comincia a farlo, pensi battendo il palmo sul cruscotto. E aumenti i giri, imposti le poche curve spedalando di freno, convincendoti che solo all'imbecille che l'ha ordinata può piacere il cambio automatico.

C'è un posto sulla carta che si chiama Cataviña, due strisce di casupole cadenti sui bordi della pista. La pressione dell'olio sta salendo, sai di aver tirato il collo a questo motore fatto per austrade fredde, ma ti lasci dietro Cataviña sollevando polvere che resta a riempire il retrovisore, finché una collina non la cancella.

Le curve si infittiscono, e il sole cala rendendo

nitidi i contorni delle montagne e la selva di cactus all'infinito. Non puoi rallentare, col buio rischi di perderti cercando l'hotel che ti sei segnato sulla carta, qualche chilometro verso la costa.

Guerrero Negro, dice il cartello. E un assurdo viale alberato in mezzo alla sabbia scura. I rami bassi li vedi sempre troppo tardi, e a ogni frustata alzi le spalle, pensando che con tutta questa polvere è come uno schiaffo di carta vetrata sulla vernice a specchio.

L'albergo è uno smisurato alveare per fantasmi di turisti, non hanno il garage ma almeno il recinto è custodito. Attraversi mezzo chilometro di corridoi, e quando richiudi la porta resti ad ascoltare. Nessun rumore. Forse sei l'unico cliente per quattrocento stanze vuote. Esci sul balcone, guardi verso il mare senza riuscire a vederlo. Una spiaggia sterminata, un abbandono che avvolge tutto e lo impregna di vuoto.

Secondo la carta, hai davanti le saline più grandi del mondo. Tutto quello che riesci a vedere, è un gran traffico di Kenworth snodati e stracarichi di sacchi bianchi. Il pulviscolo di sale ricopre tutto, e dà un motivo d'esistere a questa anonima Guerrero Negro.

Comincia a far giorno, e la strada punta nel cuore della penisola riducendo i rettilinei. Dalla Sierra Columbia alla Sierra Santa Lucia, dice la carta, che si è già strappata e un pezzo si è perso sotto il sedile. Dài un'occhiata intorno. Polvere dappertutto, ma preferisci i finestrini aperti all'aria condizionata. Pensi a quella Jaguar di quattro anni addietro, e all'emiro che si era lamentato con un fax di tre cartelle per l'immondizia che ci aveva trovato dentro. Apri un sacchetto di mais tostato che sembra polenta fritta, arriva una curva secca e lo butti sul cruscotto per impugnare il volante. Acceleri per chiuderla, e il sacchetto vola dall'altra parte. Con due manate fai cadere tutto sul tappeto, spazzi via le briciole dalle gambe. Un cartello segnala l'avvallamento di un guado fra due pendii. Non rallenti, e quando rimbalzi dalla discesa alla salita ripida senti il colpo secco degli ammortizzatori a fondo corsa.

Per Ubi ci volevano minimo tre giorni, e meglio ancora quattro. Invece stanotte dormirai a Los Cabos, e domattina vai a vedere che faccia ha questo coglione che si è fatto il campo da golf al posto del giardino, e userà la Mercedes per andarsi a comprare le palline a La Paz. Ce la puoi fare, dieci o dodici ore al massimo. E con due rifornimenti, sperando non ci siano code.

Un'oasi di palme verdi attorno a un fiume sbucato da chissà dove. Poi un paesino antico ai piedi di una missione, dove ti fermi a comprare sei birre e i bambini guardano la tua macchina come una dimostrazione di idiozia straniera.

Affronti a tavoletta l'ultima distesa di pianura, prima di La Paz. Hai fortuna, coi distributori. Certo non tornerà mai a bere tanta benzina come in questa tirata senza fiato. Regge bene, lo ammetti. Ma risucchia il serbatoio quasi ci fosse un buco sotto, più di quanto ti aspettavi. Comunque, a San Lucas ci arriverai in tempo per farti finalmente un giro a piedi, e magari un pasto decente seduto a un tavolo, senza il volante fra le mani.

Però succede che dietro un costone ti si apre davanti un bivacco di camion, auto, caravan, moto e gente che vagabonda tra il fango. Un tipo in costume e stivali dice che non pioveva da sette anni. Esci, cammini verso tutto il traffico che non hai incontrato nelle ultime ore.

La strada sparisce dentro un lago. In mezzo c'è un rimorchio pieno di maiali. Infilano i musi fra le sbarre, annusano l'aria umida e stanno zitti. Sembrano tranquilli. Anche la gente intorno si muove con una calma rassegnata, qualcuno dice di essere qui dal giorno prima, in attesa che il livello si abbassi. È passato un uragano, e la sabbia non assorbe l'acqua di sette anni caduta in una sola notte. Due soldati fingono di regolare il flusso dei convogli da una sponda all'altra. I camion non hanno problemi, a parte superare l'intrico di macchine. Quelli che vogliono provarci si mettono dietro, nella scia degli spartiacque che ogni volta creano una specie di mareggiata. Pensi che faresti qualsiasi cosa per non trascorrere la notte in questa retrovia del fronte. Torni indietro, giri attorno alla Mercedes coperta di macchie ocra sulla patina di sabbia fine. Guardi l'altezza dello scarico: è basso, e dovrà farsi cinquanta metri in immersione. Apri il cofano: filtro e spinterogeno sembrano ben protetti. Vai a metterti in coda alla prossima carovana, aperta da una cisterna che ha un gran teschio bianco dietro, e il nome dell'acido che trasporta.

Si muovono. Metti in neutro, tiri un paio di fuorigiri con la soddisfazione di sentirlo finalmente imballato, e poi li segui. Appena dentro, la marmitta silenziatissima diventa una pentola in ebollizione. Adesso l'acqua la vedi praticamente all'altezza delle tue ginocchia. Passi lentamente di fianco al rimorchio dei maiali. Ti guardano rassegnati.

Poi senti il bagnato nei piedi, e ti accorgi della fontana che sprizza contro la caviglia. Non hai chiuso bene lo sportello. Il livello cresce, ci saranno già dieci centimetri di melma. Ma il convoglio procede lentissimo, per non alzare un'onda che potrebbe riversarsi sui motori. Il tuo sembra regolare, a parte il borbottio subacqueo dello scarico.

La cisterna è fuori. Accelerano tutti, ormai l'acqua arriva solo a metà ruota. Un tipo salta fuori da una vecchia Maverick seguito da uno squasso di fanghiglia che lo fa ridere a crepapelle, mentre quelli intorno applaudono. Mostra a tutti il bagnato che gli arriva alla maglietta, orgoglioso della sua Maverick anfibia.

Sposti i piedi sull'asfalto, e guardi gli zampilli fra le cuciture delle scarpe. Cerchi un tappo sul fondo, qualcosa da togliere o da sbullonare. Pensi a come rimediare un trapano per fare un buco al centro del tappetino. Una donna si sporge da una roulotte e ti offre un barattolo e una scopa di plastica. Cominci a sgavettare fuori il fango con una rabbia sorda che ti fa tremare le mani, e ci perdi più di mezz'ora.

La colonna da questa parte è impressionante. Scorri davanti alle facce attonite, quelli verso la fine non hanno ancora capito cosa li aspetta e stirano il collo cercando di vedere oltre. C'è un lungo rettilineo, pianti il piede inzuppato e tiri fino ai centosessanta. Poi rallenti, apri tutti i finestrini, il tettuccio, e il ventilatore con le alette rivolte in basso. Puzza già di muffa e scantinato, domani saprà di topi e spazzatura fermentata. Ridi.

C'è luna piena. Da questo molo vedi tutta la baia, zeppa di motoscafi. Da qui, Cabo San Lucas è un immenso albergo a cinque stelle che occupa lo sfondo, un alveare di luci in squadra, simmetriche, accese nel cemento color salmone che invade tutto. Il resto, insegne di locali e cantieri che vanno avanti a costruire senza sosta. Gli unici pescatori ce li hai davanti, in questo molo estremo sulla punta dell'insenatura. Una dozzina di pescherecci ormeggiati in gruppo, come una piccola comunità che si stringe in un angolo, estranea a quello che un tempo le apparteneva. I marinai saltano da una paratia all'altra scambiandosi bottiglie e risate a mezza gola. Li guardi, seduto in questa assurda Mercedes da parata coperta di fango e sabbia, fumando una dopo l'altra le sigarette dell'ultimo pacchetto.

Un tipo con l'asciugamano sulle spalle ti fissa per un po'. Alla fine alza la bottiglia e ride. Tu rispondi con un cenno della sigaretta, l'unica cosa con cui puoi brindare. L'uomo scuote la testa, si afferra a una catena che penzola dal pennone e si tira su. Scavalca gli altri seduti in circolo, che lo guardano e poi si voltano verso di te. L'uomo salta sul molo, viene ad appoggiarsi sul cofano, di faccia al mare aperto. Scendi. Ti metti di fianco a lui, guardi anche tu il nulla oscuro dell'oceano. Allunga il braccio senza girarsi, prendi la bottiglia e ingoi quanto basta a riempirti di calore le viscere e la testa. Dopo un po', l'uomo dice che tra qualche ora salperanno. Bevi un'altra gollata piena, e chiedi "dove". Lui fa un cenno vago, verso mare e cielo.

Quando la bottiglia è quasi vuota, ti racconta della pesca ai gamberi giganti che non si trovano più, e quelli che vanno a tirare su loro per un mese almeno. Il tempo di arrivare dall'altra parte, a Mazatlàn, con le stive piene.

Quando anche le sigarette sono finite, ti esce questa frase col tono normale, come se chiedessi la cosa più scontata. E lui risponde stringendosi nelle spalle: «uno in più per dare una mano...» Comanda il *Bahìa de los angeles IV*, e aggiunge che la paga è poca roba, ma arrivati a Mazatlàn può sistemarti su un cargo che va a sud. Poi si volta, scorre con lo sguardo la Mercedes. Tu dici solo «da fuori non sembra, ma è messa proprio male». Lui si scosta, stira le braccia e sbadiglia. Appoggia il piede sul paraurti, sospira dicendo «è un peccato». Sospiri anche tu, e vai ad aprire lo sportello, metti in moto e torni fuori. Poi ti allunghi a innestare l'automatico, e tiri la levetta che sblocca il freno.

Sembra un carro funebre, adesso che scivola piano verso il bordo del molo, mentre voi due la guardate con le mani in tasca. Avanza di traverso, e quando le ruote della parte destra cadono nel vuoto, la sagoma scura si inclina con uno schianto. Annaspa sul cemento, si trascina stridendo finché tutto il muso è fuori, e il peso del motore la tira giù. Strappando pezzi di pietra e lamiera, la macchina si rovescia sul fianco e piomba in acqua.

Torna un attimo a galla per la spinta dell'aria nell'abitacolo, con le ruote che girano in un ultimo sussulto. Una gigantesca tartaruga agonizzante. Scompare in un ribollio di schiuma, emanando un rigurgito soffocato.

Il pescatore getta la bottiglia vuota, che rimane a dondolare nella risacca.

Lo segui verso l'intrico di barche, e quando arrivi sulla *Bahìa de los angeles IV*, c'è un ragazzo che ti batte la mano sulla spalla e ride.

GAETANO CAPPELLI

Tre mestieri sentimentali

Ho comprato una vecchia Gs da una ragazza carina. Sul giornale c'era scritto: "In ottimo stato". Le giro intorno e c'è un faro rotto con dentro un ciuffo di erba che pende, un'ammaccatura sul lato sinistro e attraverso il vetro azzurrato, vedo un buco di sigaretta sul sedile posteriore, profondo come una ferita. Lei scuote i capelli, lunghi, neri, li tira in su con una mano, si stringe nelle spalle, mi sorride, dice: «Quando ho pubblicato l'annuncio era ancora intatta. Comunque il motore è perfetto, l'ho appena rifatto. Garantito».

Per un po' faccio avanti e indietro, a turno con la mia e le macchine dei "colleghi", come si dice. Ci vediamo ogni mattina al solito bar. Prendiamo qualcosa. Ogni mattina, un paio a turno pagano per tutti. Poi montiamo sulle due auto del giorno. Durante il viaggio parlano di compiti in classe, del preside, di quanto è stronzo, di punteggi, graduatorie. Sono quasi tutte donne – una non è neanche male. Penso: "Chi sa se si combina qualcosa". Poi le guardo con il trucco già disfatto a quest'ora del mattino, le sento scaldarsi per questioni da niente e a un certo punto ho la sensazione netta che questo è un lavoro da donne. Ho incontrato una mia compagna del liceo qualche tempo fa. Mi ha detto: «Non so, ma da te m'aspettavo qualcos'altro». Ci ho pensato, mentre le rispondevo che non era poi così male, e mi sono detto anch'io che da me m'aspettavo qualcos'altro che non andare tutti i giorni in un paese merdoso, a sentirmi le stronzate dei colleghi in macchina, il tanfo degli scolari ammassati in un'aula con le pareti grigie, le luci al neon sempre accese. Dovevo pensarci prima, ma quando mi sono iscritto all'università nessuno si sognava di pensare a dopo. E poi anche se ci avessi pensato avrei scelto questo lo stesso. Non avrei potuto fare altro. Insegnare in un paese – certo non immaginavo che andava a finire così, mi sentivo qualcosa come un artista, allora – mi sembrava romantico. Insomma è andata com'è andata – c'ho messo dieci anni per laurearmi. Sono tanto depresso che ho ripreso a fumare. Bevo anche, e non dovrei. Da mio padre oltre alla "passione" per le lettere – non ho più letto un libro dal giorno della laurea, né lui me lo ricordo mai leggere – ho ereditato il mal di cuore. Oh, niente di drammatico, solo dovrei starci attento.

Almeno ci scappasse un po' di sesso penso e le guardo e le ascolto di nuovo. «Sai» dice una, «finalmente hanno avuto un bambino. Lo hanno tanto desiderato. È un po' minutino, ma anche il mio Carlo quando è nato e adesso s'è fatto un gigante, è un amore», e mi dico che è proprio difficile. Ho sbagliato tutto. Uno del liceo che adesso è medico mi ha raccontato che lì, in ospedale, tra colleghe, infermiere e pazienti si divertono da morire. "Sarà la vicinanza con la morte" mi dico, e mi sforzo di trovarla divertente. Bisogna sempre vedere il lato positivo delle situazioni – ma quale sarà nella mia di situazione, mi chiedo mentre sento parlare di feste di battesimo, di matrimoni, di che regali fare – e poi è solo una supplenza di qualche mese – già e dopo? Sostituisco una in maternità, neanche a dirlo. Almeno è primavera inoltrata e c'è un cielo di un azzurro rabbioso, e mentre arranchiamo su questa stradaccia piena di fossi, di curve, è tutto così verde. Sembra proprio di essere in Irlanda, anche se in Irlanda non ci sono mai stato e magari è una palla peggio di qui.

È quando la strada si fa ancora più schifosa, appena prima che ci appare il paese, con le sue case tetre, color seppia, arroccate una sull'altra come cellette logore di un'arnia, che ogni mattina la incrociamo nella sua Uno bianca.

È tesa, concentrata nella guida. È come fosse sempre in ritardo. Però guarda nella macchina e i nostri sguardi si sfiorano e io sento che, alla fine, il lato positivo l'ho trovato. Per un attimo il tempo si ferma e sento le voci dei colleghi farsi lontane e io stesso mi sento così lontano, ancora più diverso e prescelto.

Vado avanti per un paio di mesi. Passo le mattinate a spiegare la differenza tra "e" verbo e "e" congiunzione, con tutti i trucchi immaginabili, senza risultati apparenti; ad aspettare che i miei compagni di viaggio finiscano le loro ore per tornarmene a casa. Quando ci arrivo sono così stanco che non ce la faccio neanche a parlare, non riesco proprio a godermi i vantaggi dell'orario di lavoro: diciotto ore settimanali – prima di farle mi sembravano così poche – sempre quando non ci sono consigli, non c'è da incontrare genitori panzuti, coll'alito puzzolente, la barba ispida, i capelli unti, che mi fissano speranzosi sull'avvenire dei loro pargoli maleodoranti. Mi butto sul letto e guardo il mio cane Todi raggomitolato nella sua poltrona di vimini a forma di uovo. Ha diciassette anni, lo conosco da quando è nato, quasi. L'ha preso per strada la mia ex, che doveva avere un po' meno di un anno. Lei è rimasta a Roma, s'è sposata un altro, un attore. L'ha conosciuto alle prove della mia commedia *Rotta finale del delfino insabbiato* e la sera della prima allo Spazio Zero neanche mi ha salutato. È lì che ho tentato di farmi strada, ma che strada potevo farmi in un posto che si chiama Spazio Zero. Lui, Todi, me l'ha lasciato. È un bel bastardo. È nero, peloso, tipo pastore di brie. Cioè sembra di razza. Un po' come me, come m'ero illuso di essere io, prima di tornarmene con la coda tra le gambe a fare il supplente quaggiù – e anche questo lo devo solo a un vecchio amico di mio padre che sta al provveditorato. Dopo tanti anni Todi non si è ancora abituato al fatto che sono il padrone. Ogni tanto mi chiedo che me ne faccio di un cane che non mi fa le feste, che malandato com'è appena lo sciolgo scappa via, che quando lo chiamo fa finta di non sentirmi, e non so rispondermi. Anche oggi c'è uno stronzo giusto sotto la poltrona. Come farà a farla proprio là sotto è un'altra delle domande senza risposte che mi faccio. Almeno è duro. Gli do apposta riso soffiato e carne liofilizzata: è così schifosa da pulirla quando è sciolta. Lo guardo dal letto e mentre mi dico che devo pulire, penso a quando sarò vecchio come lui e mi dico: "Più tardi, più tardi...".

Poi un giorno capita che siamo solo in due in macchina, al ritorno. Gli altri sono andati via con un passaggio. Lei è quella neanche male. È dall'inizio che aspetto un'occasione. Non ci diciamo granché. Spengo il motore. Lascio scivolare la macchina come una biglia sui tornanti in discesa in folle così si sentono gli uccelli che trillano e poi risparmio anche un po' di benzina. Guardo l'erba alta e verde intorno. Mi immagino noi due che ci rotoliamo là dentro. La fisso. Fisso la porzione di coscia che sporge dall'orlo della sua gonna. Penso che potrebbe pure essere, mentre lei mi fissa a sua volta, silenziosa. Sto per dirle qualcosa, ma un gatto bianco e giallo mi viene giusto tra le ruote. Inchiodo col fiato sospeso. Sento la massa cartilaginea delle sue ossa lottare con la gomma dei pneumatici. La neanche male manda un urletto. Poi lo vediamo, il gatto kamikaze, schizzare sull'altro lato della strada, fermarsi davanti un capanno, leccarsi una zampa, sbadigliare annoiato. Lei tira fuori lo specchietto dalla borsa e si dà il trucco. Adesso la strada è in salita. Inserisco la seconda, accelero, e il motore fa il rumore di un aeroplano prima del decollo. Lei inizia a parlarmi del marito, dei figli, della suocera e mentre la sento parlare e la guardo, e mi dico che non c'è senso, che è una vita senza speranze la mia, vedo una nuvola di fumo denso uscire dal cofano. L'Argenta di mio padre. Ce l'avrei anche fatta a finire l'anno con quella se mi fossi ricordato dell'olio.

Così compro questa vecchia Gs dalla ragazza carina. Decido che ci vado da solo in paese. Posso partire venti minuti più tardi e quando finisco non devo aspettare nessuno, senza contare che due giorni su quattro inizio alla second'ora. I colleghi ci rimangono male, mi trattano con freddezza, e spendo un quarto dello stipendio in benzina, ma nel giro di una settimana mi sento un'altra persona. Anche Todi è contento. La sua passeggiata mattutina, nel parco sotto casa, è più lunga e lo vedo trotterellare felice in mezzo all'erbetta, anche se perde l'equilibrio ogni volta che alza la zampa per pisciare.

Il giovedì e il venerdì sono i giorni che preferisco, nonostante mi alzi presto. Mi fermo sempre nello stesso punto, esco dalla macchina accendo una sigaretta e aspetto. C'è silenzio. Si sentono i primi grilli e l'aria sa di terra umida. Ho imparato a riconoscere il rumore che fa la sua Uno bianca. La guardo e lei mi guarda mentre taglia la curva e ogni volta che passa mi sembra che vada più piano. Solo, ha una pettinatura orrenda.

Poi un altro giorno capita che esco a prendere un caffè nella pausa tra un'ora e l'altra. Do un'occhiata intorno prima d'entrare, m'infilo dentro come un ladro. Sto per ordinare il mio caffè che sento una voce dire: «Ehii, chi si vede». Penso che è uno dei soliti genitori panzuti che vogliono offrirti un amaro a mezzogiorno a tutti i costi, che è l'ultima volta che metto piede nel bar, che il caffè mi fa anche male, e invece quando mi giro e ho un ghigno stampato sulla bocca non è come penso. Lo riconosco subito Bigud. Dico: «Ehi» con una specie di rantolo. Il nome vero non me lo ricordo e forse non gli va di sentirsi chiamare come "allora". Non è molto cambiato da quando scendeva in città con le sue stecchette di libanese rosso. Più che venderle ce le regalava, gli serviva per attaccare bottone. Dovevamo sembrargli chi sa chi, io e i miei amici. Porta ancora quel cespuglio di capelli rossi, crespi. Parla anche alla stessa maniera. Dice: «Cazzo, che storia», «Incredibile che flashback», «È uno sballo». Però ha messo su una decina di chili, è in giacca e cravatta. Una giacca orrenda di madras con una cravatta senape, lucida, col nodo troppo stretto, troppo sottile. Mi guarda. Si guarda. Si stringe il risvolto della giacca tra le dita della mano destra. Dice: «Anche tu, eh. Be', che vuoi fare, tocca vestirsi così ora». A me non sembra un problema, e soprattutto non mi pare proprio che siamo vestiti alla stessa maniera. Comunque. Mi chiede che faccio e glielo dico. È così contento. Mi poggia una mano sudata sulla spalla e fa: «Allora ci vediamo, anzi oggi sei a pranzo da me. Stasera c'è festa e voglio che rimani. Tranquillo, dormi a casa mia. C'è tanto di quel posto». Io vorrei dirgli che no, che devo tornarmene, che ho da fare: ma che ho da fare?

Una settimana prima Todi non ha mosso la testa quando sono tornato a casa. L'ho chiamato. Ho aspettato che la tirasse su di scatto, con le orecchie mezzotese, sollevasse la coda – era il massimo che faceva. Ma lui è rimasto fermo lì nella sua poltrona a uovo. Quel giorno non c'era niente da pulire, là sotto. Mi aveva voluto fare questa sua unica cortesia, o semplicemente erano tre giorni che la ciotola era intatta. Avevo sempre pensato di seppellirlo nel bosco dove io e la mia ex lo portavamo quando era poco più che un cucciolo. Poi mi sono detto che ci voleva una pala, e dove la trovavo. È così che funziona la mia vita. Ho sempre delle idee grandi, romantiche e poi... l'ho imbustato dentro un sacco della nettezza urbana e l'ho portato all'inceneritore.

Così dico va bene a Bigud e mentre beviamo l'amaro che a tutti i costi ha voluto offrirmi, lui mi racconta della sua vita. Mi dice che si è messo in politica, è assessore al turismo – in un posto così di merda – che è il più giovane della giunta, che ha avuto più voti di tutti. Ha un attimo d'incertezza. Mi scruta bene di nuovo prima di parlare. Oltre alla giacca e cravatta, ho i capelli tagliati corti, non porto più gli occhialini tondi. Tira un sospiro e fa, ancora un po' incerto: «Veramente è anche merito di mio zio, è stato sindaco per vent'anni. Oh, purtroppo Diccì».

Dico: «Capirai» e rido.

Dopo un'ora è lì che mi aspetta davanti la scuola. Andiamo verso casa sua. È una di quelle "ville" grandi come condomini, grigie d'intonaco, che stanno nella parte bassa del paese. Ci fermiamo sul cancello. Dice: «Dietro ci faccio un campo da tennis, o la piscina per mia figlia. Nasce tra poco. Ancora è tutto in disordine, ma tra qualche anno vedi».

C'è la moglie in cucina. Ha una panza da settimo ottavo mese, stretta in un pantacollant leopardato. Intorno agli occhi una matita viola, i capelli a cespuglio come Bigud. Si asciuga con uno strofinaccio, mi dà la mano, mi parla con il voi. Lui la guarda infastidito. Le dice: «Intanto prepara un aperitivo a me e al professore». Dice "professore" come direbbe sua eccellenza. Mi prende per il braccio e mi porta in giro per la casa. Sono tre piani, due ancora in costruzione. Ci saranno roba come quindici stanze piccole come celle e sei bagni. Dico: «Ma che te ne farai?». Lui: «Be', sai quando metti su famiglia è meglio essere previdenti. E tu che aspetti?». Io non ci penso proprio. Lui dice: «Allora ti sistemo io sta' tranquillo, belle ragazze ce ne sono, non hai che da scegliere». Penso ai rospi baffuti che ho visto in giro. Penso a quella nella Uno bianca e sto per chiedergli chi è, ma sentiamo la moglie che dice: «Vituccio, l'aperitivo». Vituccio, ecco come si chiama, Vituccio Bigud. Mentre butto giù l'"aperitivo", il secondo Amaro Lucano della mattinata, entriamo nella sala da pranzo.

È una stanza enorme al piano terra, l'unico abitabile. Su un lato ci sono dei mobili laccati, stile settecento veneziano, e lì, in fondo, un autentico spettacolo. Parallela al tavolo, di fronte a una saracinesca, c'è questa Peugeot 205, rosso fiammante. Lui non sembra farci caso: una macchina in sala da pranzo è la cosa più naturale del mondo infatti, e dopo un po' non ci faccio caso neanche io, neanche quando ci sediamo a tavola e mangiamo. Anzi, mentre la moglie lava i piatti e lui tira fuori una di quelle sue stecchette di libanese rosso, a pensarci questa macchina luccicante con il mobilio finto settecento mi sembra proprio un'idea che neanche Warhol. Ne sono sempre più convinto dopo un'ora che lo sento parlare dei tempi di "allora", il secondo caffè con l'anice, la terza canna – sono anni che non fumo, mi dà la tachicardia tra l'altro. Lui si gira sulla sedia con un movimento solenne, poggia lo stivaletto a punta, modello messicano, pieno di fregi – sono sempre stati la sua passione, e non ci ha rinunciato neppure adesso che è assessore – tira fuori da un mobile la sua vecchia Stratocaster crema e panna, fa andare con uno scroscio l'amplificatore, mi sorride con i denti gialli e attacca a suonare *Johnny be good*: come un cane, proprio come "allora".

Lo spazio della fiera è deserto sotto il sole. Si sente una musica tipo orchestra Casadei che gracchia dagli altoparlanti e ogni tanto c'è una voce che dice: «Prima fiera dei prodotti tipici. Stands espositivi con vini e prodotti doc. Visitateci». Giriamo l'angolo ed è allora che la vedo.

Sta seduta insieme a un tizio al tavolino del bar. Ci stringiamo la mano, non smettiamo di guardarci. Si chiama Daria – che nome. Ha una gonna corta di jeans, gambe chilometriche, ginocchia puntute. Continuiamo a guardarci mentre Vituccio e il tizio parlano. Lui avrà al massimo quarant'anni. Gli si vede la pelle grigia di rasatura intorno alla barba sottile che gli incornicia il viso affilato da seminarista cresciuto. Ha occhi grigi che non sopportano la luce. Si scherma con una mano. Parla con un accento nordico mentre dice cose come: «È tutto un problema di marketing», «Bisogna dare un'immagine aggressiva», «Ci vuole una strategia di mercato». Io la guardo, lei mi guarda. Abbiamo il tempo necessario per studiarci finalmente. È pallidissima. Ha capelli neri cotonati, una brutta T-shirt nera, senza maniche, con sopra una scritta sbiadita, arancio. Per il resto è perfetta. Ogni tanto si gira verso il tizio. Annuisce. Vituccio anche pende dalle sue labbra. Io dopo un po' proprio non lo sopporto. Mi alzo e le dico: «Mi accompagni a vedere gli stand?». Mi sento così strano mentre lo dico. Mi meraviglio con me stesso per averlo detto. Di solito ci metto molto più tempo con le donne. Sarà che ho fumato, sarà che questi discorsi continuo a non sopportarli.

Lei guarda il tizio con gli occhi grigi, che adesso sembrano di ghiaccio. È in imbarazzo, ma poi Vituccio fa: «Sì, ma certo, portalo a vedere», tutto contento che rimane solo col cervellone. Lei dice: «Va bene» come fosse costretta. Si alza sulle sue lunghe gambe. È anche più alta di quello che pensavo. Però quella pettinatura proprio non va. Fissa per un'ultima volta i due al tavolino. Io sorrido a Vituccio, all'altro che mi lancia un'occhiataccia che non capisco. Penso per un attimo: "Non è che i due". Poi mi dico che no, che lui deve essere venuto per la fiera – parla così nordico – e lei gli teneva compagnia. E poi chi se ne frega comunque.

Mentre giriamo tra gli stand Daria prende sul serio il suo ruolo di accompagnatrice. Mi illustra i prodotti esposti. Parla con la cadenza tipica che hanno qui in paese quando cercano di smussare quel loro accento aspro, ma lei è così "naturale", ingenua, che adesso mi piace. Mi dice: «Bello, noh?», «È tutta roba fatta a mano», «Cose così non se ne trovano». Io penso: "Meno male" mentre guardo questa paccottiglia di tappeti finto peruviani, specchi con decorazioni liberty, statuine di terracotta e mi sento a mio agio come è difficile che mi capiti con una donna. Mi chiede cosa faccio. Mi sembra impressionata quando le rispondo. Le chiedo cosa fa anch'io. Dice: «Un po' questo un po' quello. Adesso vendo cosmetici, casa per casa». "Cazzo" mi dico, "allora qui si scopa sul serio", pensando alla fama delle venditrici di cosmetici casa per casa, anche se non è quello che sento realmente. Questa, ne sono sicuro, è più una storia di sentimento. Lei infatti è così dolce, indifesa, anche quando mi prende per un braccio e mi dice: «Adesso ti faccio vedere una cosa veramente *bestiale*» e io neanche scoppio a riderle in faccia e anzi ci credo veramente che adesso mi fa vedere qualcosa di "bestiale". La seguo in questa specie di hangar buio, e i rumori di fuori si fanno sempre più distanti. C'è un odore greve di vino, dentro, e un freddo spesso, penetrante, che ci fa stare più vicini. Guardo in fondo il luccichio dei cerchi di botti enormi. Lei alza una mano, dice qualcosa sulla loro grandezza "bestiale", appunto. Ascolto il riverbero innaturale della sua voce. È come stessimo sospesi in un liquido scuro che dà corpo ai pensieri.

È una di quelle frasi stupide che uno pensa solo di dire. E mi sembra ancora solo di pensarci quando sento la mia voce fluttuare con dei battimenti sottili nel buio: «Che strano, dieci minuti fa neanche ci conoscevamo e ora eccoci qua, soli, fuori dal mondo».

L'ho detta sul serio. La guardo per verificare l'effetto ma vedo solo il bianco dei suoi occhi in tutto quel buio. Mi rendo conto di quello che sta succedendo quando ci troviamo contro una di queste superfici di legno umido, squamose, senza angoli e sento i nostri sospiri come piccole onde dentro una grotta.

"No, non è possibile" mi dico mentre la guardo scendere dalla sua Gs azzurra. Per un attimo penso di sparire in cucina, ma lei mi ha visto. Parla con le amiche ed è lì che mi sorride con la sua dentatura perfetta. Tira indietro i capelli, lunghi, neri sul viso abbronzato e sorride. Di tutte le persone proprio lei doveva capitare, cazzo. Mi sento di merda, dentro questo spencer di velluto rosso, dietro il banco del bar. Eppure qui è così lontano. Mi sentivo al sicuro, protetto. L'idea era di andarmene qualche mese a Londra. Larry, dopo il corso, mi ha detto: «Vai bene, hai solo bisogno di un po' di pratica». E io volevo farla la pratica. Vado in agenzia, chiedo i prezzi, viaggio e sistemazione. Costa troppo. Loro dicono una volta lì t'arrangi, fai lo sciacquapiatti, il cameriere, ma io non mi vedo proprio a sbattermi per trovare un lavoro in un posto che non conosco, allora penso: "Va be' tanto vale che faccio un po' di soldi con mio zio e poi ci vado dopo a Londra". Sempre meglio lavare piatti in famiglia. Tanto più che zio mi tratta meglio. Faccio il barman, infatti. Ha messo su questo ristorante mega per matrimoni. Ne facciamo anche tre al giorno – uno per piano. A volte finiamo di lavorare alle cinque di mattina e riprendiamo alle sette, ma lui, mio zio, dice che dura solo quattro mesi l'anno e tocca lavorare sodo. E poi, tra mance e tutto, guadagno bene. Forse riesco a pagarmi anche un corso di moda: e in estate si sa Londra è piena di italiani, e i concerti seri li fanno in autunno. Insomma non mi lamento.

Il ristorante è il più bello della zona. È tutto pieno di colonne e vetri antiriflesso, e c'è questo panorama dietro, con montagne azzurre che si fanno sempre più trasparenti a mano a mano che il sole va giù. E la cosa che più conta è che è lontano dalla città.

Io sono alto, magro, ho i capelli tagliati in un certo modo e vesto anche in un certo modo, calzoni a sigaretta ben corti sulle caviglie e scarpe originali inglesi con fibbie d'argento lavorate a mano, per esempio. Il fatto è che non sopporto l'idea che qualcuno mi veda mentre faccio questo lavoro. Sarebbe tragico. È tragico mentre la vedo che sta avvicinandosi e penso quello che lei sta pensando: "Ma guardalo questo, fa il cameriere e dire che sembrava così figo, e dire che appena ieri sera stava succedendo qualcosa tra noi, tra me e questo poveraccio".

Potrei rispondere che tutti hanno iniziato così – penso alle biografie di rockstar e attori americani – ma che cosa, che cosa dovrei iniziare io, questo sarebbe difficile dirlo.

Eravamo insieme al corso d'inglese. Quando Larry distribuiva i registratori e io sentivo nelle cuffie questa voce che scandiva parole per lo più misteriose, la fissavo. Ascoltavo la mia voce pronunciare le stesse parole senza significato e la guardavo negli occhi e lei anche mi guardava e allora proprio non resistevo e Larry la lezione dopo: «Ma *coosah cazzooh* dici qua dentro... – nel registratore, chiaro – *I love you, I love you bebby*, ma chi sei, Elvis?». Meno male che per il resto me la cavavo. Speravo sempre che Larry ci desse dei compiti da fare insieme a casa. Invece niente. Al massimo scambiavamo qualche parola a fine lezione. Fino a quando lei, Sabri, fa questa festa a casa sua, e invita anche noi del corso, anche se il corso è finito da un pezzo. Lo dice a mia madre che mi telefona. Io mi dico che non ci vado, che devo lavorare, che come faccio a convincere mio zio a lasciarmi libero per una serata. Insomma lo convinco. Torno in città all'ultimo momento. Faccio una doccia accurata. Mi sento ancora addosso l'odore di fritto. Mi innaffio di colonia Paisley Etro. Infilo un abito nero di Dominguez – me lo sono fatto regalare per il mio compleanno – una camicia grigio topo. Sulla cravatta sono indeciso. Metterla, o no. È una cravatta sottile, metallizzata, quella che scelgo. Le scarpe sono a punta con il tacco d'argento. Sono fantastico quando mi guardo allo specchio prima d'uscire.

A casa sua – una di quelle case con le pareti piene di quadri, tappeti penso persiani e tutto il resto – mi sento più volgare di un magnaccia. Poi però guardo gli altri nei loro blazer blu con i bottoni dorati, i calzoni grigi col risvolto, le cravatte a disegni di cachemire. "E vai" mi dico "che sei l'unico di tendenza." Anche Sabri deve pensarlo. Mi si appiccica addosso. Ce ne stiamo sul terrazzo. È fine maggio e c'è una brezza tiepida che si porta dietro l'odore degli alberi. Beve e mi parla. Mi racconta di lei, del fatto che i genitori l'hanno chiamata così per via del film con la Audrey Hepburn – la guardo, mentre tira indietro i capelli e un po' le somiglia. Mi dice del suo ragazzo, lo conosce da quando andava al ginnasio e lui faceva il liceo, mi dice che è a Milano, che è ingegnere elettronico, che è stato il primo a laurearsi all'università di qui – io ho fatto solo tre anni di ragioniera – che appena si è laureato ha avuto una lettera d'assunzione di non so quale azienda importante, che guadagna un pacco di soldi, che sono sei mesi che sta fuori, che si sente così sola. Siamo sempre più vicini, lei è sempre più scosciata – ha un tubino nero che potrebbe essere di Alaia a giudicare dalla scollatura, di Katharine Hamnett a giudicare dagli strass sulle maniche. Sento già il suo alito caldo contro la mia faccia, quando arriva questa telefonata. È l'ingegnere elettronico. Mentre gli parla ogni tanto mi guarda, ma va verso un altro gruppo dopo che ha riattaccato. Fine. E adesso, non saranno passate neanche dieci ore, eccola che mi sorride, che mi stringe la mano, che dice: «Ciao, che sorpresa». Già, che "sorpresa" – le *servo* l'aperitivo. Lei sceglie tra queste coppe verde-torbido, arancio-torbido, giallo-torbido. Poi è lì con le amiche che parla e mi guarda e ride. C'è pure qualcuno di quelli che stavano alla festa. Mi salutano appena, sono imbarazzati. Sono così tetri dentro quei loro completi tasmania, tutti uguali, che quasi non li invidio neanche, che quasi preferisco questo spencer di velluto rosso – in realtà mi sento meno di una merda. Poi finalmente vanno a sedersi ai tavoli e non li vedo più. Come ci saranno capitati in questo matrimonio di paese proprio non so spiegarmelo. Guardo gli altri invitati. Le donne in abiti di seta cadente, fiorata, con scarpe aperte e calze opache, pettinature crespe. I bambini, ma per lo più bambine pettinate come bambole, vestite anche come bambole. Gli uomini avvitati dentro i loro abiti di shantung luccicante, celeste metallizzato, grigio metallizzato, con mocassini neri, calzini bianchi, che appena si siedono tirano via la giacca, restano in camicia, camicie aderenti, col colletto rigido. Iniziano a mangiare. Mi chiedo sempre come facciano a mandar giù tutta questa roba. Per i genitori degli sposi è una questione d'onore, non puoi tenerti sotto le dieci portate – un matrimonio così non dura meno di sei ore – ma gli invitati, non li capisco proprio. Li guardo da dietro il banco. Di fronte ho questo panorama che diventa sempre più sfocato, con davanti una fila di auto lucide, metallizzate come gli abiti dei proprietari, che mandano riflessi colorati sotto il sole, e loro lì che continuano a divorare, a chiamare camerieri pallidi, sudati, brufolosi, ognuno con una giacca diversa dalle altre, per farsi aggiungere altra roba nei piatti. Oggi c'è pure il complesso gli Allegri Fratelli – sono tre fratelli che di cognome fanno Allegro. Suonano Peppino di Capri, Cutugno, Marcella e Gianni Bella, Cocciante, i Pooh, e mazurke a richiesta.

C'è qualcuno che si alza in piedi e urla battute per lo più volgari verso gli sposi, riguardo la prima notte. Ci sono risate, applausi e i camerieri che escono dalla cucina con piatti alla fiamma e si fermano e s'inchinano e con tanti posti sulla terra proprio qui dovevo incontrarla. Butto giù un Campari dopo l'altro da quando è arrivata. L'unica cosa buona è che da dove sono non la vedo, né lei mi vede. Né lei, né i suoi amici. Mi immagino i commenti che avranno fatto. È inutile che mi dico: "Chi se ne frega". Siamo realisti. Con Sabri c'ero quasi. E adesso. Lei è così elegante, così bella. Più che bella è carina, ecco. E io qui, in spencer di velluto rosso, papillon nero con l'elastico, che servo questa massa di etnici che sbafano le loro fritture di pesce, intanto, che s'ispezionano ogni centimetro di dentatura con stuzzicadenti acuminati – i più educati si schermano con la mano – mettono da parte in fogli d'alluminio quello che non riescono a divorare sul momento – lo so che si fa pure nei ristoranti di New York, ma mi sembra disgustoso lo stesso – bevono ettolitri di vino pessimo senza farci caso; hanno speso dei soldi per il regalo, dopotutto. Anche Sabri deve averlo fatto: voglio dire, avrà bevuto quella roba. È la prima cosa che penso quando me la vedo apparire davanti con lo sguardo acquoso. "No, e lasciami perdere. Non mi vedi. Non vedi come sono conciato, non hai proprio cuore" penso.

Lei sorride inconsapevole. Dice: «Simpatico». Sì, può sembrare "simpatico" la prima volta. Tira un sospiro. Mi fa imbarazzata: «Potrei avere un caffè?». Ma certo, sono qui per questo. È come sentissi il suo bacino strusciare contro il banco mentre lo beve e mi fissa negli occhi con la stessa espressione che aveva alla festa. Fuori il sole si sta facendo piccolo. Ci sono delle nuvole vaporose, con gli orli bianchi come schiuma di detersivo. Poggia i gomiti sulla superficie di zinco che ho appena lucidata col panno di daino. Fa cadere quei suoi capelli così neri sul viso, in quel suo modo. Li butta indietro e mi fissa. Dice: «Perché non andiamo a respirare un po' d'aria?». Io sto per dirle che non posso, che devo servire i caffè. Ma la guardo. Guardo i suoi occhi languidi, pieni di promesse. Dico: «Va bene», che altro potrei dire. Prima di andarle dietro mi strappo il papillon con l'elastico, butto via lo spencer. Sento la voce del maître che mi chiama. «I caffè, devi servire i caffè» dice, ma neanche mi giro, neanche gli rispondo.

Fuori ci sono due colori: celeste e arancio. Lei guida e io dico: «Vai a destra», «Attenta», «Vai a sinistra».

Alla fine ci troviamo in questa piana di fronte le montagne e andrebbe tutto bene se non decidesse di tagliare giù per i campi. Il motore si spegne. Scendiamo beccheggiando morbidamente su zolle verdi di grano – si sente solo il cigolio delle sospensioni, delle molle dei sedili – fino a quando un albero, davanti, ferma la nostra corsa.

Siamo completamente ubriachi e guardiamo. Guardiamo il sole che si è fatto un puntino rosso tra le gole azzurre delle montagne, le nuvole vaporose che galleggiano lente, la scia di un jet che ha arato il cielo di bianco. Sabri tira il freno a mano, anche se ora non ce ne sarebbe più bisogno. Ride.

Io dico: «Hai rovinato la macchina». Lei si stringe nelle spalle, butta indietro i capelli, il suo viso in avanti e mi bacia. È un bacio lungo. Fa scorrere le dita sulla basetta destra che porto più lunga, a virgola. Si fa indietro e mi fissa come uno strano oggetto. Accende una sigaretta. Me la poggia tra le labbra. Mentre aspiro il fumo la vedo che mi sbottona la patta. Me lo tira fuori. Poi scivola giù. Si porta su i capelli con l'altra mano per fissarmi negli occhi mentre lo prende in bocca. Io ci rimango. È così carina. Non immaginavo che lo facesse, almeno non così, subito. Mi guarda ancora mentre sto cercando il posacenere. Smette di succhiarmi e inizia a ridere. Sembra una bambina, ma lo molla solo un momento, giusto per dire: «Buttala dove capita, tanto domani la vendo».

Non so bene cosa è successo. So solo che, che sono dentro questa stanza d'ospedale con dei tubicini che mi vengono fuori dalla bocca, dal naso, non so, e mio padre e mia madre seduti uno vicino all'altra sul letto accanto che mi fissano senza parlare. Di fronte ho un monitor che manda la linea verde spezzata del mio cuore e non sento niente e non vedo nient'altro. Ma ch'è successo?

Vituccio mi ha dato la sua vecchia casa da scapolo nella parte vecchia del paese. Tanto in città adesso che ci torno a fare. Adesso che Todi è andato, adesso che gli amici che avevo prima di andarmene a Roma, o stanno fuori, o sono tutti sposati con figli e al massimo si fermano a fare quattro chiacchiere sul corso, e poi dicono con quella loro aria contrita: «Allora ci vediamo». Già, ma *quando* ci vediamo.

Casa di Vito è tappezzata di poster di Hendrix e ha le pareti verniciate di rosso, ma è accogliente lo stesso con il pavimento di legno – è piacevole camminarci sopra scalzi – e questa finestra proprio sulla vallata. Leggo qualche libro. Hesse. Ho da scegliere nella bibliografia intera. Ci sono pure Castaneda, Ginsberg, Kerouac. È la biblioteca di Vito. E devo passare il tempo. Me ne sto lì a sentire Radio sud sud e fumo e bevo, nell'attesa. Vito è veramente ospitale – tutti sono molto ospitali qui – mi ha riempito il frigo di Amaro Lucano. Vado a pranzo da lui, ho messo su qualche chilo. Poi torno a casa e aspetto. Fumo bevo leggo sento la radio e aspetto. Mi affaccio alla finestra, ogni tanto. C'è solo il profilo dei monti dietro i vetri opachi della finestra. È molto poetico e neanche mi annoio. Passa un gatto, un cane, ogni tanto. Per il resto non si vede anima viva, al massimo qualche vecchiaccio vestito di velluto. Se ne sono andati tutti nelle case nuove, nella parte bassa del paese. Qui è tutto puntellato per il terremoto. Mi sento una specie di vagabondo del Dharma, anche più alla deriva. Solo, ora c'è lei nella mia vita. Saranno dieci anni che non m'innamoravo, da quando la mia ex mi ha mollato per l'attore – che adesso comunque fa l'impiegato al comune di Roma – e mi sembra che sono di nuovo giovane. Mi vengono un sacco d'idee. Potrei scrivere perfino un libro e ci sto pensando. Non ho niente da fare. Viene a trovarmi Vito, ogni tanto. Rolla uno dei suoi cannoni e non so dire di no, anche se sono già ubriaco. Ogni tanto sento il mio cuore battere forte e poi fermarsi. Rimango in attesa che riprenda. Riprende. Due giorni fa Vito l'ha incontrata mentre usciva, Daria. Ieri mi ha detto: «Allora l'ho capito qual è il trip, a stronzo – quando è su di giri sfoggia un accento romano – *Sex drug an rock'n roll.* E io che pensavo ma guarda come gli piace il paese a 'sto cittadino del cazzo. Solo attento, è l'amica di uno con le palle. Anche lei però ci sa fare, eh».

Io ci rimango male. Vito mi fissa e deve essersene accorto in quanto aggiunge: «Intendiamoci è una brava ragazza», ma gli scappa da ridere. Il fatto è che pensavo proprio d'aver trovato la donna della mia vita, e ora mi sento il solito illuso. Dovevo immaginarmelo. Sembrerà anche innocente, Daria, ma a letto è insaziabile. A volte poi ha un odore strano: è come se avesse fatto l'amore da poco e non si fosse lavata.

Le ho fatto tagliare i capelli cortissimi. Quella sua pettinatura non la sopportavo proprio. Il suo viso consiste in un paio di occhi a mandorla, un naso maschile, delle labbra carnose. Ha gli zigomi troppo appuntiti, gli occhi troppo piccoli, per essere definita una bellezza, ma c'è qualcosa in lei. Ha una grazia animale. È quel tipo di donna che a letto, una volta che ha deciso di andarci – e adesso so che non ci mette poi tanto – fa qualsiasi cosa. Dovevo capirlo che tipo è: i suoi occhi piccoli e famelici, la sua magrezza anoressica, tutto lo conferma.

Ieri sera è arrivata verso le nove. Mi sono guardato allo specchio mentre saliva. Non ho dormito tutta la notte. Sono pallido. Ho due occhiaie come quelle di un procione. Sono l'immagine del dolore, della sofferenza di origine affettiva. Mi sono detto: "Ci sei ricascato come uno stronzo". C'è un peso che mi schiaccia il petto. La tratto con freddezza, sono scostante. Quando lei mi chiede che cos'ho le dico subito che so che c'è un altro. Lei nega, piange, mi bacia e nel frattempo inizia a carezzarmelo con le sue lunghe dita. Ma sono talmente decotto che neanche mi si drizza. Le dico: «È questo che fai con l'altro?».

Lei dice di no, che non è vero, che ci sono solo io. Poi mentre me lo smuove con un movimento ampio, elastico, che denota grande perizia, si capisce che non c'è proprio niente da fare, senza mollarlo dice che sì, è vero, sta con un altro. Le chiedo chi è. «Quello della fiera-mercato» dice. Il tizio con la barba, gli occhi grigi. Ma ha deciso di mollarlo, gli ha detto di me, che mi ama sul serio. Lui non vuole saperne. Ha trentanove anni. È sposato, ha sei figli e neanche la scopa.

«Già, vi raccontate la storia delle vostre vite», faccio io arrogante. Questo no. Pianta gli occhi sul mio attrezzo. Le si fanno stretti come fessure. Dice che si limita a toccarla. Poi aggiunge con un'espressione strana: «Anche stasera... ha delle mani d'artista. Sai, con il lavoro che fa...».

Ci sto pensando di chiederglielo che lavoro fa ma lei mi sussurra con un filo di voce che l'ha fatta venire per ore, lo dice mentre me lo agita, e mentre lo dice è così eccitata che tira fuori dalla borsetta uno dei suoi set di profilattici colorati, lacera una bustina con i suoi denti aguzzi e me lo infila. È il mio cazzo che vuole, non le interessa altro, almeno in questo momento. Posso dire qual-

siasi cosa e la dico. Dico: «E che effetto ti fa ve-
nirtene a ripetizione?, lurida». Vorrei umiliarla ma
lei sorride compiaciuta, con una mano si sfila le
mutandine dalla gonna di jeans, con l'altra mi tiene fermo e dice: «È *bestiale*, veramente».

È a questo punto che mi va giù di nuovo. È che
mi sento schiacciato, costretto in una parte che lei
ha scelto per me e che non ho nessuna voglia d'interpretare; una parte, del resto, senza nessuna importanza, una di quelle parti per cui basta una
comparsa. Manda un sospiro lungo. Dopo un po'
prende il preservativo tra l'indice e il pollice, dalla
punta. Vedo la plastica allungarsi prima, avverto
uno strappo dopo. Mi fissa l'arnese con tenerezza,
come fosse un cerbiatto che lei ha salvato da non
so quali pericoli. Dice: «Ma vuoi capirlo che ti
amo, stupido...». Non so che succede, ma improvvisamente va meglio. Sarà che sono così stanco,
che non ho proprio più la forza di soffrire: insomma le credo, ne ho bisogno. Attacca a smanazzar-
melo di nuovo con la solita perizia, con ancora più
premura. Lo fissa con determinazione mentre sta lì
a menarmelo per non so che tempo e, alla fine,
quando penso che molla – ma ormai è chiaro che
per lei è una questione di principio – cazzo, ci spu-
ta sopra. L'avrà fatto anche per lubrificarlo comunque questo sì, è *veramente* bestiale. Mi viene
duro. È a questo punto che inizio a non sentirmi
più tanto bene mentre lei mi veste un'altra gomma
e se lo infila dentro, mi monta come monterebbe
un cavallo, inizia a mugolare. Io guardo il cielo
dalla finestra. Ci sono tutte le sfumature d'azzurro
fino all'indaco. C'è una stella solitaria che scintilla
come un diamante su una pezza di velluto blu.

È l'ultima cosa che vedo. Poi mi ricordo solo il lampeggiare livido dell'ambulanza e eccomi qui in compagnia di mio padre, mia madre che mi guardano silenziosi. C'è solo il particolare che mio padre, mia madre sono morti tutti e due e proprio non dovrebbero esserci. Sento una voce che chiama il mio nome, che mi strappa da quest'incubo. «Massimo... ehi, Massimo», e poi: «Sta' tranquillo, è una cazzata. Un paio di by pass e va tutto a posto». Io guardo Vito. Chi doveva dirmelo con tutta la gente che avevo dietro quando facevo il capetto al liceo, il regista sperimentale allo Spazio Zero, che l'unico amico che mi sarei ritrovato sarebbe stato quel coglione di Vituccio Bigud e mentre ci penso, è così strano, sento una specie di gioia salirmi dentro, sento che questa è come un'altra nascita, che dopo mi aspetta una nuova vita, quella che avevo desiderato, e mi viene da piangere, mi viene d'abbracciarlo, Vituccio. Ma non ce la faccio neanche ad alzare le braccia.

Mi infornano in ascensori con le pareti metalliche. Mi sento risucchiare via attraverso corridoi che non finiscono mai. Mi sento inghiottire da una voragine. Chiudo gli occhi e quando li riapro c'è questo cerchio di luci che mi abbagliano. Mentre le conto le luci – sono sette – uno con una mascherina e un camice verdi, mi mette un boccaglio, tipo quello degli aviatori, però trasparente. Sento il mio respiro che diventa un gorgoglio. Dopo è come mi fossi fatto una canna con Vito. Mi sento così leggero e sto per dire: "Che sballo", quando vedo questi occhi che mi fissano da un'altra mascherina verde. Sono anche più grigi sotto la luce delle lampade. Sono due schegge di metallo.

Sento le voci dei miei morti parlare; ogni volta quando arrivo in questo tratto di strada. Forse l'ho letto da qualche parte. Forse a furia di pensarlo è come se l'avessi letto. Comunque è proprio così. *Sento le voci dei miei morti parlare.* Spengo la radio, prima. È una specie di meditazione. A una media di 150, 170, dura poco più di cinque minuti. Dopo mi sento diverso. Non so se meglio, o peggio. Diverso. Quando riaccendo c'è Radio sud sud e so che sono arrivato a casa. È come avessi attraversato un confine. L'aria, anche con il condizionatore acceso, è più fredda. Controllo sul computer ed è vero, ci sono sempre quattro o cinque gradi in meno. È uno di quegli optional che uno pensa che me ne faccio, il computer di bordo voglio dire, ma una volta che ce l'hai sei sempre lì a smanettare. Serve a passare il tempo, più che altro. Nei viaggi lunghi quando sei solo. E io sono sempre solo. Ogni volta ci metto sempre meno. Ogni volta mi sembra sempre più lontano, anche se guido una Volvo 480 turbo. È veloce, silenziosa, comoda. L'ho comprata dopo che ho visto la pubblicità. Mi sembrava la più adatta a uno come me, uno che ci sa fare e non vuole dare troppo nell'occhio.

Mi ero appena laureato – il primo laureato in ingegneria dell'università di qui, con il massimo dei voti anche – che ricevo una lettera. Mi convocano a Milano. Non mi fanno neanche parlare. Firmo il contratto d'assunzione. Mi pare di essere arrivato: sto a Milano, guadagno un sacco di soldi, perfino l'appartamento me lo trovano loro. Il lavoro mi piace, conosco gente interessante, ragazze, mi diverto insomma. Almeno mi pare. Invece dopo sei mesi eccomi che me ne torno a casa – e ci sono stato appena sei giorni fa – col magone, che digito sui tasti fluorescenti del radiotelefono; sì, ho pure quello. Cerco gli amici, Sabri. Non c'è nessuno. Nessuno che risponde, neanche qualcuno di casa – è sabato sera, dopotutto.

All'inizio ogni volta che venivo giù erano lì che mi abbracciavano, che mi dicevano: «Te la spassi, eh», oppure: «Lì, sì che c'è la vita», oppure: «Beato te, mentre noi in questa bieca provincia». Sabri non diceva niente, era così contenta di vedermi. Adesso mi sembrano sempre più annoiati, non ce la fanno più ad abbracciarmi, a chiedermi sempre le stesse cose – «Quando sei arrivato? Che si dice? Quando te ne vai?». Si sono abituati alla mia assenza. L'hanno assimilata. Anche Sabri mi sembra più distante. È come se ci fosse una pellicola tra di noi che si fa sempre più spessa. Mi dico che è naturale. Mi ricordo che da bambino quando rivedevo Massimo dopo il mare era così. C'era questa freddezza, eppure era la persona che più amavo. Passava, dopo un po' passava. Certo stavamo sempre insieme dopo.

Nella mia famiglia sono il primo: nessuno è mai emigrato e nessuno mai s'è sognato di studiare, ingegneria, poi. "Possidente" c'è scritto sulla carta d'identità di mio padre, e penso c'era scritto lo stesso su quella di mio nonno. Moneta poca, ma una vita tranquilla. Solo che a furia di starsene lì tranquilli i soldi sono diventati sempre meno.

Mi ricordo come andavo vestito appena sei mesi fa. Mi ricordo la faccia di mio padre quando gli ho detto che volevo iscrivermi a ingegneria. «Ci hai pensato bene?» mi chiede con la solita flemma, mentre pulisce una delle sue pipe. Certo che c'ho pensato. C'è da farsi il culo, ma almeno dopo sei sicuro, no come Massimo che sono tre anni che s'è laureato in lettere, figurati, e ancora "cammina la piazza", come si dice da noi per dire che uno è disoccupato.

«Almeno studi qui?» mi fa mio padre deluso. Hanno appena inaugurato l'ateneo e di andare a studiare in un'altra città non ci penso neanche. Sono stato in una di quelle case di universitari a Roma, una volta. Casa di Massimo per l'appunto, sulla Collatina, cioè a un'ora dal centro, se tutto va bene. C'era un concerto dei Devo. C'erano pile di piatti sporchi nell'acquaio e matasse di polvere sul pavimento e io che ci dormo sopra, dentro un saccoapelo. La mattina Massimo mi porta un panino col formaggio – a quell'ora – e mentre lo mangio lui rolla una canna e ce la fumiamo. Mi fissa con un'aria da deficiente, mi dice: «È stata una fortuna trovare questo appartamento, con i prezzi che ci sono. Oh, naturalmente qui c'è posto anche per te, l'anno prossimo. Ci divertiamo, sta' tranquillo». Io lo guardo, guardo la sua faccia da ebete felice, penso: "Col cazzo che ci vengo in questa stamberga".

Adesso lui vive in un paesaccio, insegna lì, ha trovato una "nuova dimensione" mi ha detto. È sempre il solito stronzo Massimo, o forse lo stronzo sono io. Adesso casa mia è a Milano, al centro, ma non lo so... prima non avevo mai fatto caso alla mia voce, al modo che ho di pronunciare le "e", le "o" – troppo larghe, troppo strette se le correggo – per esempio. È tutto così faticoso. Se devo vedere qualcuno bisogna telefonargli una settimana prima, se no resto solo, al massimo con Linda, davanti alla tivù. Il sabato poi è un incubo vero: "Che faccio questo sabato?". Io?, me ne torno a casa *io* – vado sul corso e sono tutti lì, se non ci sono vuol dire che stanno al Gardenia, al Runner al massimo, insomma non sei mai solo se non decidi tu di esserlo. Ma com'è che non risponde nessuno, cazzo.

Do una festa a casa a Milano, ieri sera. Esco a comprare la roba da mangiare e guardo il cielo plumbeo – no, non c'è mai nebbia, me lo chiedono sempre giù, ma è così nuvoloso – e mi sento un'angoscia dentro, eppure va tutto bene. La notte l'ho passata con Linda. È altissima, magrissima, senza seno. Potrebbe fare la indossatrice. Fa la commercialista invece. Tra poco ho la casa piena di gente interessante, che fa le cose "giuste", come si dice qui. Ci sarà anche Linda in uno di quei suoi abiti che non lasciano niente all'immaginazione – vorrei che ci fosse qualcuno dei miei amici di giù a vederla, a vederli. Eppure mi sento... *fuori posto* ecco, e dopo che sono uscito dal salumaio, con ancora la bocca rigida per gli esercizi di pronuncia – tocca farli anche lì per non sentirmi così sconsolatamente diverso – mentre guardo il cielo pesante, penso alle cose più assurde, perfino al mio funerale, a chi ci verrebbe, e mi afferra questo pensiero: "No, la mia vita qui non ce la passo". Me lo scrollo di dosso. Ci provo. Cerco di convincermi che è il posto migliore, che sono uno fortunato, anzi che me lo sono conquistato.

Più tardi sta andando tutto bene. C'è la musica giusta, anche le luci, le tartine, i beveraggi sono giusti, ma prima di parlare ci penso sempre a quello che dico, a *come* lo dico. Regolo anche il tono: se sei troppo entusiasta è come ti svendessi, e alla fine mi sembra di essere un merluzzo lesso. Ogni frase, ogni gesto sono calcolati, innaturali. Cerco di nuovo di convincermi. Mi dico: "Be', è perché senti che ancora la gente qui non ti conosce, poi quando ti sarai inserito". Il punto è che non ho nessuna voglia d'"inserirmi", che sono come sono, che prendere o lasciare. Mentre ci sto pensando guardo Linda.

È uno spettacolo sul serio. Si muove tra gli ospiti come fosse la padrona di casa: penso a come si muoveva la notte prima mentre la scopavo per dritto e per traverso, alle parole che mi ha detto dopo: «Certo voi del sud a letto siete tutta un'altra cosa», ovvero qualche pregio ce l'avete pure. Ti rendi conto, neanche fossi Mandingo: certo mi ci ero messo d'impegno. Il punto è che non sopporto più neanche lei, non sopporto che se ne stia lì a dirmi: «Guarda ca*v*o questo non lo fa*v*ei, questo non lo di*v*ei, se fai così non sbagli». Lei che pensa di essere raffinata e non ha mai usato il filo interdentale, che non ha mai visto un film di Rohmer, che legge «Gente» e non è mai stata a Capri, che era convinta che Glenn Gould fosse un giocatore della Philips. Lei con quei suoi modi spicci, quel suo birignao da single nordista. Avremo dormito al massimo dieci notti assieme e già mi parla di matrimonio, che è stanca di vivere da sola. La guardo di nuovo. Non è male, ma di viverci insieme... c'è questa immagine di noi due con uno yogurt davanti al tivù che mi fa accapponare la pelle. È così diversa da Sabri. Già, Sabri, ma com'è che non risponde?

I progetti erano che quando Sabri finisce di studiare ci sposiamo e ci trasferiamo qui, ma l'unica volta che è venuta su se n'è andata prima del previsto e poi mi dice: «Adesso proprio non è possibile, c'ho un esame» quando le chiedo di salire di nuovo. L'ho portata a casa di uno di questi "giusti", quella volta. Al ritorno io lì a dire cose tipo: «Hai visto che stronzo il tizio col codino?, e quella col vestito fucsia, terribile noh?, secondo me ci deve essere qualcosa tra lei e quello alto in blu con gli occhiali, quello che ha bevuto per tutto il tempo». Insomma i commenti che si fanno rincasando dopo una serata. Sabri neanche mi guarda, muove appena la testa. Allora io le faccio: «Comunque simpatici?». «Sì, simpatici» dice. Poi aggiunge con un'impennata: «Ma è che mi sono più simpatici i nostri amici, e poi perché dovremmo venire a vivere proprio qui?».

Sto chiedendomelo anch'io quando noto il tizio che parla con Linda. È seduto su una delle due poltrone di Iosa Ghini che ho appena comprato, fa dondolare un piede dentro una scarpa di cuoio rosso, lucida come una bara. La sigaretta che fuma è per tre quarti una bacchetta di cenere. Mi alzo e gli allungo un posacenere. La fa cadere dentro senza neanche guardarmi. Neanche Linda mi guarda, ma capisco dalla sua faccia che sta pensando: "Ecco, questo non l'avrei fatto". "Mavaffanculo" penso e glielo faccio capire anche.

Vado in camera mia e telefono a Sabri. Aspetto mentre la cercano. Ci sono i rumori di una festa pure a casa sua e c'è lei che dopo un po' mi risponde con una voce impastata, come avesse bevuto. È così distante, molto più degli ottocentocinquantasei chilometri e trentacinque metri – li ho misurati col computer – che ci dividono. È triste. Piangerei a sentirla così, con quella sua voce, me la immagino com'è piccola, carina. E infatti dopo che ho riattaccato piango. Non mi capita più dal giorno che mi hanno portato all'asilo. Allora mi dico basta, mi dico che domani mollo tutto e torno. Ed eccomi qui, in macchina, che penso che dopo il culo che mi sono fatto all'università, non sono che il primo immigrato della mia famiglia – mio nonno al massimo li accompagnava a Napoli gli sventurati quando "partivano i bastimenti" – che adesso dovrò cercarmi un lavoro, che chi se ne frega, farò come hanno fatto mio padre e tutti gli altri in famiglia. Che a Milano non ci torno.

È tardi quando arrivo. "Certo che 'sta città fa schifo veramente" penso appena ci entro e sento le ruote cabrare sull'asfalto pieno di buchi, vedo le case puntellate per il terremoto – qual è stato l'ultimo?, ho perso il conto, ce ne sono più che in Giappone ormai. In piazza non c'è nessuno. Al Gardenia chiedo dove stanno. Dall'altro lato del banco Silvio si stringe nelle spalle. «Vedrai che arrivano, vengono sempre» dice, come non lo sapessi, come fossi uno che non c'entra. Mi siedo a un tavolo. Bevo una San Souci, un'altra e aspetto. Stanno suonando l'ultimo dei Prefab Sprout. È una musica triste, mielosa. Quelli intorno parlano e si divertono. Saluto qualcuno. Mi rispondono appena. Inizio a pensare alla solitudine come al destino della mia vita e mentre mi guardo intorno e mi sembra tutto più brutto, più piccolo e senza eleganza di come lo vedevo prima mi dico: "Finisce che adesso non ti trovi bene neanche qui – ho già iniziato a parlare con la esse sibilante da sudista trapiantato infatti – cazzo, me la sono proprio voluta".

Sono sull'orlo della depressione più nera quando li vedo entrare, il bianco delle camicie che spara sotto i loro Burberry's tasmania, i nodi disfatti delle cravatte, le ragazze in abiti di seta e pochette e gioielli delle occasioni, che brillano. Mi fissano e io ho paura, ma loro mi vengono vicini, sorridono, dicono: «Ehi, che sorpresa». Dico: «Ma che fine avete fatto?». Loro: «Una palla di matrimonio». «E Sabri?» «C'era anche lei.» Si guardano un attimo intorno per cercarla. Ci sono delle smorfie disegnate sugli angoli delle loro labbra, non mi sfuggono le occhiate laterali che si lanciano. Una dice svelta: «Se n'è andata a casa. Era stanca». Per un attimo rimangono silenziosi. Per un attimo penso di telefonarle, ma è troppo tardi, i suoi dormono. Poi uno mi dà una pacca sulla spalla e fa: «Allora che novità al nord?» con un tono allegro. Hanno facce contente, rilassate, sono i miei amici di sempre e siamo insieme di nuovo, e allora, per la prima volta, gli dico la verità. Dico: «Che palle Milano, basta me ne torno», ma mentre lo dico e mando giù un'altra San Souci e li vedo farsi di colpo più attenti, dondolare il capo e scrutarmi con quella loro aria saputa, non è che sono più tanto convinto di quello che sto dicendo. Ascolto commenti tipo: «S'era capito», «E che ci facevi lì?», «Proprio tu, poi», li sento ridere più del necessario e vorrei proprio non avergli mai detto niente, vorrei non essere mai tornato, vorrei ripartire subito.

Alla fine cambiamo discorso, per fortuna. Uno di quei discorsi senza importanza che si fanno tra amici a quest'ora e la vedo arrivare, Sabri, nel tubino nero di Helmut Lang con gli strass sulle maniche che le ho regalato quando è venuta su a trovarmi. È pallida, ha un'aria sbattuta e non mi piace proprio il modo che hanno di guardarci gli altri.

Ce ne stiamo in macchina adesso, e le ho appena detto che mollo tutto. «Certo un lavoro così qua non lo trovo. Dovrò arrangiarmi con le perizie per il terremoto.» Lei ascolta silenziosa. Guarda fuori gli alberi che si muovono lenti. C'è sempre un po' di vento da noi. Le carezzo i capelli. Le dico: «Così, non mi dici niente, eh, Sabri?». Si gira e ha gli occhi umidi, mi sembra. Penso che s'era abituata anche lei all'idea di sposare uno giusto, che forse qualcosa è cambiato ora. Se è questo ci torno lo stesso a Milano. L'amo sul serio Sabri. E poi sono così confuso. Dico: «Guarda che se vuoi, non è che ho proprio deciso... ma se dovessi decidere, di non tornarci voglio dire, tu mi ameresti lo stesso?».

Lei mi fissa un attimo. C'è questo silenzio rotto solo dal fruscio degli alberi, dall'abbaiare lontano dei cani, dal motore di una macchina che passa vicina. Poi la sua voce dice: «Non hai capito niente, io... io ti amerei pure se tu fossi...».

È incerta su cosa io potrei essere. Tira su col naso. «Pure se tu fossi un cameriere» dice.

La guardo negli occhi e mi sembra sincera.

PAOLA CAPRIOLO

Il Dio narrante

Innanzitutto dovrei decidere chi sono. Forse il cadavere del lord disteso sul pavimento della biblioteca con una pallottola in corpo, proprio all'altezza del cuore. Ben si comprende però come da un tale punto di vista, a meno di non ricorrere a ipotesi indimostrabili circa la sopravvivenza dell'anima, mi rimarrebbe assai poco da raccontare. Potrei essere invece l'assassino che a cauti passi abbandona non visto la scena del delitto, ma in questo caso, è evidente, incorrerei nell'inconveniente opposto e avrei non già poco, ma troppo da dire, e troppo presto.

Chi, allora? Il tenace investigatore che va pian piano dipanando la matassa intricata, l'uno o l'altro dei testimoni di volta in volta sospettati e prosciolti? Oppure un dio che guarda dall'alto, e tutto vede, tutto conosce, dispiegando il suo illimitato sapere in una rivelazione graduale e dilazionata nel tempo? O forse un dio dallo sguardo appannato, cui le vicende delle proprie creature si mostrano solo da lontano e in maniera confusa, un dio che spesso non sa, ma tenta di indovinare cosa si nasconda nei cuori e nelle reni, affamato di eventi, sitibondo di verità, reso astuto e curioso dalla sua stessa impotenza.

Ma perché gli occhi dalla vista imperfetta dovrebbero ora capitare proprio nella biblioteca, posarsi sul corpo inanimato del nobiluomo, compiacersi morbosamente di osservare la ferita mortale inferta dal proiettile o meglio ancora dall'antico tagliacarte, il cui manico d'avorio intarsiato si leva dritto e terribile sul petto della vittima? Perché tutto questo e non invece, poniamo, una dama e un cavaliere che giocano a scacchi nella sala di un turrito castello, e dalla finestra a sesto acuto giunge il richiamo di un mare freddo e grigio solcato da rare navi avventurose? I palafreni scalpitano e nitriscono nelle scuderie dove l'ombra li sottrae quasi del tutto allo sguardo del dio. Servi e vassalli corrono solerti qua e là, non si sa bene cosa facciano: le solite cose, si suppone, che convengono appunto al loro stato di servi e di vassalli. Circa le ancelle vien voglia di essere più precisi e di stabilire in primo luogo che sono tutte bellissime, fanciulle di nobile sangue ridotte in schiavitù dalle alterne fortune di qualche guerra; in secondo luogo che si dedicano presentemente ad accudire alla gentile figura della padrona (una principessa, va da sé), pettinandole i lunghi capelli biondi, cospargendone il corpo candido di unguenti preziosi e di essenze che giungono dall'oriente.

Ma il dio è troppo curioso, troppo impaziente, e confonde spesso il prima con il poi. Il tempo giace dinanzi a lui come uno spazio immobile, fatto d'ombre e di luci eppure tutto presente, e solo con grande sforzo può immedesimarsi nella bizzarra prospettiva da cui i mortali contemplano questa vasta distesa, scambiandola, chissà perché, per un fluire continuo, un trapassare incessante da un nulla all'altro. Considerando le cose in tal modo, secondo il prima e il poi, è evidente che l'intima cerimonia celebrata dalle ancelle intorno al corpo denudato della loro signora non può svolgersi in presenza del cavaliere, e che di conseguenza la partita a scacchi deve essere già finita, oppure non è ancora incominciata. Il dio se ne è quasi scordato, della partita a scacchi, e del mare grigio che mormora in lontananza, per non parlare del povero lord che continua a giacere sul pavimento in attesa di una postuma vendetta. La vendetta può aspettare, il mare seguiti pure nel suo mormorio lontano e inascoltato: tutta l'attenzione del dio è lascivamente concentrata sul rito della vestizione della dama, o della sua svestizione, lui non può saperlo, perché ha dimenticato il prima e ha dimenticato il poi. Vede solo, come fosse l'eternità, l'istante in cui il giovane corpo si leva nudo fra quelli vestiti delle ancelle. E trattiene questo istante, lo dilata, si compiace di fissarne nella propria mente divina ogni minimo particolare. Vi si sofferma con una tale ostinazione da far temere che il corso del mondo si arresti per sempre obbedendo al suo capriccio. Poiché come è noto, sebbene il capriccio sia per definizione qualcosa di labile e fugace, il capriccio di un dio può mantenere questo carattere effimero e ciononostante durare in eterno. Forse lui non sa nulla della nostra eternità, inglobata nella sua come una goccia d'acqua nella distesa fredda e grigia di quel mare che già abbiamo menzionato, e che intanto seguita imperterrito a mormorare.

Ma cosa c'entra il lord con la principessa, la scena del delitto con il turrito castello sede di tornei e di amorose tenzoni? Niente, risponderebbe il dio, che come tutti gli dèi è un pessimo narratore. O indicherebbe un legame tale soltanto per lui, e preciserebbe inoltre che questo intimo nesso si estende altresì a un certo elefante bianco dell'esercito di Annibale, a un'isola corallina le cui spiagge dalla sabbia rosata sono percorse talvolta dai piedi nudi di feroci cannibali, o al celebre teatro lirico di una città europea dove in questo preciso istante, mentre la principessa si veste o si sveste, sta per debuttare un'opera destinata a fama imperitura.

È tentato di lasciar perdere per un poco la bianca fanciulla e di soffermarsi a descrivere l'aspetto dei cannibali, invero assai pittoresco, con la pelle tatuata e gli alti copricapi di piume, e intanto pensa con vaga tristezza alle legioni che da un paese lontano verranno, o sono venute, a ridurre in schiavitù quegli orgogliosi selvaggi, e pensa al grande compositore il quale nello stesso istante passeggia fra vette alpine cercando di immaginare il debutto della sua opera, cui non può assistere per motivi che il dio, così su due piedi, non è in grado di ricordare.

Seppure non dotata di onniscienza, la sua mente divina è infatti capace di coltivare contemporaneamente due pensieri diversi, e volendo anche di più: non sarebbe dunque illegittimo supporre che almeno un cantuccio sia rimasto libero per continuare ad accogliere l'immagine della solita principessa. Il lord invece non lo interessa proprio, se ne riparlerà eventualmente quando le indagini sulla sua morte giungeranno all'imprevedibile svolta conclusiva, dal dio già prevista e dimenticata. In fondo egli non fa che leggere e rileggere gli stessi libri, oppure li sfoglia svogliato, invertendo talora l'ordine delle pagine. Solo le provvidenziali lacune della memoria, la miopia dello sguardo, lo salvano dal precipitare nello sconfinato abisso della noia, e quando gli capita di sentire qualche teologo che disserta sulla sua infinita sapienza e preveggenza si affretta a compiere allarmato ogni possibile scongiuro..

Contempla le proprie creature, ibridi frutti del tedio e della distrazione, e a volte, se gli attori sono dotati di un talento particolare, si lascia persino avvincere dallo spettacolo risaputo dei loro destini. Così questo corpo nudo, chissà perché, doveva essere sfuggito alla sua attenzione, e adesso gli ritorna come qualcosa di assai gradito, simile forse a quell'evento definito dagli uomini una "sorpresa", e precluso agli esseri del suo rango. Gli dispiace soltanto che nel novero delle cose che furono e che saranno non sia registrata, a quanto gli risulta, alcuna sua avventura con la principessa. Del resto lui non appartiene alla specie degli dèi che si immischiano di continuo nelle faccende del mondo: si limita a osservare, dall'alto, con sguardo offuscato. Non è quel che si dice un dio d'azione.

A volte chiude gli occhi per scoprire se in tal modo la realtà non cessi per caso di esistere, ma nella tenebra dell'assenza di visione continua a giungergli il brusio confuso e molteplice della vita, e li riapre deluso.

Gli è sempre piaciuto, questo nuovo preludio che risuona nella penombra del teatro. Spesso egli ferma il tempo e lascia che una brevissima serie di note si ripeta per un numero di volte che gli uomini direbbero infinito, come forse dicono infinito questo suo divagare senza meta, e si spazientiscono. Non sanno che un dio, sia pure non onnisciente, vede troppi fatti per poter raccontarne uno solo dal principio alla fine, ignora cosa siano fine e principio, li confonde l'una con l'altro, inverte a suo capriccio la successione degli eventi, l'ordine delle pagine, e la sua attenzione dilaga tutt'intorno disperdendosi nello sterminato brulicare degli avvenimenti secondari.

"Secondario" è una parola della quale non è mai riuscito a comprendere il senso. Ogni cosa appare ai suoi occhi talmente intrecciata con tutte le altre, che talora i confini si annullano nella visione di un unico essere gigantesco, fatto di parti che si amano, si combattono e spesso si ignorano a vicenda. Se tuttavia, conformandosi all'uso mortale, dovesse stabilire una gerarchia fra gli elementi dell'universo, metterebbe senza dubbio al primo posto una certa penna dell'ala sinistra dell'angelo che al mattino gli serve la colazione, una penna lunga, il cui colore non esiste in tutta la natura e spicca sul banalissimo candore del piumaggio. Seguirebbero, nell'ordine, l'opera destinata a fama imperitura, una polena di nave a forma di sirena che si trova in una grotta del Mare del Nord, gli occhi celesti di un giovane pastore figlio dell'appassionato connubio di un uomo con una dea, e infine naturalmente, o forse per prima cosa, la vestizione della principessa nella sala del turrito castello. Ma scelte del genere, egli ne è consapevole, non possono in alcun modo fornire la base per una coerente visione del mondo.

E così guarda a caso, qua e là, e quando racconta parla a vanvera, e confonde a tal punto il prima e il poi che tutto appare fermo, o stranamente attorcigliato su se stesso, o si muove di un movimento retrogrado come il passo dei gamberi. E di nuovo il dio si domanda che senso abbia questo suo confuso guardare, e di nuovo chiude gli occhi, e li riapre, e nulla è mutato.

Così talvolta, specie nelle mattine d'autunno, finge di non accorgersi dell'angelo dalla bella penna che gli si accosta discreto con il vassoio d'argento: si rincantuccia sotto il lenzuolo e torna a sprofondare in un sogno dove tutte le immagini giocano insieme, immemori del prima e del poi, e ogni cosa accade lieve e senza perché.

ERRI DE LUCA

Prima persona

Non erano barche e noi non eravamo un porto, adesso lo so. Ma in quel tempo i nomi non restavano fermi sotto le cose. Facevano il lavoro delle api sui fiori e la mia testa cantava come un alveare. Prima, quello era il prima, una prigione abitata senza saperlo.

Per me erano barche quei furgoni bianchi che venivano alla nostra casa una volta per luna. La sentivo sorgere anche dietro le nuvole. Sentivo pure i loro motori venire da lontano, da troppo lontano. Erano inverni di attesa, di noi morivano i soliti, bambini e anziani, all'estremità del tempo e anche della casa: al pianoterra i piccoli, all'ultimo i vecchi. Morivano di colpo, per una fretta, i pazzi vanno all'assalto della morte da buoni soldati. La acciuffano per un pezzo del vestito e muoiono con un pugno stretto intorno a un panno. Era difficile aprirlo, sciogliere le dita dal lenzuolo, quando li trovavano al mattino. Io ero di mezzo, sedici anni, e non ero grave, non pericolosa. Potevo muovermi per i corridoi e in cortile. Non eravamo un porto, ma un ospedale di pazzi nei boschi della Bosnia centrale.

Cercavo di dare una mano. Obbedire era il mio più forte impulso, obbedire a un ordine che non mi chiamava mai. Nessuno me ne dava, ma io li ascoltavo e mi mettevo al lavoro, a lavare per terra, spaccare legna, sbucciare patate, cambiare i letti zuppi di urina. Mi mettevo vicino all'ordine e facevo anch'io. Certo non mi davano gli attrezzi in mano, potevo fare soltanto i gesti, la mimica, però mi lasciavano fare. Mi chiamavano "sjenka", che in mia lingua è "ombra". Era felice obbedire. Grazie di volere qualcosa da me, questo speravo dall'avventura di essere chiamata.

I furgoni bianchi arrivavano ogni luna. Bianchi, erano come le barche disegnate dall'infermiere nei suoi quadri. Stavano tra i monti e lui disegnava solo mare, mezzo cielo e mezzo sangue, con il sole addosso, quasi dentro. Da noi pare che il sole sappia solamente scendere. Viene da dietro il monte già in mezzo al giorno. Quando arrivavano i furgoni ero già in cortile ad accoglierli, per prima. Erano giorni che sentivo il rumore dei loro motori. Da noi era l'ultima tappa del loro viaggio di molte miglia, mille e più. Venivano mezzi muti, a gesti, avevano facce senza nervi, senza il maldidenti che sta negli occhi dei pazzi e dà alle nostre bocche la forma di una serratura. Avevano facce tranquille che io provavo a toccare con un gesto di allungo, sporgendomi in una carezza. Le loro parole non si posavano su di noi, passavano alte come le cicogne, che non si fermano nei nostri villaggi. Portavano un mangiare che ci faceva star bene per un poco. Portavano anche giocattoli per il pianoterra, una volta anche molti palloni di plastica leggera. Gli infermieri si misero a giocare dentro i corridoi con i rimbalzi e i rimbombi di dieci palle contro i muri e i soffitti e sembrava tempesta e fuori c'era il sole. E i pazzi guardavano alla finestra il cielo per vedere da dove venivano i tuoni.

I più quieti di noi scendevano in cortile e ci si metteva vicino agli stranieri ad annusare sui loro panni l'aria del lontano. Era una polvere sui capelli, sulle scarpe, il sale di giorni di viaggio che io portavo alla lingua di nascosto. Io dicevo "glazba", uno di loro guardava in un libro e capiva che era la parola "musica". Glazba era la mia preferita, si posava su tutte le cose, da noi ce n'era molta anche di notte. I pazzi gridano con tutte le ossa. Gli infermieri vanno da loro a spegnere la glazba.

Quell'inverno mangiammo il cibo dei furgoni, i secchi di miele, il pane della loro farina. Sono diventata donna tardi, ho avuto il primo sangue a sedici anni. Fu tanto e sporcai la fotografia. Fino dalla loro prima venuta avevano fatto quel gioco della mira e dello scatto. Noi ci mettevamo di fronte, pronti nell'attenti, abbracciati a mucchi intorno a loro, sforzando la faccia in qualche sorriso sgangherato, uno spasmo d'allegria rivolto a quell'uno che ci abbracciava in molti con un occhio solo. Ferma di fronte al loro gioco partecipavo di una mia solennità, come nella posa di una prima pietra. Ogni scatto fondava una comunità, una città nuova in mezzo a noi e chi non c'era dentro era straniero. Mi presentavo davanti a ogni fotografia, volevo stare in vista di ogni ordine, ovunque si volesse qualcosa da me. Era una forte obbedienza la fotografia. Sentivo in bocca insieme allo sputo una risposta: eccomi, eccomi. La tenevo per me, zitta davanti alla macchina fotografica. La dissi a bassa voce la notte di quell'inverno, quando mi svegliai col primo sangue sulle gambe. Nella camerata il nostro fiato addolciva l'aria di ammoniaca delle urine a letto, portai al naso le dita dense di mestruo. Nel buio non vidi il colore, odorai un sale caldo, eccomi, eccomi, dissi.

Mi ficcavo nel campo di tutte le fotografie, eccomi, eccomi, sì. Una venne con un marinaio. Lo chiamo ancora così, ma era un camionista di quei viaggi. Era più alto di me, alzai la mano dietro la sua schiena fino alla spalla e arrivai in tempo a mettere le dita lassù. Era vecchio negli occhi, senza un sorriso in tutta la faccia, forte nei piedi e aveva una mano che coprì tutta la mia spalla. Così diventò, senza saperlo mai, marito mio. Tornò il viaggio seguente con la fotografia. Me la diede in cortile, disse: «Glazba, ja, ti». Glazba, io, tu. Mi chiamò così, si era ricordato della mia parola preferita. Non ero più "sjenka", ombra. Fu la prima persona a darmi l'io e il tu.

Così fu il mio matrimonio, ja, ti, una fotografia in cortile. C'erano molti invitati, nessuno si accorse di niente. Ci sono uomini che sono stati sposati al volo, così, da donne che se li sono portati via in segreto, in una fotografia, una lettera, un fazzoletto. Noi due stavamo appoggiati a un furgone bianco, dietro di noi si vedevano i gradini della casa, sotto di noi il terreno era bagnato di neve. Oggi so ricordare tutto, anche le ruote schiacciate del furgone, segno che doveva essere ancora scaricato. So vedere la sua mano e capire che era da operaio e che poteva coprirmi la spalla perché il seno ancora non si era alzato. Il tiro dei miei occhi è dritto, il suo è quello assorto di chi è appena arrivato. Era alla metà del viaggio, da lì cominciava il ritorno a peso vuoto. Mi lasciò la fotografia in mano, io capii la prima cosa del mondo, che ero di lui, di quell'uomo marinaio sui monti, che mi aveva voluto da lontano fino a tenermi sotto la sua mano in un cortile di nozze. Ero di lui, eccomi, sapevo qualcosa di me solo perché riuscivo a dire che gli appartenevo, ero di lui. Queste parole mi mettevano al mondo. Il dono di me stessa mi veniva da fuori, da un passante, da una prima persona che mi chiamava, cui rispondevo con l'ansia che un altro potesse farlo prima. Il sangue nelle gambe fu il mio patto segreto di nozze e di alleanza.

Così è stata la mia prima notizia, venuta per distacco da tutto, in soprassalto, come fanno i ricordi. Memoria non è stato per me sfogliare un album, ma mettere il piede su una mina paziente che aspettava il mio peso distratto. Alla casa veniva gente ferita così, per un primo aiuto, per tappare gli squarci. I nostri boschi erano pieni di passi stracciati. Come i ricordi che non hanno dubbi, anche la mia notizia: ero di lui.

Tenevo addosso la fotografia e si svegliavano in mente le differenze: gli urli dei pazzi non erano glazba, i colpi che sfondavano i vetri non erano tuoni e sbucciare una patata vera dava una vertigine di commozione e mi trovai le lacrime in faccia e uno mi disse: «Sjenka, si piange per le cipolle, non per le patate» e io dissi: «Mi chiamo Glazba». E capii che c'era Dio in guerra che ammazzava molti e chiamava fuori me con miele, cannoni, sangue tra le gambe e una fotografia. Voleva me, con forza di natura che fa sterminio e scampo con la stessa mano. Il medico spiegava il mio caso con le tempeste chimiche della pubertà. La fotografia sporca di mestruo si disfaceva piano addosso a me, una mattina non la trovai nel letto. La mia faccia non aveva più il crampo dei chiusi.

Ora sono infermiera dei bambini del pianoterra che guardano il soffitto attraverso le sbarre delle dita. È il loro cielo e non ci sanno piangere. Vorrei un giorno partire, perché nessuno sposa una che è stata pazza. Penso a un paese di mare, con barche bianche e un uomo, marinaio. La sera gli mando baci, in aria.

LUCA DONINELLI

Il dottor Mortensen

I

Il giorno che decisi di recarmi a G... per conoscere
il dottor Mortensen, mi levai verso le sei senza alcuna traccia di sonno. G... è un piccolo centro della riviera gardesana ricco di ville e alberghi sfarzo-
si, e frequentato oggi per lo più da anziani, e dista
una ventina di chilometri dalla cittadina, anch'essa
affacciata sul Garda, dove crebbi, e dove sono solito trascorrere brevi periodi di riposo dal lavoro.
A quel tempo, però, frequentavo ancora l'università, e sul lago, presso mia madre, passavo sovente
mesi e mesi, intento nella preparazione dei miei
esami.

Era giugno: un giugno fresco e sereno, ancor
memore di un maggio di passione e di un aprile di
dolore. Quella mattina, uscito sul terrazzo che
guarda verso la distesa, a quell'ora rosata, del lago, vidi la leggerezza del cielo svettare, ancora per-
corsa da qualche stella, così in alto da costringere
il paesaggio, non più oppresso dalla bassezza del-
l'aria, a spalancarsi, rivelando la dolcezza della
morena cosparsa di ulivi, l'aggricciarsi dei primi
zoccoli di roccia rivestiti per metà di boscaglia bru-
na e, dietro, i primi monti, da una cui fenditura,

carezzate dai raggi di quell'ora favorevole, splendevano le nevi perenni dell'Adamello. Pareva che il paesaggio rispondesse, allontanando le proprie vedute, all'ampiezza della sofferenza che mi possedeva. Era forse per questa stessa sofferenza che desideravo conoscere il dottor Mortensen? Così mi domandai, prima di rientrare per vestirmi, ma solo l'ansia rispose, sorda e generica, e insieme con quella il timore: così che la cura dei particolari, dalla preparazione delle fette biscottate alla scelta dell'abito da indossare, man mano che si approssimava il tempo dell'uscita cresceva, mentre cresceva la dubbiosità sull'esito della mia piccola avventura. Sapevo, in altre parole, di non essere preparato all'incontro con il dottor Mortensen, di non aver nulla da chiedergli, e sapevo anche che forse non avrei nemmeno incontrato quell'uomo, che non ne avrei avuto il coraggio; eppure, proprio per questo mi adoperavo, con studio a me non consueto, a che il mio aspetto fosse il più possibile consono alla gravità dei sentimenti che mi animavano.

Presi dall'armadio la più bianca delle camicie di lino di mio padre, poi un abito scuro, dal taglio fuori moda, i pantaloni troppo corti, l'abbottonatura troppo alta, anch'esso appartenuto a mio padre, così come lo erano il fazzoletto bianco leggerissimo, le scarpe di pecari, e la cravatta il cui disegno rinviava la memoria ad altri tempi, quelli dell'infanzia, della felicità giovanile dei miei genitori, delle loro innocenti ambizioni, che la vita di poi avrebbe mutate in tortura e malinganno. Con questo carico di memorie mal digerite e mal sopportate, ecco, io mi apprestavo ad uscire, quella mattina, prima delle sette, per recarmi a G... all'incontro con il dottore.

II

Esistevano certo mille motivi per desiderare di conoscere il dottor Mortensen, ma io non ne avevo alcuno, tranne la sua disgrazia; e sono certo che, se anche ne avessi avuti altri, la loro natura ne renderebbe ora sconveniente ogni esposizione. Uscii, la salita per il piazzale dei pullman era breve, e profumava di steli tagliati. Il mio pullman mi attendeva, e dieci minuti più tardi salpò da quel domestico porto per guadagnare, in meno di un'ora, l'altro porto, o antiporto, di G..., che mi si presentò come rapito, alla mia discesa, in un'aura di solitudine fantasmatica, certo accresciuta da un improvviso rannuvolamento passeggero, che copriva una parte del cielo contendendo con il proprio grigio il dominio del bianco argentato sui riflessi dell'acqua. Ero avido, sì, avido di colori, le mie sofferenze chiedevano colori, anche se forse avrebbero dovuto chiedere pensieri e parole – ma come si fa ad imporre qualcosa alla propria anima? Qualcosa, voglio dire, che non si sia già riconosciuto? E io provavo una sofferenza che, però, non riconoscevo, né ancora sapevo. Ogni volta che sollevavo il capo dai libri, mia madre, osservando la mia compostezza, e la brevità di quelle pause, avrà pensato a nulla più che ad intervalli dedicati al riposo, dentro le immagini generiche offerte dalla finestra dello studio di casa: due ippocastani, qualche frangia di cielo, poche case e un giardino. Né poteva immaginare lo studio che io dedicavo ai colori sempre diversi che mi si presentavano, da un'ora all'altra, da un giorno all'altro; e talora ad alcuno di questi (il marrone di un tetto, il verde di una magnolia dopo la pioggia, ecc.) io sentivo di appartenere completamente. Guardavo, dunque, il lago, il suo grigiore varcato da raggi sempre più poderosi. C'erano solo due panchine, in quel tratto del lungolago: sulla prima sedevo io, mentre la seconda era occupata da un uomo impettito, con un bastone a fianco, che gettava pezzetti di pane ai pesci; doveva essere molto alto, indossava un abito elegante a quadretti grigi, e un biancore di incipiente vecchiezza gli fuggiva dal bel cappello a tesa, ed io non potei fare a meno di tornare a pensare, a causa di quello spettacolo di orgoglio e debolezza, all'uomo per cui mi trovavo lì, allo scienziato e umanista di un tempo che era passato lasciando all'oggi una miseria senza fine. Perché lì era caduto, quell'uomo, simile a un angelo ribelle e recidivo, per lasciarsi appassire.

Ma è pur vero che, al principio del viaggio che l'aveva condotto lì, egli sapeva, era parte del rischio, che dalla prima caduta non si sarebbe più risollevato. Fu dunque per questo che lasciai per un giorno la mia malinconia?

III

Reggendosi al bastone nell'alzarsi e poi ponendoselo sottobraccio, l'uomo del sedile accanto al mio si avviò lungo la banchina verso il centro del paese, e io lo seguii poiché il suo incamminarsi mi aveva fatto sentire stranamente solo, quasi che, per un caso, i miei pensieri avessero trovato un adeguato ricettacolo nell'immagine di quello sconosciuto e ora non riuscissero più a distogliersene. In questo brivido dell'anima riconobbi il segno del presentimento.

Varrà la pena ricordare, qui, un particolare che, citando il caso della "rinuncia" del dottor Mortensen, generalmente si omette, e non per ignoranza. Si parla sovente del suo abbandono della scienza durante una serie di lezioni nelle università dell'Alta Italia come del prodotto di una forma di nausea sortagli nei riguardi del mondo accademico, che era, poi, precisamente il mondo che l'attendeva per il futuro, visto che, a cinquant'anni passati, e quali cinquant'anni!, egli non aveva più nulla da chiedere alla ricerca. Per questa supposta purezza egli si sarebbe dunque ritirato a G..., cercando di far dimenticare la propria fama.

Ora, questa è senza dubbio una sciocchezza, e non solo perché di questo suo carattere battagliero e sdegnoso si seppe solo al momento della celebre rinuncia, mentre dai venticinque anni trascorsi in accademia ciò non trapela mai, ma anche perché la ragione della sua rinuncia fu totalmente diversa, e nessuno che abiti sul Garda e sia a conoscenza delle celebrità che vi soggiornano lo può ignorare: il dottor Mortensen si era perduto per amore – per amore, sì, di un violinista di straordinaria bellezza che una sera di tanti anni addietro aveva accettato di fare della casa di G... la sua dimora comune con il dottore.

Lo scandalo vi fu, certo, ma non di grandi proporzioni, poiché in certe case si può far quello che si vuole, e poi le due stelle brillavano troppo alte, meravigliose ma quasi invisibili, per non limitarsi ad abbellire la cittadina senza dare incomodi al costume dei ragazzi, dei figli e delle figlie, dei nipoti e delle nipotine.

E poi, i bar; l'ozio, la noia, il gioco, la frequentazione di uomini ricchi e annoiati anch'essi, i cavalli... A un bar l'avrei voluto incontrare, il dottor Mortensen, e porgli domande vane, perché lo faceste, perché lo voleste, come poteste osare: vane non tanto in se medesime, quanto per la vanità, tragica, cui si sarebbero indirizzate, e per l'orgoglio ormai apertamente femminile con cui sarebbero state respinte – l'orgoglio della dignità di un tempo, che dura l'attimo dell'insorgere del ricordo, e della pena, per poi scomparire.

Riguardai l'uomo che stavo seguendo, che pareva l'immagine dei pensieri che mi attraversavano: elegante, di un'eleganza oso dire esagerata, che sfiorava la volgarità e non poteva non far pensare ad un abitante piuttosto della provincia dell'impero che non del suo cuore: forse un fiammingo, o un norvegese, o, magari, un danese, di Copenaghen anch'egli come il dottore; ampio era il suo cappello, di un bel grigio chiaro e morbido; precaria la camminata; la punta del rosso bastone che teneva sempre sottobraccio si muoveva invece su e giù secondo un ritmo allegro, che nulla aveva a che vedere con quello dei lunghissimi passi: lo sconosciuto stava evidentemente cantando fra sé qualcosa, forse mi ero sbagliato, una gioia solitaria gli occupava l'anima senza ombra di quella cupezza che frettolosamente avevo voluto ritagliargli addosso per adattarne la figura ai miei pensieri tristi.

Tuttavia, ecco: quest'idea di un errore se ne andò subito; mi piaceva tanto quell'uomo accompagnato dalla sua canzone, che in breve mi accorsi di quanto fittizio fosse il mio attaccamento ai pensieri che mi avevano condotto, dopo tanto attendere, a questo immaginario appuntamento con il dottor Mortensen. Forse, dissi, per poter incontrare il dottore devo fare spazio in me a colori più lievi, forse la sua storia non si compone solo di tinte gravi, forse in questi anni il dottor Mortensen ha conosciuto qualche, magari breve, gioia. Guardai il cielo e il lago, la cui spianata celestina trapunta di paglie argentate non s'arrestava nella consueta bruma, terminando invece contro la linea lontanissima dell'altra sponda sovrastata dal verde di dolci scrimoli. Qualche breve gioia, ripetei: come quella – ah sì, brevissima – che m'ebbe, a una vista simile, la sera del giorno in cui morì mio padre.

IV

Prima di raggiungere l'interminabile muro che circonda l'abitazione del dottore e del suo amante con l'austero parco che ne protegge la vista, il lungolago sosta in una piccola piazza con due bar, uno in fianco all'altro, con i tavolini all'aperto a quell'ora egualmente deserti. A uno di questi lo sconosciuto sedette, il viso rivolto alla villa del dottore, che lasciava scorgere la terrazza con l'altana fra due chiome pendule di cedri.

Per non metterlo nel sospetto d'essere seguito, mi diressi verso l'altro bar con l'intenzione di ordinare un caffè e di rimanere sulla soglia a spiare. Ma non potei mettere in atto quest'idea, perché ne fui distolto da una bella voce femminile, che mi salutò familiarmente. «Silvia» dissi, ancor prima di volgermi.

Sedeva, Silvia, a un tavolino interno, la chioma scomposta tendente al rosso oggi piacevolmente gettata su un occhio; sorrideva, la piccola bocca piegata all'insù, lo sguardo obliquo, come sempre, ma assediato, stavolta, dalle prime rughe.

È da tanto che non ci si vede, disse. Quattro anni, risposi, e mi parve che questa risposta mi venisse non da me, ma da qualche libro; tale era la falsità delle mie parole, ogni volta che m'imbattevo in Silvia. La quale non poté fare a meno di sottolineare, con un'ombra di malizioso sorriso, la pochezza del mio sussiego, come a dire, tre, quattro, cinque, che differenza fa?

«Lo sai che lavoro qui?»

«Ai tavoli?»

«Sì: bitte, bitte; in inglese, invece, conosco "what's yours?", che riscuote sempre un buon successo.»

«Chi te l'ha insegnato?»

«Un mio amico.»

«Un pianista?»

«Come hai fatto a indovinare?»

Perché fa parte del romanzo che vorrei recitare ogni volta che mi ritrovo con te, avrei voluto rispondere. Avrei voluto liberarmi di lei, della sua presenza così ingombrante nella mia vita, in forza di un disegno letterario: sistemarla per sempre, soffocando il mio amore per lei, con poche sapide battute alla Swift, o alla Sterne; ma ogni volta il romanzo, se romanzo c'era, era un altro, che ella poteva scrivere più agilmente di me, non avendomi mai amato e non essendo perciò sopraffatta dai ricordi – anche letterari – che l'enormità di una passione finita, ma a suo tempo onnipotente, rende ancor oggi schiavi, e perciò inutilizzabili. Tutto il mio passato, anche successivo ai quattro anni intercorsi dal nostro ultimo incontro, era schiavo di Silvia, mentre, ahimè, l'amore se n'era andato, e se ora mi pareva sul punto di risorgere ciò poteva essere solo a motivo della mia presente disperazione.

«Cos'hai da guardare.»

L'istinto mi spinse a guardare nella direzione verso cui i miei occhi andavano vagando; e con un certo sollievo rividi l'uomo dal bastone rosso ancora seduto a un tavolino argentato dell'altro bar. Risposi, dunque, che stavo guardando quell'uomo, e glielo segnai col dito, benché non ve ne fosse bisogno.

«Non stavi, forse, pensando al pianista? Come hai fatto a sapere di lui?»

«Lo conosco anch'io, non ricordi?»

«Ma no, questo è un altro.»

«Un altro?»

«Sai che vado al M... ad ascoltare suonare il piano.»

Il M... è un piano-bar di un altro paese della costa gardesana.

Domande antipatiche, crudeli, inutili – come tutto ciò che è crudele –, urgevano alla mia bocca, ed io le respinsi, forse per la prima volta da che la conobbi, affinché almeno qualcosa di più lieve, fosse pure un silenzio anziché una parola, esistesse fra noi, impedendo il solito sopravvento dell'acredine e del risentimento su ogni altra cordialità. Così, la conversazione poté spostarsi su argomenti di altra natura. Silvia mi domandò cosa mi avesse condotto a G..., io risposi che era per via del dottor Mortensen.

V

Inaspettatamente, a questo nome Silvia mi strinse forte il polso e m'intimò col dito il silenzio. Si volse allora verso il padrone del bar, seduto anch'egli in ozio dall'altra parte del locale, per avvertirlo che sarebbe uscita a un tavolino con me.

«Lui» disse poi, indicando l'interno del bar, «è molto amico di... di quell'altro. Sera sì sera no, alla chiusura si fa il poker.»

«Tu lo conosci?»

«Abbastanza.»

«Com'è?»

«Mi somiglia un po'. È un po' taciturno, decisamente non innamorato del dottore.»

«Anche lui, però, ha smesso di fare il violinista.»

«È stato per il bere. Alla lunga, l'assenza dell'amore dentro di sé si fa insopportabile. Immagino si sia chiesto molte volte se quel tunnel avrebbe avuto fine oppure no. È simpatico, però.»

«Non l'ho mai visto, nemmeno in fotografia.»

«Mai? Davvero?»

«Non mi è mai capitato.»

«È molto bello: molto fine, anche se dai lineamenti irregolari; ha il viso lungo, gli occhi chiarissimi, verdi, adesso un po' rovinati, due mani stupende, come di marmo. Ho pensato che Mortensen si sia invaghito delle sue mani: non pensi che le mani siano qualcosa per cui ci si può innamorare perdutamente di qualcuno?»

«Sì, lo penso» dissi, lasciandomi sfuggire un'occhiata, che ella notò, alle *sue* mani.

«E quell'uomo lì» proseguii additandole l'uomo che mi aveva condotto dalla fermata dei pullman fino a questa piazza, «chi è? L'hai mai visto?»

«È alloggiato in quell'albergo» rispose, a voce bassa, «ed è qui da una settimana. Non parla l'italiano. Deve avere anche lui a che fare con il dottore, o con l'altro, perché da quando è qui fa solo due cose, dar da mangiare ai pesci e sedere a questo o a quel bar guardando nella direzione di ora.»

«E cosa ordina?»

«Anche questo è particolare: panini rotondi con prosciutto cotto e tè nel bicchiere, nient'altro. Anche a te piace quell'uomo?»

Risposi distrattamente, non so se sì o no. Disse che aveva la pelle molto scura e parlava inglese. Forse è centroamericano, aggiunse, e a questa parola, senza che io potessi dire perché, un'ondata di lacrime mi salì agli occhi, costringendomi a volgere il capo. Centramerica, panini al prosciutto, tè nel bicchiere, forse un lungo viaggio per giungere a G... e sostare davanti al muro della villa del dottor Mortensen... Chiunque fosse, un vecchio allievo, un nuovo innamorato, un improbabile assassino, una spia, fatto è che un intero destino mi si rivelò, d'improvviso, nei pochi particolari appresimi da Silvia. Ma perché proprio *questo* destino mi si fosse rivelato, certo non avrei saputo spiegare nemmeno a me stesso. E le lacrime salivano, salivano, simili in tutto a quelle dei miei dolori più grandi, ugualmente foriere di strazio; e se chiudevo gli occhi al pensiero di quell'uomo mi sovvenivano forme e colori diversi da quelli d'ora, e simili a quelli d'un tempo, quando la mia vista si beava di un paesaggio dominato dallo sguardo di persone che ora non c'erano più. Certo, la mia memoria serbava la ragione di tutto questo, ma me ne faceva attendere la rivelazione: quasi ancora non la meritassi.

VI

Avrei voluto seguitare la conversazione con Silvia circa quell'uomo, se non che, quando levammo il capo ciascuno dai propri pensieri per riguardarlo, egli non era più seduto lì; vidi gli occhi di Silvia farsi appuntiti, la bocca schiudersi per una sorpresa, infine l'ombra di un uomo stendersi sul nostro tavolino. Mi volsi; era proprio lui, che ora ci sovrastava tenendo il capo piegato e sorridendo, timoroso.

«Si sieda» dissi immediatamente, ripetendo la frase in inglese.

«Grazie, non sapevo come chiederglielo» rispose, senza muoversi. Il suo italiano era precario e un po' macchinoso, ma suscitò egualmente i complimenti di Silvia, che subito dopo lo redarguì, con quella strana grazia che le permette di accattivarsi la confidenza di chiunque al primo incontro, senza mancargli di cortesia, perché nei giorni scorsi aveva preferito non esibire la sua conoscenza della nostra lingua. L'uomo si scusò dicendo che aveva imparato l'italiano proprio in quei giorni e che era questa la prima occasione in cui vi si cimentava – proprio questo verbo adoperò, "cimentarsi".

«Mi chiamo Gabriel, Gabriele, Montez, ma sarei più contento se mi chiamaste Pondexter.»

«Pondexter?»

«È il soprannome che mi aveva appiccicato l'uomo di cui fui per dieci anni assistente di laboratorio, il dottor Mortensen. Voi siete di qui?»

«Sì.»

«Allora, forse, saprete che egli vive in quella grande villa, anche se senza dubbio...»

Il nostro interlocutore cercò, con un giro di frase non riuscito, di comunicarci l'idea della riservatezza, che attribuiva in misura spropositata al dottor Mortensen, tanto da ritenere possibile che qualcuno del luogo *non* conoscesse l'identità dell'abitatore della villa.

«Quello, vedete?, è un tempio, un vero tempio. Negli ultimi anni a Copenaghen mi diceva spesso: Pondexter, fra poco io dovrò abbandonare; ce ne andremo in Italia, poi voi tornerete qui per prendere il mio posto, mentre io rimarrò laggiù per proseguire i miei studi senza più dovermi affaticare in laboratorio; la teoria mi tenta, Pondexter. Io, vedete, ero a conoscenza dei problemi teorici che il dottor Mortensen desiderava affrontare, ed ossequiai questa scelta, come avevo sempre fatto per ogni cosa. Così venimmo in Italia, era il febbraio del millenovecentosessantuno; la permanenza era prevista per un mese, con soggiorni in grandi alberghi, di cui continuamente mi meravigliavo, perché allora ero povero. Oggi sono ricco; dopo pochi anni a Copenaghen e altri non più numerosi a Londra, mi sono ritirato nella mia città natale, a Kingston di Giamaica, dove insegno in un collegio. Ma allora non ero ricco, la ricchezza mi metteva paura. Ora, io mi coricavo sempre poco dopo le nove, ma sapevo che il dottore non aveva le mie stesse abitudini, che aveva un male... Non appena giunti in Italia, prese a nolo un'automobile decappottabile, rossa, che usava solo la sera. Scendeva all'ora in cui mi ritiravo, e sempre, prima di salire, si voltava per salutarmi, perché sapeva che, a una porta o a una finestra o a un balcone, mi avrebbe trovato. Mi salutava dolcemente. L'avete mai visto, il dottor Mortensen? Mi pare di sì; perdonatemi se dianzi ho ascoltato i vostri discorsi. Voi, dunque, conoscete il dottore. Ecco, è un uomo di infinita dolcezza. Si volgeva: arriverderci, Pondexter; e saliva su quell'automobile per causa di questo suo male... Ma non ci dev'essere vergogna, a dirlo: egli cercava i ragazzi; pensate che, per questa cosa, egli dovette subire umiliazioni terribili. Eppure, com'era gentile la mattina dopo! Una notte volli attenderlo nella hall, mi addormentai e mi destai al rumore dell'automobile, che ora avevo imparato a distinguere. Tengo l'orologio che il dottore mi aveva regalato per causa, diceva, dei miei ritardi in laboratorio; guardo, sono le tre. Corro di fuori, mentre lui scende. Buonanotte, Pondexter, mi dice; anche tu soffri d'insonnia? Era gentile come sempre, solo vacillava nel camminare, ed io, mentre eravamo un po' lontani dall'ingresso, pensai fosse per il bere – anche se il dottor Mortensen è, generalmente parlando, un uomo assai...»

«Morigerato» proposi.

«Sì, non è un uomo che beve. Ecco, dunque. Voi conoscete le luci di notte degli hotel? Sono quasi sempre gialle. Io gli apro l'uscio, ed ecco che questa luce gialla gli batte sul viso, ed io vedo una riga viola sotto l'occhio e una sotto la bocca. Lui vide che io avevo visto, ma mi parlò allegramente. Sull'ascensore, però, glielo dissi: dottore, che avete fatto? Ma lui non rispose. So che aveva un medicamento contro i gonfiori; perciò la mattina seguente non aveva più alcun segno sul viso. Voi volete bene, vero?, al dottor Mortensen: l'ho capito subito; ma ecco quello che vi voglio dire: io sono tornato a prenderlo; io non me ne andrò da questo paese se non in compagnia del dottore. Me l'aveva detto lui. Voi non sapete con chi cenò, l'ultima sera, prima che io me ne andassi. Non con l'uomo di cui era innamorato, ma con me. Lui doveva terminare i suoi studi di fisica teorica, lui era innamorato di un uomo, lui non voleva più andare via. L'altro era un artista celebre, allora, ma quando mi guardava lo faceva in modo un po' volgare: era di buone maniere, ma non nell'animo – e io lo infastidivo. Che volete?, sembrava dire, con quegli occhi: non vedete che sono occupato ad essere gentile con il dottor Mortensen?»

«E il dottore non se ne accorgeva?» mi fuggì detto.

«Sì, lo sapeva, ma amava anche questa falsità. Io sono ormai suo prigioniero, mi disse. Però, voglio che tu mi venga a liberare, non importa se fra un anno, o cinque, o venticinque; ma io sapevo che cosa voleva dire: voleva dire venticinque, o venticinquemila; non poteva pensare che sarebbe stato salvo dopo solo un anno, o cinque. Solo, la sua anima sentiva l'inferno di quell'amore, e io vedevo già quell'inferno attraverso gli occhi. Conoscevo la preghiera di quel momento – per questo volle cenare con me, da solo –: Dio, diceva, fa' che io non trascorra qui anche l'ultima mia ora; fa' che prima di quell'ora io possa andarmene di qui.»

Ma Silvia lo interruppe: «Cosa le fa immaginare che ora, invece, il dottore sarà disposto a lasciare quest'uomo? Forse il suo ultimo giorno non è ancora giunto».

Osservai il volto di Silvia, su cui s'era diffuso un rossore vivissimo, mentre le labbra, già pallide di solito, le erano divenute completamente bianche per l'ira crescente.

«Niente me lo fa immaginare» rispose il signor Montez (come io preferisco chiamarlo), fingendo di non avvedersi di quell'animazione, «solo, credo che quella sera egli fosse sincero, e credo anche che in questi anni gli sia stato molto difficile – se l'ha fatto – rimangiarsi quella parola.»

«E se se la fosse rimangiata per davvero?» insisté Silvia, rispondendo, nel contempo, con un'occhiata feroce a una stretta della mia mano al suo braccio.

«Quell'uomo» disse Montez «non lo amava allora, e non si sarà certo messo ad amarlo in questi anni.»

«Ma lui ama quell'uomo. A volte gli amori non corrisposti possono essere più tenaci di quelli corrisposti.»

Mi parve, a quest'ultima frase, di intravedere l'eterna pena dell'anima di Silvia, con le ragioni che la spingevano a tenere le parti del violinista. Per un istante, tornai a quattro anni addietro, al mio amore per lei, e al dolore che il non amarmi le procurava. Ricordai come, dopo la mia infruttuosa dichiarazione, fosse lei a venirmi a cercare, a temere di perdere la mia compagnia, e forse anche il mio amore. Mi telefonava: non vuoi venire da me oggi?, e io correvo, speranzoso in chissà quale resipiscenza. Ma non c'era resipiscenza in lei, né vi sarebbe stata. A volte, non rispondevo ai suoi appelli; se telefonava, facevo dire che ero uscito; un giorno, venne da me sfidando l'inclemenza del tempo, e io non la volli vedere. Forse, speravo nella sua prepotenza, e mi auguravo che ella ignorasse ogni divieto, e mi facesse chiamare. Invece era ormai stanca, e se ne andò.

Mi rivolsi al nostro interlocutore per osservare sul suo volto gli effetti delle parole di Silvia. L'uomo taceva, il capo basso, una mano sollevata a schermo del volto offeso dal sole, gli occhi persi non dietro le parole di Silvia, ma dietro l'intenzione, la missione, forse, di questi giorni. Anche Silvia non volle insistere con le sue domande, e scelse di tacere, offesa. Dopo alcuni minuti di siffatto silenzio, Montez si riscosse, scusandosi, come se la colpa della caduta del colloquio fosse soltanto sua.

«Andrò dal dottor Mortensen alle dodici» disse; «sapreste dirmi che ore sono?»

«Le undici.»

«Allora vado, ho bisogno di tempo per prepararmi» concluse dandoci la mano e riprendendo il cammino verso il lungolago, con il bastone rosso che, poco dopo il commiato, aveva già ripreso il filo della sua segreta canzone.

VII

Una fede assoluta guidava i pensieri e i passi di questo Gabriel Montez in un paese così lontano, e indifferente, al suo. Le parole irate di Silvia non avevano avuto alcun potere di sommovimento, nel suo animo così semplicemente occupato da *altro*. Così, Silvia non poté, a sua volta, che sedere in silenzio, risentita anche con me, finché l'arrivo di un gruppo di avventori non la costrinse ad alzarsi, indirizzandomi un breve saluto. Silvia non sopportava che quell'uomo potesse essere tornato; non avevo mai conosciuto nessuno che, specialmente in tempi di generale dimenticanza, quali sono i nostri, provasse in sé, ogni giorno, ora e minuto, una simile invasione del destino, e della memoria di ciò che era stato. Forse per questo l'avevo tanto amata? Silvia non tollerava che qualcuno potesse tornare a cercar di modificare i decreti del passato, e l'idea che qualcuno l'avesse fatto doveva apparirle così stupida da costituire, per così dire, addirittura un'offesa alla sua persona. Quanto al risentimento nei miei riguardi, se non la conoscevo male, esso dipendeva dalla colpa di cui, a mia volta, mi sarei macchiato io, col mio sottrarmi al mio destino di non-amato. Decisi di non andarmene finché non si fosse raddolcita; e lei per una mezz'ora mi ignorò, ma alla fine venne da me.

«Bitte?»

Le chiesi la specialità della casa.

«Tè e panini rotondi al prosciutto cotto?»

«Un caffè.»

Un breve sorriso la illuminò, specchio del furtivo perdono che mi lanciava. Oggi, dissi fra me, mi è più facile starle accanto che non allora. E, a questo pensiero, mi sovvennero gli anni della nostra lontananza, con gli eventi dolorosi, sgranati come da un rosario, che ne avevano segnato il ritmo: ecco!, questi anni erano *passati*, io non ero più in essi; fino a quel momento, ero rimasto in essi – quattro, quaranta, non importa –, e non mi ero accorto del loro passaggio. Sollevai lo sguardo, vidi Silvia con il caffè, divertita dal mio stranimento. Ecco il tuo caffè, ti decidi a berlo? Pagai e le lanciai una frase galante, un po' generica e abbastanza spiritosa da lasciare in sospeso la delicatissima trina di sentimenti che s'era stabilita fra noi. Poi, ancora sorpreso per le modificazioni – per la nuova mitezza, vorrei dire – che il tempo aveva indotto in me, me ne andai nella direzione opposta rispetto a quella scelta da Montez-Pondexter, il cui cappello vidi, in lontananza, penzolare dalla banchina sull'acqua dal riflesso ingentilito, in quel punto, dalla verde ombrosità dei tigli.

VIII

Desideroso di una breve distrazione, mentre anch'io attendevo il mezzogiorno e i suoi sviluppi, imboccai una stradicciola che conduceva alla piazza della chiesa, accanto alla quale sorgeva la casa canonica, dove viveva l'arciprete don Mario, un vecchio amico di mio padre. Suonai il campanello, e fu lui stesso che mi venne ad aprire, con un gran grembiale allacciato sulla schiena. Stranamente, non era venuta la vecchia perpetua, che ne era di lei?

«È morta quindici giorni fa» disse, mentre mi faceva strada per il buio andito dall'odore di candele e di biscotti. A questa notizia, mi salì da chissà dove un sentimento di ostilità invidiosa verso quell'uomo.

«Come sarebbe, "è morta"?» chiesi senza celare il mio malanimo.

«È caduta da una scala, aveva ottantasei anni» rispose, senza dare a questa notazione sull'età alcun senso giustificativo.

«Come mai era salita sulla scala?»

«Era un giorno nuvoloso, molto umido. Tu sai che era malata di arteriosclerosi. In quei giorni aveva sempre perso la testa, questo è vero; ma si era sempre trattato di deliri. Sedeva in quell'angolo, vedi?, e parlava, parlava, a volte per interi pomeriggi. Invece quel giorno era diversa: avrei dovuto accorgermene; passai tutta la mattina a toglierle gli stivali di gomma, e lei a rimetterseli, perché aveva paura dell'alluvione; e io, di nuovo a toglierglieli, e a spiegarle che non c'erano alluvioni. E lei: ah no?, e allora com'è che mia mamma ha preso la barca, ha caricato su tutti ed è passata qui sotto? E io: ma quando è passata, che io non l'ho vista? E lei: come hai fatto a non vederla? E mi ha descritto per filo e per segno com'era questa barca, chi c'era a bordo, com'era vestita sua madre. Mi è caduta sotto gli occhi, due ore dopo; non è da credere la sveltezza con cui è salita su quella scala. Sedeva al solito posto, con la testa bassa; avevo messo la scala per cambiare la lampadina; mi sono girato un attimo, dico un attimo: il tempo di sentire un urlo e di rivoltarmi, e lei era già a terra, morta. Avrei dovuto essere più attento, non lasciare la scala in mezzo alla stanza.»

Parendomi affranto per quel terribile avvenimento, cercai di distrarlo, mentre mangiava, con discorsi e quesiti generici, che, naturalmente, non riuscirono nello scopo. Ciò valse, anzi, ad accendere ancor più la mia invidia per il suo stato, per la vita che conduceva – così umana, mi pareva, nell'istruire il cuore al distacco, al senso del passaggio di tutte le cose, al senso della morte.

«Come mai sei qui?» mi domandò d'un tratto.

«Per vedere il dottor Mortensen.»

«Il dottor Mortensen? E perché?»

«Non lo so precisamente. Solo, da qualche tempo avevo un gran desiderio di vederlo.»

«Povero dottore. Quasi quasi mi vien da sperare

che muoia presto anche lui, così, perlomeno, si libererebbe da quel demonio.»

«Don Mario!»

«Ho detto demonio, precisamente. È il padrone assoluto della sua vita, si prende gioco di lui come e quando gli piace, lo tradisce continuamente – perché è pur sempre un amore, anche se obbrobrioso; e il dottore lo ama come, forse, una donna non ha mai amato il suo uomo; e sa di tutti i suoi tradimenti, con altre persone ugualmente non amate, ugualmente tradite. E tu non vorresti che lo chiamassi demonio?»

«E se anche lui in qualche modo patisse?» domandai, ricordando le parole di Silvia.

«Ma questa è proprio la cosa peggiore. Lui patisce, è vero, per l'amore che non dà al dottore; forse, spera in un riscatto, ma non si accorge del prezzo di questa speranza; è per questa speranza – lo vuoi capire o no? – che lo tiene prigioniero. Lui vuol restituire, ricompensare: l'ho visto fare regali incredibili, e non solo al dottore; l'ho visto dare mance altissime, per commissioni di poco conto. E tu vorresti provare pietà per quest'uomo?»

Si alzò da tavola con il piatto ancora mezzo pieno, e cominciò a portare le bottiglie e i bicchieri in cucina; poi tornò e prese i piatti e i tegami.

«Non ti ho nemmeno chiesto se avevi mangiato» disse.

«Sì, ho mangiato.»

«Da quando è morta la zia Lina, non ho più fame.»

Gli domandai se sapesse qualcosa di Gabriel Montez, e lui rispose di no, pregandomi di raccontargli di quell'uomo; gli dissi dunque ciò che sapevo, del viaggio da Kingston di Giamaica sino a qui, della promessa del dottore, venticinque anni addietro, del pane ai pesci e dell'incontro di mezzogiorno (che nel frattempo era già passato). Poi, terminato il mio resoconto, stetti per qualche istante in attesa di una sua battuta, che non venne. Rimase per un paio di minuti, forse più, in piedi, appoggiato al pomo di una sedia, gli occhi tristi persi, forse, a ricordare. Poi, si riscosse; mi chiese l'ora, dieci minuti al tocco: chissà cosa stava accadendo, laggiù. Devo andare al più presto, disse, oggi ti ho trattato troppo male; disse ancora qualcosa sulla zia Lina, dal bagno, che io non compresi, e subito dopo ero già quasi in fondo al vicolo, la cui ombra pareva terminare contro l'argentatura rarefatta del lago, dove lentissimo si muoveva il punto nero di una barca a vela. A quella vista, forse perché l'imbarcazione in controluce mi suggeriva fantasie funerarie, mi tornò alla memoria il viso allegro della zia Lina; dietro la canonica, c'era un orto, in cui cresceva un melograno; ogni volta che, da bambino, mi recavo con papà a trovare don Mario, la zia Lina mi faceva segno di seguirla ai piedi dell'albero, da cui spiccava alcuni frutti per depositarli nel mio cappellino. E, a questo ricordo, vidi una cassa scivolare lentamente dalla barca all'orizzonte, come per un rito che la mia immaginazione andava compiendo da sé, quasi senza l'aiuto del mio pensiero, che un istante dopo si trovava di nuovo sulle tracce di Pondexter.

IX

Si chiamava Ireneo Bignami, ma era universalmente noto come Ireneo il beffardo: fu lui l'ultimo a parlare con Gabriel Montez. Era l'uomo più famoso di G..., sessantenne, segretario comunale, eterno complice nelle bevute dei frequentatori di tutti i bar del lungolago. Quel pomeriggio, ci si salutò appena, ma a sera inoltrata fu lui a raccontarmi dell'esito dell'incontro di Pondexter con il dottore e con l'amante di lui. Intanto dalla riva del lago ci giungevano notizie sempre più disperanti.

Ero ritornato alla piazza del bar solo verso le quattro. Con mia sorpresa, vidi le saracinesche a metà e, seduti a un tavolino, il violinista con il padrone del bar e Silvia intenti in una conversazione che mi pareva sufficientemente allegra; di lontano salutai Silvia, che non mi rispose. Intorno a loro c'era una strana animazione, come di gente imbarazzata; fu qui che vidi Ireneo e gli diedi il mio buongiorno, alcuni istanti prima che questi, rivolgendosi al gruppo di persone con le quali aveva appena terminato di discutere, dicesse:

«Io ho paura. Vado a cercarlo.»

E così detto se ne andò, lasciando dietro di sé qualche accenno di riso, poiché nessun altro riteneva che l'accaduto fosse di qualche importanza. Ma cos'era accaduto? Semplicemente questo, che, verso le due, il vecchio assistente del dottor Mortensen se n'era uscito dalla villa urlando frasi incomprensibili, "metà in inglese metà in spagnolo o in altre lingue simili" – così disse la donna da me interrogata –, per fuggire infine, a piedi, per una viottola verso settentrione, che terminava su un tratto di scogliera impervia.

Anche in me la notizia non provocò alcuna preoccupazione; solo, se mai, un po' di rammarico per l'esito della visita di quell'uomo al suo vecchio maestro. Mi volsi in direzione del violinista, la sola persona che sapesse tutto, e di nuovo ricevetti la medesima impressione di allegria e, vorrei dire, di spensieratezza, di poc'anzi. Decisi allora che non era più il caso di rimanersene lì, e me ne andai per una passeggiata. Ora, inavvertitamente, come per una naturale conseguenza degli ultimi fatti, imboccai anch'io la direzione presa da Montez: me ne resi conto solo nel punto in cui, al limite del paese, il lungolago ha termine e si muta in viottolo, mentre la via carrozzabile, che fin lì seguitava la banchina, piega a sinistra verso l'entroterra.

Sedetti allora sull'ultimo sedile e mi posi in contemplazione del lago, che andava catturando la prima malinconia della sera. Cercavo di placare, immergendomi in quella vista, i mille pensieri che mi animavano, intersecandosi e modificandosi l'uno con l'altro: dalle congetture circa l'incontro fra Montez e il dottore ai ricordi del passato, da Silvia alla zia Lina, dalla preoccupazione di non perdere l'ultimo pullman al volto preoccupato di Ireneo il beffardo. Ma i pensieri non si placavano, anzi pareva che l'acqua volesse restituirmeli di istante in istante più grandi e più confusi. O, forse, non più confusi, bensì, semplicemente, più evidenti nelle reciproche implicazioni – nell'*assoluta* dipendenza del contenuto degli uni dal contenuto degli altri: tutta quella giornata si andava lentamente trasformando in quella che, ora me ne rendevo conto, avevo sperato fosse sin dal mattino, ossia in una tragica rappresentazione, destinata in qualche modo a modificare i volti dei protagonisti, disegnandovi smorfie di dolore e d'orrore. Orrido il lago, orrido il paese, orrida la vicenda sulla scena di questo giorno, orridi gli anni trascorsi – trascorsi, sì, come avevo compreso poche ore prima, ma solo per essere ancor più presenti in me con tutto il male invendicato di cui erano disseminati.

Ora, mi trovavo sul culmine di questi pensieri, quando mi passò davanti, senza avvedersi di me, Ireneo: basso, dai capelli rossicci, il mento sporgente, le gambe esageratamente lunghe, che gli conferivano una camminata ridicola, cui l'abitudine a tener le mani in tasca aggiungeva un tocco di canzonatura; ed era questa, insieme con una tendenza al sarcasmo e al parlare obliquo, la ragione per cui era detto il beffardo. Un nomignolo di gusto inusuale, questo, di cui Ireneo si vantava moltissimo: parola di Ireneo il beffardo, te lo dice Ireneo il beffardo, e così via. Cosa aveva spinto quest'uomo ad assecondare uno scomodo presentimento e mettersi così alla ricerca dello sconfitto Gabriel Montez? La curiosità? La pietà?

«Ireneo» chiamai. «Ireneo.»

Si volse, tornò sui suoi passi.

«L'ha trovato?»

«No.»

«Eppure, non può essere andato altrove.»

«È vero, non può» rispose, secco: «però non l'ho trovato.»

Rimase a fissarmi, come per chiedermi il permesso di andarsene; ma io volli trattenerlo.

«Pensa che sia successo qualcosa?»

Allargò le braccia, mutando tono: «Come posso saperlo? Però, è inutile che glielo nasconda: ho paura di sì».

Immediatamente, mi fu chiaro che stava mentendo, che stava proteggendo qualcosa o qualcuno. «Stavolta» disse, «non faccio il beffardo», ma intendeva l'opposto: perciò attesi che, dopo essersene andato, uscisse dal mio campo visivo, per pormi immediatamente alla ricerca di Pondexter.

Sulla scogliera, le ombre dei radi alberi e dei cespugli parevano ormai soltanto lambire il terreno roccioso, mentre il bordo delle colline a occidente traboccava d'oro liquefatto; ma la calda visione non infondeva in me alcun senso di calore, anzi, fu sufficiente un breve soffio, in quell'aria pressoché immobile, perché il mio corpo rabbrividisse tutto; m'ero inoltrato in quella pietraia per poche centinaia di metri, e già mi sentivo invaso dalla solitudine del luogo: le case, la strada, il paese erano vicini, eppure non una traccia di essi m'era offerta fino all'orizzonte. Non un fruscìo d'erba bruscamente spostata, non il crepitìo di un sasso sotto un piede – nulla, insomma, che potesse far pensare alla presenza di qualcuno in quel luogo, oltre a me. Non ci sono, qui, vie che scendano al lago, né, in generale, altre vie d'uscita diverse da quella da me battuta: la scogliera di G... altro non essendo che un'enorme lastra vulcanica inclinata fra settentrione e oriente: ragion per cui scarsi, per non dire inesistenti, erano i luoghi ove Pondexter potesse essersi appartato, o, tantomeno, nascosto.

Battei per scrupolo tutta la superficie della scogliera, percorrendone anche tutto il bordo, protendente sull'acqua su due lati, come un'immensa prora – o, meglio come una poppa, e non solo per la forma della punta, ma anche per il senso di allontanamento che l'eccessiva apertura del paesaggio suggeriva all'occhio. Dove se n'era andato, Pondexter? Dove aveva voluto sparire? Forse Ireneo aveva avuto ragione? Forse davvero la sua reticenza non aveva nascosto nulla alle mie domande? Percorsi quella roccia avara fino al tramonto, fino all'abbuiarsi del cielo, fino al suo cospargersi di stelle; la notte accendeva i paesi disseminati lungo la costa, raddoppiandoli nello specchio del lago, che laggiù pareva del tutto tranquillo, mentre sotto di me esalava deboli lamenti, o minacce. Dov'era andato Gabriel Montez, se questo era il suo nome, che era venuto fin qui da Kingston di Giamaica?

Ma non c'era risposta. Eppure, eppure... io ero certo, a dispetto di ogni apparenza, che Ireneo Bignami aveva mentito.

X

L'aveva visto, infatti. Lui stesso lo ammise, stanco di negare, quando ormai era giunta notizia che, in una rientranza della scogliera, la barca aveva battuto con un remo contro qualcosa di duro, che la forte corrente aveva sospinto lì. L'aveva visto, e gli aveva parlato, a lungo, promettendogli, prima del congedo, che per causa sua nessuno sarebbe venuto a importunarlo. Quanti piccoli delitti aveva coperto, Ireneo il beffardo, dietro la garanzia del proprio silenzio; era l'uomo dei segreti: inganni, tradimenti, maldicenze, piccole infamie trovavano in lui la più sicura delle casseforti. Ma stavolta, in quello stesso modo, Ireneo aveva coperto la morte di un uomo.

Questa notizia sembrò mutare d'un tratto il volto di tutto il paese: tutti ugualmente sgomenti, tutti ugualmente ritratti nell'espressione che aveva dominato la vita di ciascuno: ancor più beffardo Ireneo, ancor più irosa Silvia, ancor più risentito – fattosi su un lato, quasi che quella morte non fosse stata altro che un'offesa nei suoi riguardi – il violinista; e tutti ugualmente consapevoli dell'inutilità di tali sentimenti, di questi piccoli marchi impressi a fuoco dalla vita; ma, e ora – parevano dire quei volti –, ora che non c'è più vita? Forse per questo imbarazzo il racconto di Ireneo fu così riguardoso da riuscire irripetibile, e anche scarsamente credibile. Cosicché, per una giusta intelligenza degli eventi, ben presto mi resi conto che avrei dovuto prestare orecchio più ai molti silenzi e omissioni che non al senso delle parole.

Pondexter aveva, dunque, messo a parte Ireneo degli eventi del pomeriggio, centrati sulla visita alla casa del dottore. E ora, Ireneo cercava di arrampicarsi lungo il ripido sentiero della confessione del defunto – sempre che di confessione si potesse parlare. Per tre quarti il racconto verté sulla nobile figura del dottor Mortensen, fedele alla dolente immagine che lo stesso Montez aveva tracciata, poche ore innanzi, per Silvia e per me: rinacquero le ragioni del rinnovato diniego, e dietro di esse i lustri di umiliazioni, la forza disperata di un amore che ad ogni prova dell'indifferenza dell'amato si faceva vieppiù puro e grave di ragioni – "perché quest'uomo non può ormai più vivere senza di me", eccetera. Voci dell'inganno, o della passione, o dell'irrimediabile vecchiezza, non importa; per me erano soltanto menzogne. La mia immaginazione, a dispetto di ogni sforzo, non riusciva a figurarsi questa sorta di arringa che pareva scritta – nonostante la prova del duplice suo passaggio di bocca (da quella del dottore a quella del suo assistente, e da quella di colui a quella, incerta, di Ireneo) – da un penalista poco riguardoso dei dolori mossi dal suo parlare; e gli occhi della mia fantasia vedevano, al cospetto del misero Gabriel Montez, una sedia vuota. E sono certo che quanto Montez riferì ad Ireneo a questo riguardo non abbia *mai* avuto luogo.

Solo una volta, all'inizio, nel corso di un'osservazione, oltretutto, marginale e quasi inutile, ebbi l'impressione di una presenza in scena, fugace, del *vero* dottor Mortensen.

E, ahimè, non era quello che m'attendevo.

Era venuta ad aprirgli, a mezzogiorno in punto, la governante, che lo aveva preceduto, sotto una galleria di glicini, all'ingresso, sulla cui soglia lo aspettava il violinista, che lo fece entrare.

Ed ecco, non aveva compiuto il primo passo nell'atrio, che, alla sua destra, vide fuggire il dottore su, lungo la scala che, verosimilmente, conduceva alle camere. Il dottor Mortensen *fuggiva*, la sua vecchiezza non si attardava al cospetto di un ospite non voluto, ma si gettava verso una salvezza qua-

lunque, catturando un'occhiata svelta, forse inde-
bita, nella quale immediatamente sospettai risiedesse la causa prima del suicidio (la cosa non fu
mai provata, ma io non ho alcun dubbio) di Pondexter. Quel gesto catturò anche la mia immaginazione; e nonostante ascoltassi con grande attenzione il seguito della storia (un'attenzione che mi permise di notare come in essa non si parlasse di alcuna *discesa* del dottore dai quartieri raggiunti in
precedenza), io non ricevetti altra suggestione. La
salita del dottore mi tormentava; lo vedevo correre
come un bambino inseguito per gioco da un adulto
di casa, perfettamente incurante del dramma che si
andava svolgendo, e che lo vedeva unico protago-
nista; vedevo le sue esili gambe piegarsi nervosa-
mente con vezzo femmineo; un po' per paura e un
po', forse, per scherno. Le sue mani abbracciavano senza forza, ormai, ma con un'avidità che poteva ben dirsi un altro genere di forza, il corrimano
ligneo della ringhiera, aiutando gli indubbi, piccoli
salti cui i ginocchi costringevano i garretti. Nulla
pareva riguardarlo – o, meglio, da nulla il suo im-
perio voleva esser riguardato, né dalla scienza né
dai casi che avevano condotto Pondexter a G... e
alle sue sponde.

Io so che il dottor Mortensen non discese mai
quella scala, finché Montez rimase nella sua casa;
e che la successiva agiografia del suo racconto ser-
vì soltanto a mascherare, ad Ireneo ma, credo, anche a lui medesimo, la decisione che in *quel* momento fu presa. Dopodiché, il perdersi, il gettarsi,
il guadagnare la base della scogliera grigia e rossa
bordata di verdi penduli ciuffi e coronata dal più

intenso blu dell'anno, donandole il proprio cadavere, sono certo che fu questione di un istante, senza preparazione o calcolo, senza più la forza di rendersi presente il dramma supremo di quell'istante.

XI

Vennero le dieci, le undici, venne mezzanotte. Avevo telefonato a mia madre che non si preoccupasse per me, avrei certamente trovato un luogo dove passare la notte. Vieni con il primo pullman, disse, e io le confermai: sì, con il primo, con il primissimo pullman. La piazza era sempre più animata, si mangiava e si beveva, anche, perché nella marea di quella sera molti si erano scordati di farlo. La barca, dissero dalla riva, aveva avuto qualche difficoltà nel recupero del corpo per via delle correnti. Silvia, mesta in viso, andava e veniva con bibite, panini, caffè, e ogni volta che mi passava accanto mi guardava come per farmi intendere che solo questo lavoro imprevisto le impediva adesso di dirmi tutto ciò che aveva sempre voluto dirmi, e che non disse mai. Dal cancelletto della villa, intanto, andava e veniva anche l'amante del dottor Mortensen. Era agitato e confuso; un uomo lo avvicinò e gli disse che i carabinieri desideravano parlargli; non ho nulla da dire ai carabinieri, rispose, e loro non hanno nulla da dire a me. Dopo qualche minuto, però, dovette aver cambiato opinione, poiché tutti lo udimmo esclamare: «Dirò tutto ai carabinieri, ma solo a loro!». Ma con i carabinieri rimase, per quella sera, solo Ireneo, a ripetere una, due, tre volte il racconto dell'ultima conversazione avuta con il defunto.

Era quasi l'una, quando la barca arrivò e il cadavere di Gabriel Montez fu deposto sulla banchina, gonfio e livido ma per nulla sfigurato, come invece io temevo. Ogni lavoro s'interruppe, i bar chiusero temporaneamente; poiché nel punto in cui fu posto l'illuminazione era rada, molti, dietro richiesta, si procurarono fari e torce elettriche, la cui luce, ora gialla ora bianca ora bluastra, investiva il corpo disgraziato di quell'uomo fedele strappandolo, complice la morte, dalla quotidianità in cui l'avevo conosciuto, per trasferirlo, per così dire, in un'altra regione della conoscenza, quella della pubblicità, delle fotografie, dell'indiscrezione: un eterno flash pareva essere calato su di lui, ultima ratifica del decesso, come per trasformarlo, malignamente, da uomo schivo a uomo pubblico. Pondexter!, voleva gridare qualcosa in me: io vi amo e vi rispetto. Mi sentivo come non m'ero mai sentito in vita mia, non più pavido ma coraggioso, e sapevo che, prima che tutto avesse termine, qualcosa avrei gridato, qui, di fronte a tutti, non importa se quella frase o un'altra.

Finalmente, si diffuse il bisbiglio che attendevo: il dottor Mortensen stava arrivando per rendere l'ultimo omaggio al suo vecchio assistente. Infatti, pochi istanti dopo, la folla si aprì e, lentamente, il dottor Mortensen entrò nel cerchio; avanzò con cautela, appoggiandosi ad un grosso bastone uguale a quello di Pondexter. Lo guardai con disgusto, la sua figura era un sacrario di distintivi: oltre al bastone, non potei non rimarcare fra me l'ironica evocatività del panama e del bell'abito di lino grezzo. Sottobraccio, il dottore teneva un gran fascio di cartellette unite da un robusto elastico; si fermò e sostò davanti al morto, ottenendo col proprio silenzio il silenzio di tutti. Canaglia, canaglia, ripetevo dentro me, faticando a che queste parole non erompessero in grido. Che possibilità riteneva gli fosse rimasta, argomentavo, per riempire quel silenzio, ora, non dico d'una preghiera, ma anche soltanto d'un pensiero, d'un ricordo? Che diritto mai voleva arrogarsi? I miseri astanti contemplavano quella finzione di solennità con occhi non di rado commossi, e mi parvero spettatori d'un qualche film patetico, che preferissero, inconsapevolmente, ammantare occhi e pensieri d'una semplicità falsa piuttosto che dare ascolto alla confusione che bussava in loro.

Dopo alcuni minuti d'immobilità, finalmente il dottore si riscosse; si guardò attorno con aria grave, ma anche forse un po' imbarazzata, poi si accinse al gesto più alto, così immagino pensasse, di questa sua apparizione; che fu, poi, il più comico e goffo che si potesse immaginare, anche se nessuno attorno a me se ne accorse. Liberò, il dottore, le cartellette dall'elastico che le stringeva, poi chiamò con un cenno un sommozzatore, gli porse il bastone e, con una mano reggendosi a lui, si mise in ginocchio, il tempo di posare i fogli accanto al cadavere, infine si rialzò, si ripulì i calzoni e si mise in tasca l'elastico.

«Questo mi serve» bisbigliai, dando voce al pensiero che doveva essergli balenato mentre guardava l'elastico. Ma nessuno mi udì, perché, nel medesimo istante, un ronzìo generale percorse la folla: il dottor Mortensen voleva dire qualcosa. Nell'istante in cui aprì la bocca, vidi, come fosse stato scritto sul suo volto a chiare lettere, l'intento che lo animava: sarò stucchevolmente sobrio, pareva dire quella bocca, aperta sulla comune attesa, tutta contorta alla ricerca di parole che *sostituissero*, con pari vuoto, il suo silenzio.

«Erano» disse alla fine, «gli studi che era venuto a cercare. Gli studi di fisica teorica, di cui mi ero occupato in questi anni.» E, dopo una breve pausa, concluse: «Ora che Pondexter è morto, questi studi non hanno più alcun valore».

A queste parole, non seppi trattenere oltre il mio sdegno.

«Infame!» gridai. «Infame!»

Tutti, naturalmente, si volsero subito a guardarmi, e un mormorio inquieto si sollevò. Mi feci avanti. «Infame vigliacco» seguitai con calma, mentre il dottor Mortensen si ostinava a non guardarmi, «quest'uomo è morto per la vostra vigliaccheria. Lo capite o no? Dico a voi: lo capite o no?»

Ero così acceso, che non mi accorsi della confusione che le mie parole avevano suscitato intorno a me; attesi allora che le voci si placassero.

«Lo capite o no?» ripetei, per la seconda volta.

E, qui, il dottor Mortensen, lentamente, si volse e osò guardarmi; la luce delle torce elettriche pareva attraversare la sua pelle lattescente, rivelando una a una le piccole vene che correvano sotto di essa; i suoi occhi tondi erano fermi su di me; la sua bocca, i cui angoli piegati in basso attestavano una vita dedicata al disprezzo, tremava, come se la lingua ruminasse fra la saliva per ripescare le parole smarrite, quelle con cui avrebbe dovuto rispondere alla mia impertinenza. Ma, ecco, un moto più spontaneo, ancorché orribile, s'impadronì della sua bocca: le pieghe verso il basso scomparvero, le labbra si fecero bianche, increspandosi e stringendosi.

«Infame» ripetei allora, perché la metamorfosi si compisse senz'altra pena. E così quella bocca tornò ad allargarsi, e il dottor Mortensen rise, dando a quel riso l'aria più garbata possibile, come a dire: prego, dicevate?

Tutti videro quel sorriso, e ne rimasero raggelati; un nuovo silenzio nacque, del tutto diverso da quello di prima, ma forse il dottor Mortensen non se ne rese ben conto (o se ne rese conto fin troppo?); rivolgendosi nuovamente al cadavere, ristette ancora qualche istante, infine riprese:

«Questi studi li avevo promessi a lui, doveva venirli a prendere, erano suoi.» Detto ciò, volse le spalle a Pondexter, la folla (ora non più serrata come dianzi) si spalancò ed egli se ne andò, lasciando il suo assistente nelle mani del medico e dei carabinieri, uno dei quali mi si avvicinò e mi disse che dovevo ritenermi fortunato, poiché il dottore non era uomo da sporgere denuncia.

Per la notte fui ospitato da Silvia nella sua casa. La mia amata di un tempo mi voleva parlare, e rimase a lungo seduta sulla sponda del letto; ma gli anni erano trascorsi così in fretta, quel giorno, che non mi sentii in grado di discorrere con lei di cose *particolari* – così ella chiamava l'amore, e così lo trattava –, perciò le dissi che avrei voluto rimanere da solo, che chiudesse l'uscio della mia camera. Stetti così, senza dormire, per tutte le ore che mi separarono da quella della levata per il pullman, e per la prima volta pensai più a mia madre che a mio padre, alla sua attesa del mio ritorno, alla discrezione con cui sempre aveva guardato alla mia malinconia, rispettandola come si rispetta un destino. Forse, non aveva potuto amare così mio padre, perché fu, il loro, un amore troppo pieno di dispetto, troppo acre per distendersi fin dove avrebbe voluto; ma io!, io ero suo figlio, e per me era esistito tutto l'amore che doveva esistere, anche se fu, poi, quell'amore a generare in me la tristezza. Ripensai a Silvia, e al violinista, in cui mi aveva detto di identificarsi; e il dramma del loro disamore mi apparve più nobile di quello dell'amore di chi li aveva amati. "Forse, se tu mi dessi un figlio..." mi aveva detto Silvia, un giorno. Allora non avevo capito, mentre oggi capivo, anche se questa comprensione mi allontanava da lei.

All'alba mi levai, e anche se mancavano due ore alla partenza del pullman volli uscire. Il lago era tutto un ricamo di rosa e arancio, e una bruma mattutina pronta a spalancarsi in nuova limpidezza velava le pendici delle alture sull'altra sponda. Mi tornò in mente la zia Lina, e con lei il dolore di don Mario; infine, meccanicamente, la mia bocca principiò un'Ave Maria, che subito interruppe. Ma quelle prime due parole, "Ave Maria", erano ormai dette, ed io le trattenni in me come un sapore strano, suscitatore di memorie. E le ripetei anche quando, affacciatomi dalla banchina sullo specchio liquido, sentii erompere le lacrime al ricordo fugace della mano di Pondexter che gettava bocconi di pane ai pesci, di nuovo fui attraversato da tutti i sentimenti del giorno precedente, montanti sino allo sdegno feroce che m'aveva preso per la viltà assassina del dottor Mortensen. Ma poi tutto era finito, ed io portavo con me soltanto questa fine, insieme con il desiderio di rivedere mia madre.

MARIO FORTUNATO

Da qui: per andare o tornare

La strada descrive un'ampia curva, prima di interrompersi bruscamente. Ho guardato il colore del cielo, e i piccoli alberi immobili nell'aria, che fronteggiano l'aeroporto, e poi le macchine parcheggiate, e le due o tre insegne luminose: per ricordare tutto, con precisione, un po' maniacalmente. Il tassista è sceso prima di me, ha preso la borsa dal bagagliaio, ha fatto un piccolo inchino. Non ci siamo detti niente, ho pagato, un cenno di saluto, via.

Per tutto il tragitto, eravamo rimasti in silenzio. Anche quando, imbarcata la sua 128 sul traghetto, io mi ero tradito lasciandomi sfuggire un singhiozzo. Lui aveva guardato automaticamente nello specchietto retrovisore e di sicuro si era reso conto del fatto che stessi piangendo. Poi ero sceso, diretto al bar di bordo per un caffè. A poppa, immerso nel vento del tardo pomeriggio, avevo fissato un punto preciso della costa e avevo smesso di piangere. Sono rimasto fermo lì per tutta la mezz'ora di traversata, facendo fatica a tenere gli occhi appuntati su quel luogo mobile della terra che, nell'arco del paesaggio steso davanti a me, doveva essere la casa di Nicola. Naturalmente, non potevo essere certo che fosse proprio quella sagoma scura il segno della sua presenza sull'isola. Ma per una qualche ragione, un po' approssimativa, avevo stabilito dentro di me che quello era il fianco della montagna su cui la casa riposa, che quella era la strada bianca per arrivarci. O andare via.

La borsa sembra essere più pesante di quando sono partito. La fila per il check-in è corta e ordinata, una volta tanto. Mi sono girato alle spalle con l'impressione di essere scrutato da qualcuno. La ragazza bionda mi ha puntato addosso la sua cinepresa come fosse un mitra. Per un istante si è fermata sul mio corpo, lo ha come radiografato, e poi ha continuato a ruotare sul bacino, riprendendo ogni cosa, fissando me e l'atrio dell'aeroporto sulla pellicola. Ho pensato, a quel punto, di non essere più io a dover prendere l'aereo delle 19 e 55 ma quell'immagine sulla pellicola, il mio interprete. Ho tirato su le spalle, cercando di assumere una posizione vagamente impettita, e ho passato la mano fra i capelli: vorrei fingermi uno di quegli attori tedeschi dall'aria discretamente ironica, impacciata, anche sensuale.

Ho sbrigato tutte le formalità per l'imbarco con questo sentimento di recitazione, qualche volta ho sorriso immaginando incontri fortuiti, chiacchiere oziose con sconosciuti, perfino qualche autografo rilasciato. Passando attraverso il metal-detector si è accesa una piccola spia rossa, intermittente. Un poliziotto mi ha accennato qualcosa a proposito del fatto che io avevo indosso chiavi o accendini o monete, e mi ha detto di tirar fuori tutto. Io non ho pensato che fosse quella la causa del segnale luminoso, del suo lieve sibilo, ma che il mio corpo intero, la sua consistenza di magnete, la sua gravità perfino volessero emergere al mondo, segnalarsi attraverso quella spia rossa.

A bordo, seduto verso il fondo del velivolo, ho sentito uno strappo e un urto. Non so se sia qualcosa di esterno o di interno a me ad averli determinati. Poi mi sento scivolare nell'aria, come correre restando fermi, sorrido alla ragazza bionda di prima, che ora mi è seduta accanto, e mi accorgo che in quell'istante l'aereo ha dolcemente abbandonato la pista.

Molte volte, nella mia vita, innamorandomi di qualcuno ho pensato di essere in volo: visto dall'alto, il paesaggio è morbido e insieme impercettibile, i campi sono squadrati, puliti, distinti secondo forme e colori determinati. Ma oltre a questa nettezza, accanto o sotto a questa strenua armonia della luce e della sua inclinazione, c'è qualcosa di distante, di misterioso, che forse davvero ipnotizza lo sguardo. È, credo, quel che troppo piccolo per essere captato dagli occhi si intuisce laggiù muoversi di continuo: è l'esistenza, e non la vita.

La ragazza di fianco mi sta osservando. Io mi giro, le dico: «È bello guardare da qui». Lei fa un cenno un po' distratto, poi dice: «Mi piace di più quando ci sono molte nuvole: mi fanno sentire più protetta».

Non avevo mai pensato a un banco di nuvole come a una barriera protettiva fra me e il mondo. Piuttosto, avrei immaginato un'ultima frontiera, l'ultimo pezzo di terra distaccato dalla superficie del globo per eccessiva leggerezza, un estremo contatto prima dell'atmosfera pura: il cielo vero e proprio, in un certo senso la mia idea visiva del vuoto.

A un certo punto, sia io che la ragazza abbiamo visto le prime luci della città: una grande, sofferta spianata di luci e di umidità che stava per accoglierci. Siamo rimasti in silenzio, un po' religiosamente, come contemplassimo qualcosa di sacro.

A casa è tutto in ordine, è tutto pulito. Ho disfatto la mia borsa lentamente, cercando di individuare in ogni camicia, in ogni maglione il profumo e la traccia dei giorni passati con Nicola. Ho aperto e richiuso i cassetti con delicatezza, senza fare rumore. Cerco silenziosamente di mantenere intatta questa atmosfera ovattata del rientro. Ho come paura di disturbare gli oggetti, di scoordinarli.

La ragazza dell'aereo si chiamava Marina. Era molto dolce, intelligente. Non so bene perché, ma le ho promesso che l'avrei cercata nei prossimi giorni, che l'avrei accompagnata in giro per questa città che non conosce. Quando le ho detto il mestiere che faccio, mi ha sorpreso dicendo: «Allora ascolta i cuori delle persone». Io le ho detto che no, non si tratta di questo. «Caso mai» ho detto, «li ausculto.» Ma adesso, a ripensarci, Marina ha stranamente intuito qualcosa di me. Perché quando studiavo cardiologia, io pensavo proprio all'ascolto. All'ascolto infinito di mille pulsazioni altrui. Anzi, immaginavo la realtà intera come un grande cuore in attesa d'ascolto.

Ora sorrido, allargo le braccia, e mi addormento

nel mio letto. Prima è qualcosa di interno, a metà strada fra il biologico e lo spirituale, a svegliarsi. Poi si aprono gli occhi. Ma ancora non tutta l'operazione è compiuta: ora vengono i nomi, Nicola, io, Dinah, Marina... e poi si connettono quei nomi a ogni viso, al corpo, ai gesti, a tutto quello che si organizza in memoria. Solo a quel punto, dopo questa specie di inventario degli istinti, il giorno diventa giorno, io divento io: a poco a poco, come un'immagine passata alla moviola.

Dentro la finestra, si ritaglia questa forma quadrata e grigia, senza alcuna importanza. Eppure è in questa figura piana, forse irregolare, che ogni giorno io cammino, torno indietro, mi incanto, parlo, mi isolo. Preparo il caffè, svogliatamente, e intanto il pensiero si concentra su Marina. Vorrei incontrarla subito. Vorrei che mi facesse rivedere ora, in questo istante, il filmino che girava ieri pomeriggio. Potrei controllare l'espressione del mio viso, le pieghe delle labbra, il mio sguardo, come in uno specchio paradossale, differito. Arriverei a capire che cosa di Nicola era rimasto nelle pupille, dopo il nostro incontro. Guarderei, cercherei sullo schermo, frugherei. Di Nicola, credo, non ci sarebbe nulla. Solo il ricordo vago, lontano, di quando la notte di 17 anni fa io e Dinah ci abbandonammo, l'uno nell'altra, all'idea di chiamarlo Nicola.

Aspetto Marina seduto al tavolino di un bar del centro. La temperatura è salita di colpo, in città, e nel mio corpo si è annunciata attraverso un costante mal di testa che, come un vento del deserto, è nato a meridione, lievemente agitando prima le viscere e poi ingrossandosi piano piano su, verso nord. La mia testa è ora una specie di castone infuocato, che manda fumo.

Marina mi sorride di lontano, poi si siede accanto a me e non dice niente, continua a sorridere. La nostra amicizia mi sembra già qualcosa di familiare, di confortevole. Anch'io rimango zitto per un poco, sino a quando il barman si avvicina per prendere le ordinazioni. Chiediamo due tè freddi. Sulla piazza c'è poca gente, e anche questo mi rassicura.

«Qualcosa non va» ha detto Marina. Lo ha detto con un tono distratto, e con naturalezza. Io l'ho guardata e mi è parso di trovare in qualche piega della sua pelle, in una regione stramba e insieme precisa, fra le labbra e gli occhi, lungo il naso, il segno concreto della sua dolcezza. Mi sono accorto di trovarla attraente, ma in maniera non erotica, sensuale: Marina è bella come un cielo, come una collina.

«Ho un figlio che si chiama Nicola, ha 17 anni, è alto e bellissimo. Ho paura che non mi rassomigli neanche un poco.»

«E allora?» ha chiesto lei.

«E allora non so. Quando ci siamo incontrati, l'altro giorno, lo avevo appena salutato.» Le ho raccontato ogni cosa dei quattro giorni passati con Nicola: dovevo fermarmi una settimana, e invece avevo deciso di andarmene prima; volevo proporgli di venire a vivere con me quando lui si sarebbe iscritto all'università, ma non lo avevo fatto. E le ho detto del senso di progressiva estraneità nei confronti di questo ragazzo chiuso, perennemente attaccato al televisore, lettore accanito di giornali sportivi e di fumetti dell'orrore. Ho parlato, parlato, fino quasi a non poterne più della mia stessa voce.

Siamo rimasti in silenzio per qualche minuto. Insieme alle parole, al loro suono stanco, anche il mio mal di testa si è quietato. Nella testa, anzi, si è come prodotta una cavità, un vuoto, da cui impercettibilmente il dolore è zampillato all'esterno andandosi a perdere in chissà quale zona dell'atmosfera. Tutto, così, mi sembra ora più semplice: penso alla parola "limpidezza". La associo ai due bicchieri vuoti allineati sul tavolino: del tè non c'è più traccia, e il vetro rimanda l'immagine appena distorta della mano destra di Marina.

Ho detto: «Hai delle belle mani».

Marina arrossisce lievemente, dice: «Un po' sudate, anche».

Prima di mettermi a letto, mi sono guardato allo specchio e ho visto: un uomo di 41 anni, né alto né basso, un po' di grigio alle tempie, che sorrideva. Gli ho chiesto: «Potresti ancora innamorarti?». Lui non mi ha risposto subito ed è rimasto lì a fissarmi con un'espressione appena compiaciuta. Quando stavo per andarmene a dormire, lui per trattenermi ancora un poco ha detto: «Credo di sì, ma in modo nuovo». Penso che se gli avessi chiesto: «Nuovo, in cosa?», lui non avrebbe saputo chiarirlo. Avrebbe detto: «Nuovo, e basta».

Ho tirato su la serranda dolcemente, per fare entrare solo un po' di luce, e ho detto: «Buon giorno». Marina si è seduta al centro del letto e abbiamo fatto colazione in penombra. Poi lei mi ha chiesto: «Ti spaventa il fatto che tuo figlio sia diverso da te?». Sono rimasto sorpreso: non avevamo più parlato di Nicola, e io me ne ero anche dimenticato. Ho risposto: «Sì», rivedendo il ragazzo per un istante, mentre mi salutava con nessuna emozione.

«Dottore, lei è un ingenuo.»

«Non è questo. È che pensavo di non essere così solo. E che anche lui non lo fosse» ho detto con una punta di vergogna.

Penso al cuore di Nicola, alla sua forma, alle pulsazioni. Immagino una forma di vita simile alla nostra eppure differente, qualcosa di arcaico, di meno evoluto. Il suono dei suoi battiti cardiaci arriva in negativo: è cavernoso, opaco. L'elettrocardiogramma disegna sulla carta un tracciato illeggibile e insieme stranamente lineare, come di qualcuno che non ospiti nel proprio corpo nessun sentimento, ma poche passioni elementari: fame, sete, sonno.

Ho fissato Marina con apprensione, prima di chiederle: «Si innamorerà mai, Nicola?».

«Credo di sì, ma in modo nuovo» ha detto lei.

Io sono rimasto immobile, per non tradirmi. Come un automa, ho sussurrato: «Nuovo, in cosa?».

«Nuovo, e basta.»

MARCO LODOLI
Italia novanta

Insieme hanno visto cambiare l'Italia, notte dopo notte, sino a questa notte ancora fredda di mezza primavera. Finita la guerra, Ivan e Pietro cominciarono ad attaccare manifesti per il Blocco del Popolo, contendendo ai fascisti e ai democristiani gli spazi autorizzati, e non solo quelli, ma anche le lamiere attorno ai cantieri nuovi, i muretti dei Lungotevere, il cemento dei vespasiani e i tronchi dei grandi platani, e i neri portoni delle case borghesi. Non c'era luogo su cui non dovesse aderire la verità.

Già da allora Ivan sapeva preparare la migliore colla del mondo, con l'acqua e la farina dentro al secchio d'alluminio ammaccato, e poi con la pennellessa ne spargeva un velo sottile, pressoché invisibile, capace di sostenere con forza le parole più giuste e comuniste, per rifarlo tutto da capo, questo mondo di merda. Aveva spalle da armadio di campagna e un'anima come lo specchio tra le ante: aveva vent'anni, Ivan. Pietro invece era sottile come una canna di bambù che sa anche piegarsi e ragionare, e fischiare nell'aria le più belle canzoni della Resistenza. Srotolava la carta dei manifesti

217

come un mercante persiano avrebbe srotolato davanti al principe il suo tappeto migliore. La faccia di Garibaldi non prendeva mai vento, non si rovesciava né s'attaccava sghemba e indecisa: era perfetta, rivoluzionaria, futura.

In quelle notti speranzose, Pietro e Ivan conobbero le loro donne: Sara che militava nel partito e aveva i capelli corti e rossi, e Marianna che per vivere faceva la puttana a Piazza Vittorio, e questo non era certo un problema, perché nell'amore e nel comunismo siamo tutti uguali. Si sposarono al Campidoglio lo stesso giorno, gli uni testimoni degli altri, tutti e quattro vestiti bene, stringendosi e ridendo dentro una sola fotografia. Nessuno di loro aveva parenti da invitare, e fu bello così, salire su un camioncino e andare a ubriacarsi a Frascati, fermarsi lì alla pensione Da Stella per la notte più dolce.

Ivan e Marianna presero in affitto un appartamento a Viale Eritrea, e l'anno seguente, quando si liberò un quartierino sul loro pianerottolo, vennero anche Pietro e Sara. La sera mangiavano allo stesso tavolo, di qua o di là, e facevano progetti sull'avvenire. In sezione ora andavano un po' meno, anche perché Pietro e Ivan erano stati assunti da una ditta di pubblicità, e tutta la notte incollavano manifesti di tante cose che non c'entravano niente con la rivoluzione. D'altronde, si dicevano, bisogna guadagnare soldi per mantenere le nostre famiglie, adesso che le donne hanno i nostri bambini in pancia e le nausee.

Pietro e Ivan avevano in consegna cinquanta grandi cartelloni sparsi un po' ovunque nella città.

Dovevano badare anche alla manutenzione, cambiare le lastre di zinco del fondo se arrugginivano, i pali di sostegno se marcivano. Uscivano alle dieci di sera con il furgoncino, il ripiano carico dei rotoli dei manifesti, la scala spezzata in tre, i panini dentro le buste. A chi non sa niente del mondo può sembrare un mestiere facile, invece è un'arte far combaciare esattamente i lembi ed evitare le grinze: e poi allontanarsi trenta passi e guardare se l'immagine è stesa con cura. A volte basta un angolo che non ha preso bene e in poche ore il vento straccia tutto. Ivan e Pietro si capivano con poche parole: passa, tira, di più, di meno, sigaretta, andiamo. Gli ultimi cartelloni li incollavano che l'alba già schiariva le cupole e i freschi palazzoni. La prima gente diretta al lavoro poteva ammirare Montgomery Cliff e la Monroe, la Vespa Piaggio e le candele Marelli, Totò e le plastiche Moplèn, tutti immensi e colorati al di sopra delle teste, appena sotto al cielo.

Ivan e Pietro facevano colazione in un bar di piazza Annibaliano, accanto ai camion dei traslochi. Una mattina pagava uno, la mattina dopo l'altro. Compravano le Nazionali e il giornale, leggevano insieme i titoli minacciosi in prima pagina. Altre volte, invece, si allungavano fino ad Ostia, quasi gli mancasse la voglia di tornare subito a casa e buttarsi sul letto a dormire. Si presero un cartellone anche lì, per avere un motivo in più di stare in giro. Capitava che Ivan sentisse freddo e malinconia nella testa e domandasse: «Ma tu davvero che ne pensi, Pietro?», e Pietro diceva: «Di che?», e Ivan si rimetteva zitto, perché non lo sapeva nemmeno lui come andare avanti, in quale direzione. Allora aggiungeva: «Dei cartelloni». E Pietro diceva: «Alcuni sono belli», accendendosi l'ultima sigaretta, la più nervosa.

Quando d'inverno soffiava il vento o pioveva, Ivan teneva ben ferma la scala tra le sue braccia erculee, e Pietro arrampicava: e poi, scendendo, metteva l'ultimo passo sulla spalla dell'amico. «Grazie Ivan» gli diceva. I soldi li dividevano a metà, ma quando Sara fu operata, per tre mesi li prese tutti Pietro, e non ci fu problema.

Dopo qualche anno alle immagini dei manifesti quasi non facevano più caso, erano donne abbronzate e aperitivi, erano strisce di colore e parole strane, erano palme e macchine nuove. La sola cosa importante è che fossero spianate a regola d'arte. Avevano tre figli ciascuno, e l'ultimo di Pietro era di Ivan e il secondo di Ivan era di Pietro, poiché nascostamente, inevitabilmente, s'erano battuti le reciproche mogli. Poi lo seppero, ma fecero finta di nulla, perché tutto passa... Intanto i bambini crescevano e succhiavano sempre più denaro, volevano la vita e le cose dipinte sui cartelloni, quella gioia lì. A Ivan sul testone i capelli erano divenuti bianchi in fretta, mentre Pietro s'era fatto calvo e un po' curvo, tossiva parecchio. Quando s'allontanavano per vedere se la carta era incollata a dovere, spesso nemmeno più capivano di che si trattava, per quale motivo lassù quei giovani biondi ridevano. D'altronde anche la città attorno ai loro cinquanta rettangoli era cambiata. A destra e a sinistra si inseguivano quartieri e folle di uomini ignoti, rumori e odori indecifrabili, altre giornate da quelle che loro ricordavano. Solo il camioncino era rimasto identico. «Forse è ora di cambiarlo» diceva Ivan. «Con che cosa?» rispondeva Pietro.

I figli si sposarono uno dopo l'altro, e poi alcuni andarono a vivere in città lontane. Uno si trasferì in America a studiare una materia difficile. Una per un po' fu modella a Milano, quindi impiegata. Furono dei bei matrimoni, tutti ripetevano che erano riusciti bene, che i primi piatti erano eccellenti, che i vestiti erano belli.

Sara e Marianna morirono in un'estate caldissima, a distanza di un mese. Ai funerali Pietro e Ivan si misero gli stessi abiti scuri dei matrimoni dei figli.

Gli ultimi anni lavorarono ancora più sodo, senza pensare a niente, senza voler sentire l'artrite o i capogiri in cima alla scala. Srotolavano e passavano la colla, ricoprivano facce abbronzate con altre facce abbronzate, automobili rosse con automobili rosse, attori con attori, carta con carta. Era come girare i fogli del calendario di un pianeta lontano. La domenica delle elezioni andavano a Ostia e stavano seduti su una panchina davanti al mare. Una notte Ivan pensò di scuotere la scala e far cadere Pietro per terra, una notte sola in tutta la sua vita. «Poi lo accompagnerei all'ospedale e gli sarei vicino per sempre, gli spingerei la carrozzella.» Pietro invece in una notte di luna piena pensò di segare tutti i pali dei cartelloni: «Li pianterei altrove, ci farei un bosco secco e preciso».

A sessantacinque anni si ritirarono in pensione.

Dopo tre mesi hanno tirato fuori il camioncino dal garage e sono andati a rivedere i loro manifesti, in giro per la sterminata città. In questa notte di mezza primavera c'è una tramontana tesa che incurva i cartelloni come vele, e li fa risuonare. Li hanno rivisti tutti. Sono tenuti abbastanza bene, da persone nuove che magari somigliano un poco alle carte colorate e alle parole misteriose che ci sono scritte. «Sono tenuti abbastanza bene» ha detto infatti Pietro. «Insomma» ha detto Ivan stringendosi nel cappotto.

Per ultimo hanno lasciato il cartellone ad Ostia. È confitto in uno spiazzo di terra, di fianco a una casa bassa. È completamente sfondato: incornicia un certo numero di stelle basse sul mare. Dal trave superiore pende un ragazzo magrissimo, la corda al collo, le mani nelle tasche dei pantaloni, i piedi nudi. Indosso ha la maglietta lunga e slambricciata della squadra nazionale di calcio, il numero due bianco sulla schiena buia.

Pietro e Ivan rimangono a fissarlo per un minuto, mentre il vento lo fa dondolare lentamente e agita i capelli a lui e a loro. Pietro mormora: «Lo stacchiamo?», ma la voce non arriva neanche alle sue orecchie. Ivan abbassa gli occhi, guarda una busta di plastica che s'allontana a colpi di vento. Poi riaccendono il camioncino e forse vanno a chiamare la polizia, o se ne tornano a casa a dormire, subito.

GIANFRANCO MANFREDI

Esiste il mondo esterno?

Non è stato un incidente.

Sì, lo so: un uomo attraversa la strada e viene investito. Cos'è questo, se non il più classico, il più banale degli incidenti?

Eppure io vi dico che non si è trattato di un incidente.

Lo conoscevo quell'uomo, sono stato l'ultimo ad averlo visto vivo e sono certo di sapere che cosa l'abbia spinto in mezzo a quella strada.

Scartate le ipotesi più banali (una fatale imprudenza, un impulso suicida) e non scomodatevi a inseguire quelle più romanzesche (un delitto premeditato o un omicidio mascherato da incidente). Niente di tutto questo.

Mi rendo perfettamente conto che non riesco a definire, se non in negativo, quanto è avvenuto, ma non sempre la verità è condensabile in un'affermazione chiara e univoca.

In ogni caso nessuna autorità costituita mi ha messo sotto inchiesta. Le domande me le sono poste da me, e credetemi: avrei preferito rifugiarmi nei non so, nei non ricordo... se non fosse che so, che ricordo.

Era una stanza quadrata, con le finestre talmente impolverate che non si riusciva a vedere fuori. A sinistra c'era un armadio chiuso che nessuno aveva né avrebbe mai aperto; al centro una cattedra senza pretese su una pedana che di pretese doveva averne avute troppe, vent'anni prima; a destra due lavagne a muro con impronte di cancellini impresse a calco e a lancio, strisciate o zigzaganti. Che altro? Un crocefisso, un cestino... e i banchi naturalmente.

Lui sedeva al primo, davanti a tutti. Invariabilmente i nostri sguardi vaganti finivano per intercettare la sua testa grossa e rotonda, con i capelli cortissimi, la sfumatura alta a scoprirgli la nuca, il collo magro e lungo, la schiena rigida. Era per questo che lo chiamavamo Chiodo. Ma più ancora per la sua ostinazione.

Si annunciava discreta e già decisa, con un ditino alzato e l'esordio di rito: «Scusi professore, non ho capito... potrebbe ripetere?». E proseguiva implacabile con educate, ferme richieste di spiegazioni supplementari, finché ogni suo dubbio non fosse stato dissolto, ogni possibile fraintendimento cancellato, ogni blocco rimosso.

Chiodo doveva essere stato uno di quei bambini che portano all'esasperazione i genitori con terrificanti raffiche di perché. E di certo da quella fase infantile non era mai uscito.

La matematica e la geometria gli risultavano incomprensibili. Non ammetteva di mandare a memoria le definizioni, le formule da applicare alle espressioni, le regole per procedere nella soluzione di un problema. Non sapeva dare senso e corpo alle incognite, le equazioni gli parevano vuote tautologie. Perché, si domandava e domandava, ricavare numeri da numeri, accumulare segni, rintracciare costanti e variabili di pura convenzione, senza apparente fondamento nelle "cose"?

Il nostro professore di matematica, un brav'uomo intristito dalla ripetitività delle lezioni e appassionato di musica operistica, lo implorava pacatamente di desistere da quelle domande senza costrutto: «Tu sei un ragazzo intelligente» gli diceva. «Studia, cerca di imparare, poni le fondamenta, poi capirai a che serve tutto questo e perché...»

A Chiodo simili risposte suonavano come difese d'ufficio di un lavoro votato solo allo stipendio («non a caso» diceva, «l'unica cosa che gli interessa veramente è l'Opera») e di un sapere in fondo inutile. Inutile, sì, in quanto "destituito di verità".

Questo è un punto fondamentale. Chiodo non era uno dei tanti che a scuola vorrebbero solo insegnamenti pratici, immediatamente funzionali alle esigenze del vivere quotidiano: come leggere la busta paga, come riempire il modulo delle tasse, come risparmiare, investire e vivere felici. All'opposto, lui considerava utili soltanto quegli insegnamenti che riuscivano o perlomeno tentavano di aprire uno spiraglio sull'immenso mistero dell'origine e del significato dell'esistenza. D'altra parte le lezioni di religione lo indispettivano anche di più di quelle di matematica.

Il prete della nostra classe di liceo immiseriva tutto in moraline e catechismi, senza nascondere di considerarci ben poco degni delle verità ultime. Costretto dall'insistenza di Chiodo, non sapeva fare altro che snocciolare dogmi, anche questi da mandare a memoria, e, in quanto rivelati, non suscettibili d'essere sottoposti a critica. Anzi, ogni richiesta di approfondimento era da lui severamente biasimata, come dimostrazione di scarsa umiltà.

Siccome Chiodo non demordeva, si vide costretto a chiederne l'esonero. Proprio lui, capite?, l'insegnante di religione! Un fatto clamoroso, senza precedenti.

Da quel momento, la diversità di Chiodo, quella sua stranezza spesso oggetto di scherno, divenne per noi epica. Troppo pigri per imitarla, ci contentavamo di invidiarla, come si fa dinanzi ad una qualità superumana. Chiodo era la secchioneria portata ai livelli estremi, fino a rovesciarsi nel suo opposto: il perenne disturbo.

I suoi inviti ai professori a ripetere e, implicitamente, ad essere più chiari, costituivano per loro una minaccia continua, un'implacabile, quotidiana verifica dell'adeguatezza al ruolo che ricoprivano.

Non tutti però erano inadeguati. In particolare l'insegnante di filosofia, un giovane entusiasta appena uscito dall'Università, che amava avvolgersi e avvolgerci nelle più intricate trame filosofiche, quasi fossero racconti d'avventura, spericolate esplorazioni nel mondo iperuranio delle Idee.

Quell'insegnante, così poco tradizionale, fece breccia nella nostra indifferenza, trascinandoci a seguirlo in lezioni appassionanti che gettavano lampi e seminavano inquietudini senza risparmio. Noi si cercava di prendere appunti, ma lui era troppo veloce: volava da un filosofo all'altro attraversando le epoche e le scuole, mostrandoci quanta ricchezza di pensiero, quanti interrogativi fossero implicati in parole d'uso comune e apparentemente semplici, quali "mondo", "esperienza", "persona". Di fronte a lui, Chiodo parve placarsi: il suo ditino, appena levato, si incurvava.

«Volevi chiedere qualcosa?»

«No, niente...»

Non voleva chiedere, voleva rifiatare.

Alla sua fame di assoluti veniva offerta maggiore pastura di quanta ne potesse assimilare; il suo ostentato "non capire" trovava la terra promessa; in quell'inarrestabile fluire di conoscenza non c'era risposta che non fosse a sua volta una domanda, dal momento che le verità faticosamente stabilite da un filosofo venivano regolarmente travolte dal successivo. Un giorno, però, il professore sparì. Il come e il perché non furono mai chiari. Si sparsero voci secondo cui egli non aveva alcun titolo a insegnare perché il suo diploma di laurea a un'indagine era risultato falso e il suo inserimento in graduatoria frutto di corruzione di un funzionario del provveditorato. Altri davano invece per certo il suo trasferimento in un prestigioso istituto di ricerca americano. E tra la versione degradante e quella nobilitante, ne sorsero molte altre intermedie. Ma ce ne fu una che nessuno di noi volle mai accettare, di certo quella più drastica: che fosse morto, in modo oscuro e inconfessabile. Una malattia sconveniente, un suicidio o un incidente occorsogli in circostanze troppo private per poter essere rivelate.

Al suo posto arrivò una vecchia babbiona cattolica dalla voce cantilenante. Un'insegnante buona e paziente, ma sprovvista d'ogni altra qualità. La sua filosofia consisteva né più né meno che nel "buon senso". Il suo maggiore sforzo didattico era quello di stemperare le punte più ardite e polemiche della riflessione e del dibattito teorico, in una broda continuista in cui ogni filosofo era premessa dell'altro e i minori mera cornice ai maggiori. Le sue lezioni erano tutte uguali: esponeva sinteticamente, con un linguaggio da manuale scolastico, il pensiero di un certo filosofo, dopodiché si provava a renderlo ancor più accessibile con una serie di brevi citazioni esemplari, meglio se condensabili in una formula ("cogito ergo sum", "deus sive natura", "sentire est scire") e infine le sottoponeva "a una serena disamina" che il più delle volte sortiva l'involontario effetto di farle a brandelli, rendendocele incredibilmente ovvie o semplicemente assurde. Ma, soprattutto, la sua disamina "disanimava".

Ricademmo nell'apatia. Quell'aula che con il precedente professore si era a volte trasfigurata in un lucente miraggio di acropoli, tornò grigia e spenta. Sedevamo lì, a respirare polvere, mentre una monotona litania gravitava sulle nostre teste svagate.

E una mattina il ditino di Chiodo tornò ad alzarsi.

«Mi scusi, signora professoressa... è certa di non sbagliarsi?»

Un approccio così insolitamente diretto, fu una scossa per la classe. Il mormorio che ne nacque si sarebbe presto organizzato in una sommessa, ghignante ovazione ritmica, a pelo di banco: chio-do, chio-do, chio-do... la babbiona già pareva smarrita.

Ma fu solo un attimo. Lei increspò le labbra e comprendemmo, delusi, che era piuttosto compiaciuta d'aver suscitato qualcosa di diverso dai soliti sbadigli. Posò il suo sguardo su Chiodo e flautò in tono materno: «Che cos'è che non hai capito, figliolo?».

«Quello che ha appena detto su Berkeley...»

«Che le cose non hanno un'esistenza distinta da noi che le percepiamo? Capisco che questa possa sembrarti un'idea stravagante, in effetti...»

«Lei prima ha accennato all'ascensore.»

«Era solo un esempio, caro. Ripeto: se le cose non esistono indipendentemente da noi che le vediamo, le tocchiamo, o ce le figuriamo, allora è come dire che l'ascensore là fuori, non c'è, o almeno non ci sarebbe se noi non...»

«Un momento, un momento, mi scusi. Come faceva Berkeley a parlare di ascensori nel Settecento?»

«Ma questo non l'ha detto Berkeley, l'ho detto io.»

«Ah ecco...»

Il tono era inequivocabile. Chiodo era sarcastico, quasi offensivo.

Dando prova di infinita pazienza e di spirito missionario, lei sorrise e replicò: «Ho parlato di ascensore, ma avrei potuto dire le case, le montagne, i fiumi, ossia qualsivoglia oggetto sensibile».

«Sarebbe a dire che secondo Berkeley il mondo non esiste?»

«No, non è questo. Il mondo esterno, le cose, le leggi di natura, tutto questo esiste, ma solo in quanto noi lo percepiamo. *Esse est percepi.* E noi lo percepiamo perché Dio lo percepisce.»

Chiodo tacque, corrucciato.

E la babbiona mostrò infine una punta di malizia, aggiungendo: «Comunque tu puoi benissimo continuare a pensare che il mondo esterno esista di per sé. Non c'è ragione perché ci si debba scostare da quanto ci suggerisce il senso comune. Ora sei più tranquillo?».

Delle risatine sorsero spontanee tra i banchi, rivelandomi la presenza tra noi di molti collaborazionisti e voltagabbana. Il favore popolare, si sa, è precario, e per istinto si volge sempre al vincitore.

Una compagna di classe, condividendo la mia amarezza, suggerì che portassimo Chiodo a consulto da suo padre, traduttore di libri ponderosi e grande esperto di materialismo dialettico.

«Vedrai» disse a Chiodo, «mio padre è una grossa testa. Non lo dico perché è mio padre. Ma almeno non è cattolico e soprattutto non ha il minimo buonsenso. Vedrai che le sue risposte non ti deluderanno.»

Il padre della nostra compagna era un esemplare perfetto di intellettuale marxista: pochi capelli precocemente incanutiti, naso adunco, occhiali spessi come fondi di bicchiere, denti in disordine, dita gialle di nicotina fino alle nocche.

Quando udì la domanda di Chiodo ("Esiste il mondo esterno?") ebbe un vago sorriso e senza alzare gli occhi dal pavimento, rispose: «Per dimostrare l'esistenza del mondo esterno basta attraversare la strada». Si fece subito un silenzio teso. Io spiavo di sottecchi le reazioni di Chiodo di fronte a quella risposta infinitamente più secca e riduttiva di quelle della babbiona. Ma lui non ebbe reazione apparente, tranne che un rapido battito di ciglia.

Il nostro consulente filosofico si accese una Gitane, fece scorrere lo sguardo lungo gli scaffali della libreria, si fermò in un certo punto, soffiò il fumo e riprese con tono apodittico, come se stesse citando a mente: «Anche il più ostinato neopositivista negatore di ogni realtà, incontrando un incrocio per strada, dovrà convincersi che se non si ferma, l'auto reale lo travolgerà realmente».

Chiodo sbatté gli occhi di nuovo, si alzò e si congedò con un inchino appena accennato.

Non potevo lasciarlo andar via da solo, mi sentivo corresponsabile di quel fallimento, se fallimento era stato... in realtà non sapevo valutare come l'avesse presa ed ero parecchio curioso. Ma prima dovetti accettare in dono dal padre della mia compagna un libretto che a suo dire ci avrebbe aiutato ad approfondire la questione. Lo infilai in tasca senza neppure guardarlo e raggiunsi di corsa il mio amico.

Chiodo si era seduto su una panchina di un piccolo parco giochi, proprio davanti al portone di casa della nostra compagna. Fissava un paio di piccioni malandati che si litigavano una briciola.

«Che te n'è parso del grande intellettuale?» gli domandai sedendogli accanto.

E lui, senza spostare lo sguardo: «Prima l'ascensore, poi l'automobile». Nient'altro.

Decidemmo di risalire alle fonti per cercare almeno di capire che cosa avesse voluto dire Berkeley, e ci procurammo una copia dei *Dialoghi*, diventandone presto ferventi interpreti.

Chiodo impersonava Filonous, l'amico della mente, e a me toccava il ruolo del suo contraddittore: Hylas, il rozzo materialista.

Ricordo una battuta con cui replicavo all'ennesimo paradosso contro "le cosiddette cose reali": «Vedo bene, Filonous, che lei è in vena di scherzare, ma uno scherzo non potrà mai convincermi».

Ricordo anche come sbigottivo alle sue puntuali contestazioni: «Riconosco, Filonous, di non saper che pesci pigliare... Non so cosa rispondere a questo».

E ricordo le sue pause insistite, la sua lettura improvvisamente distratta e balbettante, il libro gettato da parte e i bruschi "basta!" con cui dichiarava chiuso il gioco.

Si indispettiva in particolare quando il ragionamento faceva capo a Dio. Allora sentiva di non poter più essere Filonous. Per lui Dio era un intruso in ogni riflessione filosofica, tantopiù in quella: se si voleva escludere ogni spiegazione "esterna", perché introdurre l'Esterno per eccellenza? Altre volte non voleva neppure aprire il libro, e improvvisava, offrendo un'interpretazione moderna e dolente di Filonous: «In tempi remoti» diceva, «quando le cose del mondo, le cose che ci circondano, erano prevalentemente oggetti naturali, doveva venire spontaneo considerarle animate, dotate della nostra stessa vita... Dimmi Hylas, non ti sei mai sentito unito con il mondo esterno, trovandoti in mezzo al mare, o in cima a una montagna?».

«Sì, è vero. Credo che sia una sensazione comune: ti senti parte di qualcosa...»

«O senti che quel qualcosa è parte di te. In quei momenti, senti il mondo come una realtà intima.»

Era serio e insieme appassionato. Avvertivo una certa eccitazione nella sua voce, potevo quasi udire il rumore dei suoi pensieri.

«Ma sono istanti rari e preziosi» concludeva. «La nostra realtà di tutti i giorni è artificiale, siamo circondati da cose meccaniche, morte. Ecco perché il mondo ci appare esterno, separato, persino nemico...»

Un giorno mi venne incontro con insolito buonumore.

«Ho capito, sai? Sono sicuro d'aver capito. La prof. di filosofia ha le vene varicose. E il padre della nostra compagna è cieco come una talpa.»

Fin lì c'ero arrivato anch'io, ma...

«È lampante, Hylas» proseguì. «I loro esempi erano frutto delle loro paure. La vecchia è atterrita all'idea che un giorno possa mancarle l'ascensore, e quell'altro dev'essere terrorizzato al solo pensiero di attraversare una strada.»

Be', io non posso sapere che cosa gli passasse per la mente. Ma era chiaro che si era fissato sull'incongruità di quegli esempi e non aveva cessato di pensarci fino a trovare una spiegazione.

Quanto al merito, la sua osservazione mi sembrava acuta, ma di nuovo avrei potuto ripetere con Hylas: «Di che cosa pretendi di convincermi con questo scherzo?».

L'ambiguità pareva essere connaturata a Chiodo. Riusciva immancabilmente a sorprendermi, mettendomi a disagio anche quando mi divertiva. In certi suoi atteggiamenti (la piega ironica delle labbra, piccoli sguardi obliqui e ammiccanti) sembrava studiatamente beffardo, quasi si contentasse di mettere alla berlina gli altrui pregiudizi, senza alcuna verità da rivendicare. D'altro canto, certe sue sospensioni trasognate e meditative, certi lunghi momenti assorti da cui era impossibile scuoterlo, certe fughe immotivate e risentite, rivelavano in lui una tendenza melanconica, isolazionista, quasi fosse giunto a maturare convinzioni così gravi e sconvolgenti da non poter essere comunicate apertamente.

Mi suggeriva però delle letture, per guidarmi sul suo stesso cammino. Erano racconti, o come li chiamava lui, "narrazioni di risvegli".

Li sceglieva a prescindere dalla fama e dall'eccellenza degli autori e senza preferenza di generi letterari. Per lui non erano che testimonianze, narrazioni, appunto, di sorprendenti risvegli: in paesaggi sconosciuti, sotto un nuovo sole e una nuova luna, con il mondo a rovescio, oppure con un altro nome e una nuova identità, risucchiati nell'ombra malvagia di noi stessi o persino mutati in insetti ributtanti.

A quei racconti mi accostavo con profondo turbamento. Anche quando erano manifestamente ironici, non li trovavo affatto divertenti. E più erano assurdi, più li sentivo oscuramente possibili, veritieri e rivelatori. In quei racconti vedevo condivisa, anzi dilatata, la nostra incertezza, del mio ami-

234

co e mia, circa la saldezza del mondo e di noi stessi. In quei racconti, a ben vedere, si affacciava non soltanto l'idea, ma l'indubitabile realtà della morte, cioè dell'ultimo risveglio in un altrove di cui ignoriamo tutto: leggi, presenze, oggetti. Dico questo non per amore di digressione, ma per giustificare il mio graduale allontanamento dal mio amico: cominciavo ad averne paura, una paura sottile, ancora frammista di curiosità, certo, e frenata da un moto sincero di solidarietà con un ragazzo che ormai tutti indistintamente, professori e compagni, consideravano un mezzo matto. Ma quel dubbio ontologico che lui mostrava comunque di saper elaborare e controllare con il ragionamento, per me era fonte di ansia.

La domanda "esiste il mondo esterno?" che un tempo mi faceva sorridere al solo sentirla pronunciare, ora risuonava nelle mie lunghe ore di insonnia, animando in me cupe fantasticherie. A volte era una mano galleggiante nell'aria che vergava quella frase su una lavagna.

Altre volte la sentivo ripetere da una voce che non era la mia, e allora, perso tra il sonno e la veglia, cercavo il mio amico e ne vedevo solo la nuca, il collo lungo e magro, le spalle spioventi...

La mattina, gli andavo incontro, sicuro che quello fosse il modo migliore per esorcizzare i miei fantasmi. Ma trovavo il suo atteggiamento sempre più ascetico, ripiegato su se stesso, il suo saluto tardivo e meccanico, e mi sentivo pervaso di sensi di colpa. Mi figuravo, capite?, che lui sapesse d'essere diventato per me una presenza inquietante, e che volesse respingermi, con fermezza, ma senza nessun risentimento, anzi al solo scopo di proteggermi: era così evidente che il travaglio del dubbio per me era insopportabile... lui intendeva risparmiarmelo, assumerlo su di sé e solo su di sé.

Fu con spirito rinnovato che affrontai l'incombente stagione delle agitazioni studentesche. In quel fare e disfare diuturno, collettivo e inarrestabile, il mondo esterno ritrovava saldezza, l'esistenza di nemici e di pericoli reali non poteva essere imputata a paranoia, cecità o arteriosclerosi. Filonous non avrebbe più potuto confondermi. Hylas aveva levato la testa.

Da due anni non vedevo Chiodo. Al termine del liceo, lui si era iscritto a Filosofia e io a Scienze politiche e per quanto le nostre Facoltà fossero adiacenti, non ci incontrammo mai, né ci cercammo.

Ma lo scorsi un giorno in Aula Magna, durante un'occupazione. Io me ne stavo stravaccato sotto il tavolone della presidenza dell'assemblea, prostrato dall'ennesimo torrenziale intervento del leader di turno, e lasciavo correre lo sguardo in platea alla ricerca di qualche ragazza abbordabile (in quei due anni, le donne avevano giocato un ruolo decisivo nella mia accettazione del mondo esterno). Lui era seduto in una delle ultime file, solo, tra due pile di eskimo.

Mi installai sul sedile davanti a lui, in ginocchio, e senza nemmeno scambiare un saluto, ricominciammo la nostra discussione più o meno da dove l'avevamo abbandonata due anni prima.

«Hai capito dov'era l'errore, Filonous?» dissi in tono scherzoso, e poi con enfasi: «Non serve chiedersi se c'è o non c'è il mondo esterno, quello che conta è trasformarlo. L'essere o il non essere delle cose non è un dato metafisico, immutabile. Sta a noi stabilire cosa dev'essere creato e cosa dev'essere distrutto».

Il mio giovane materialismo era intriso di soggettivismo e di volontarismo. Appartenevo alla cosiddetta "ala spontaneista" del movimento.

Ma Chiodo non era interessato a una disputa ideologica. Sbatté le palpebre e ripeté: «L'essere o il non essere delle cose dipende da noi...».

«Intendimi bene» precisai subito. «Non mi interessa stabilire se questa ipotesi si regga teoricamente. L'unico modo per verificarla è dimostrarla: nei fatti.»

Sorrise in quel suo modo obliquo: «Cosa intendi per fatti, Hylas? Perché se intendi gli esiti esterni delle nostre azioni, allora il tuo teorema suona così: l'essere o il non essere delle cose dipende da noi, ma va dimostrato nelle cose».

Era ovvio anche per me: per trasformare il mondo, bisognava supporre quanto meno che esistesse, dunque il mio ragionamento era viziato all'origine, specioso.

Ma non era poi un vero ragionamento che avevo inteso fare. Avevo usato il nostro linguaggio esoterico di finzione berkeleiana per richiamare i tempi che ci avevano visto complici. In realtà, avrei potuto, anzi forse avrei dovuto dirgli più semplicemente: «Ciao Chiodo, come stai? Sono felice di trovarti qui, in assemblea. Ti sei deciso finalmente a dare una mano, partecipare... insomma fare qualcosa, qualsiasi cosa?».

Lui non mi diede il tempo di correggermi. Aveva appena finito di sorridere all'inconsistenza del mio ragionamento, che concluse in tono molto serio: «Io condivido la tua premessa, Hylas, non già la tua deduzione».

Dopodiché si alzò e se ne andò.

Per un po' rimuginai su quella sua sentenza conclusiva, ma non venendo a capo del significato, propendetti per una traduzione terra a terra: siamo stati amici (premessa), ma d'ora in avanti, ognuno per la sua strada (deduzione). Un modo un po' assurdo per congedarsi, ma dopotutto corrispondeva al mio modo assurdo di salutarlo.

Non lo vidi più. Col tempo anche il ricordo di lui si indebolì. Chiodo divenne una delle tante figure del mio passato, e nemmeno delle più nitide. Una faccia, anzi una nuca. In fondo che ne sapevo di lui? Non avevo mai conosciuto i suoi genitori, non ero mai stato a casa sua, il suo modo di parlare, privo di qualsiasi inflessione dialettale, non rivelava nulla della sua origine, e i nostri discorsi non avevano mai affrontato argomenti che non fossero rigorosamente filosofici.

Finché un giorno, non più di un anno fa, mentre stavo traslocando, dopo la separazione dalla mia seconda moglie, e infilavo libri nei cartoni, mi capitò in mano un volumetto da ottocento lire: *Conversazioni con Lukàcs*, di Wolfgang Abendroth.

Incuriosito da quel reperto di sessantotto che

ignoravo di possedere, sfogliai le prime pagine e mi fermai sul primo quesito ("Esiste qualcosa che si possa definire una ontologia marxista?") e sulla risposta del celebre filosofo:

Secondo me bisogna sempre incominciare, e ciò vale per gli scienziati come per chiunque altro, da questioni della vita quotidiana nella quale i problemi ontologici si pongono in modo molto grossolano. Vorrei fare un esempio molto semplice: quando uno cammina per la strada, anche se si tratta, quanto alla teoria della conoscenza, del più ostinato neopositivista negatore di ogni realtà, incontrando un incrocio dovrà per forza convincersi che, se non si ferma, l'auto reale lo travolgerà realmente, né potrà pensare che una qualche formula matematica della sua esistenza sarà travolta dalla funzione matematica dell'auto o la sua rappresentazione dalla rappresentazione dell'auto.

Allora mi tornò tutto in mente, di colpo, e restai sconcertato dalla chiarezza delle mie rievocazioni, dalla precisione dei dettagli, dal suono stesso dei nostri dialoghi che miracolosamente riudivo, parola per parola, quasi che lui fosse lì, con me. Era rimasto nascosto tra le pagine di quel libro come un fiore secco ed ora, all'improvviso, si risvegliava tra le mie mani, vivo e profumato.

Mi venne voglia di rintracciarlo. Non avevo proprio niente da fare in quel periodo, a parte il trasloco. Come ho detto, mi ero appena separato dalla mia seconda moglie, e già che c'ero avevo anche deciso di abbandonare il mio quinto lavoro.

I tagli col passato erano diventati per me una consuetudine. Che dal passato più passato di tutti rispuntasse Chiodo era una bizzarra ironia della sorte, un imprevisto che mi incuriosiva.

Mi recai in Università e scorsi gli annuari dei laureati finché trovai il suo nome. Ce l'aveva fatta, anche se con un paio d'anni di ritardo. Nella biblioteca dell'Istituto di Filosofia potei consultare la sua tesi di laurea intitolata: "La Teoria della Visione di George Berkeley".

Era una ricerca di quasi trecento cartelle, molto tecnica, e bastarono poche righe per farmi passare la voglia di leggerla. Ma mi soffermai con qualche interesse sul capitolo finale, dedicato all'"Attualità del pensiero di Berkeley".

Debbo confessare che restai parecchio scettico nel vedervi rivendicare l'importanza per lo sviluppo del pensiero scientifico moderno, ed in particolare della fisica, di un filosofo che, per quanto ne ricordavo, negava consistenza al "mondo esterno". Presi nota di alcuni dei nomi citati più di frequente (Hertz, Mach, Wittgenstein, Einstein, Petzold, Popper) riproponendomi di controllare le frasi di aperto tributo a Berkeley che il mio amico attribuiva loro.

Ammetto che era abbastanza stupido da parte mia dubitare: perché mai Chiodo avrebbe dovuto falsificare dei giudizi consegnati alla storia, e soprattutto ad una commissione d'esame?

Tuttavia qualche sospetto di parzialità poteva esser destato dalla lettura di una nota a piè di pagina che occupava quasi per intero, e a spazio uno, la pagina finale.

Chiodo vi sosteneva l'opportunità, oltre che la legittimità, di distinguere il Berkeley teorico e critico della conoscenza, dal Berkeley vescovo e teologo. Per concludere, ovviamente, che del secondo si poteva tranquillamente fare a meno.

Questo mi confermò che se le sue deduzioni erano state diverse dalle mie, non per questo si era convertito a qualche fede religiosa, anzi su questo particolare aspetto sembrava serbare intatta la sua vena polemica.

Il relatore della tesi era l'attuale docente di Storia della Filosofia. Gli chiesi un appuntamento e lui gentilmente me lo fissò per il pomeriggio di quello stesso giorno.

Era un cinquantenne vivace, cordiale, dalla fluente parlantina. Si ricordava perfettamente di Chiodo, nonostante non l'avesse più incontrato dai tempi dell'esame di laurea. La stesura della tesi era stata una fatica improba: per lui, non per il mio amico.

«Il suo entusiasmo... no» si corresse subito, «entusiasmo non è la parola giusta... dedizione, ecco. La sua dedizione per Berkeley era ammirevole, ma allo stesso tempo rivelava qualcosa di morboso, e sulla pagina diventava sfrontata. Una tesi di laurea non è un pamphlet, dovevo rammentarglielo di continuo.»

«Al liceo molti insegnanti lo giudicavano esasperante» osservai.

«No, non direi questo» ribatté lui, «non con me almeno. Il problema era che si stava laureando in Storia della Filosofia, eppure sembrava non voler considerare Berkeley come un filosofo dell'inizio del XVIII secolo. Mi spiego meglio... la polemica con Newton, per esempio, che è assolutamente fondamentale per intendere il suo pensiero, lui non mostrava alcun interesse ad approfondirla. Invece avrebbe voluto inserire un capitolo di raffronto tra il *Saggio sulla Visione* di Berkeley e le strampalate teorie di un certo professor Chandra Singh... di Bombay. Non ha idea della fatica che ho dovuto fare per convincerlo ad eliminare quell'assurdo, inutile capitolo!»

«Chi era questo Singh?»

«Oh, uno di quei personaggi alla moda che durano il tempo d'una polemica giornalistica. Nella seconda metà degli anni 70, nel periodo in cui il suo amico stava completando la tesi, Chandra Singh aveva fatto parlare di sé per la sua *Teoria Generale dell'Inesistenza Reale*. In breve, egli sosteneva che nulla esiste realmente fuori di noi, ma che ogni cosa in cui si crede, se ci si crede abbastanza intensamente, può diventare reale. Naturalmente più sono coloro che vi credono e più è probabile che questa realtà si concretizzi e duri.»

«E, immagino, più sono quelli che ne dubitano e più quella realtà comincia a morire...» aggiunsi io, lasciandomi trasportare.

«Esatto» ridacchiò il professore. «Ora: si rende conto della portata di una simile teoria? Dio, ad esempio, non sarebbe causa, ma prodotto della Fede. Certo... questo l'hanno sostenuto anche molti illuministi, e poi Marx, con la teoria dell'alienazione. Ma la differenza non trascurabile è che secondo Singh la Fede sarebbe in grado di produrre un Dio *reale*, non un Dio immaginario. Anzi la storia del proselitismo religioso dovrebbe essere letta in questo modo: come un tentativo titanico, esaltante e spesso tragico, di *creare la divinità*, naturalmente quella in cui si crede, facendola prevalere su quelle altrui.»

«Mi sta dicendo che Chiodo... cioè volevo dire... il mio amico... era diventato seguace di un guru? Scusi, ma non lo ritengo possibile. Io lo conoscevo bene, e so che non era affatto interessato a problematiche religiose.»

«Chandra Singh non era legato a una particolare religione. Per lui la fede in un Dio non è in sé diversa da quella nelle chimere, nei fantasmi o negli UFO. Se si trovasse abbastanza gente disposta a crederci, sosteneva, o se anche un solo individuo ci credesse con sufficiente forza, tutti questi esseri prenderebbero vita, almeno davanti a lui, in rapporto a lui. Singh espose queste teorie durante...»

Mi ritrovai con il dito alzato e arrossii.

«Ehm, mi perdoni se la interrompo, ma Singh applicava questa sua... formula anche al mondo?»

«Infatti. Ed è proprio questo punto che interessava particolarmente il suo amico. Secondo Singh, il mondo esiste realmente perché la stragrande maggioranza, se non la totalità degli uomini, crede che esista.»

«Ma così si approda a conclusioni opposte a quelle di Berkeley» esclamai. «Se la verità e la realtà delle cose è questione di maggioranze, allora non c'è salvezza dai luoghi comuni e dalle convenzioni più trite. Sarebbero universalmente vere e reali solo le superstizioni, le credenze diffuse e le ideologie dominanti. Agghiacciante filosofia quella che alle minoranze dice: crescete e moltiplicatevi, e all'individuo lascia solo l'incerta speranza che una sua privata fantasia consolatoria possa un giorno incarnarsi davanti a lui, e a prezzo di chissà quali sacrifici!»

Il professore aveva cavato di tasca una pipa e, con un vago sorriso, la stava riempiendo.

«Lei mi ricorda il suo amico» disse quand'ebbi finito la mia tirata. «Sarebbe capace di scaldarsi anche se uno sostenesse che gli asini possono volare.»

Aveva ragione naturalmente. Chissà cosa mi aveva preso.

«È tutto così strano...» dissi cercando confusamente di giustificarmi. «Davvero crede che Chiodo avrebbe potuto abbracciare le teorie di Singh?»

«Non saprei» rispose masticando il cannello della pipa, «anzi sarei portato ad escluderlo. Vede... le informazioni su Chandra Singh ci venivano da articoli, atti congressuali, testimonianze per lo più di seconda mano. Cercavo di far capire al suo amico che, anche a prescindere dalla poca rilevanza del pensiero di un filosofo indiano contemporaneo nel contesto di una ricerca su Berkeley, la documentazione era comunque insufficiente. Ma lui tanto insistette e brigò, che mi convinse ad autorizzare e sottoscrivere una sua lettera su carta intestata dell'Istituto, indirizzata al professor Chandra Singh, presso l'Università di Bombay, nella quale si chiedeva notizia delle sue pubblicazioni. Nessuno ci rispose mai.»

«E lui che cosa fece?»

«Aspettò, perse una sessione e infine si rassegnò.»

Scossi la testa, pensoso: «Non credo, Chiodo

non è tipo da rassegnarsi tanto facilmente. Se gli premeva davvero trovare Singh, stia certo che appena laureato se n'è andato in India... Lei, mi scusi, mi è parso di capire che lo ha visto spesso... aveva un suo recapito?».

Sì, e ce l'aveva ancora, sul computer dell'Istituto. Le tesi degli allievi erano in libera consultazione e poteva capitare che qualcuno, impegnato in una ricerca analoga, o interessato in qualche modo al lavoro, volesse rintracciare l'autore. Dunque si conservavano gli indirizzi e i numeri di telefono di tutti i laureati. Certo, precisò il professore, era pretendere troppo che fossero aggiornati, ma con una minima ricerca al Comune o alla Società Telefonica avrei potuto risalire facilmente ad un eventuale nuovo recapito.

Lo ringraziai per il consiglio e capii che ormai era curioso quasi quanto me di sapere che fine avesse fatto Chiodo. Gli assicurai che l'avrei informato e me ne andai con quel vecchio indirizzo in tasca, completo di numero telefonico. Non ero tanto ottimista, però. Avevo già consultato l'elenco abbonati, senza risultato.

Arrivai davanti al palazzo poco prima delle venti. Era un edificio vecchio, ma ancora dignitoso, di cinque piani. Appoggiato all'automobile, guardavo la facciata: balconcini di ferro, infissi screpolati, tendine ricamate. Sembrava una di quelle case dove abitano solo vecchiette.

Mi accorsi che la portinaia stava chiudendo il portone e mi precipitai a chiederle del mio amico.

Bofonchiò che non abitava più lì da un sacco di tempo, il suo appartamento era occupato e non ce n'erano di liberi. Invece d'insistere, feci ricorso ad un vecchio espediente da film. Mi vergognavo un po', non pensavo potesse funzionare, invece funzionò alla grande. Vide il colore dei soldi e mi fece accomodare in guardiola.

«Strano tipo» disse, alzando improvvisamente il tono di voce. «Non si muoveva di casa per settimane, e poi magari spariva per mesi.»

«Per quanto tempo ha abitato qui?»

«Mmm... una quindicina d'anni, anno più anno meno.»

«E in tutto questo tempo, non ha avuto modo di conoscerlo meglio?»

«Cosa?»

«Dicevo... non ci ha mai parlato?»

«All'inizio non c'era molta confidenza. Anzi, se devo essere sincera mi stava antipatico. In primis perché non mi fido degli studenti, sa com'è... chiasso, compagnie... Lui però era diverso. Non dava fastidio. Un inquilino modello, molto meglio di certa gente che so io. Voglio dire... non era di quelli che rubano la posta o sputano in ascensore o buttano i vetri in pattumiera. Dalla porta di casa sua non usciva un rumore che era uno, e nessuno lo veniva mai a trovare.»

«E poi?»

«Cosa?»

«Ha detto in primis. E poi? Perché le stava antipatico se era così un bravo ragazzo?»

«Ah! sì, be'... per motivi miei. Avevo un parente da sistemare e quei due locali mi avrebbero fatto comodo. Ma l'amministratore preferì affittare a lui... a un prezzo più alto, naturalmente, troppo alto. Comunque...»

«Lo pagava regolarmente l'affitto?»

«Certo. Guardi che non è stato mica sfrattato, sa? E non s'è neanche trasferito. Da un giorno all'altro... puff!»

«Che cosa significa puff?»

«Scomparso. Ha lasciato qui tutto: mobili, vestiti, libri. Non sapevo cosa pensare. Che vuole? Avevo finito per affezionarmi a quel ragazzo. Era gentile, salutava, si informava di come stava mio marito... poveretto, pace all'anima sua.»

«Come sarebbe...? È morto?»

Alzò le spalle. «Beveva...»

Capii che parlava del marito e mi sfuggì un "meno male", ma per fortuna era un po' sorda.

«Una notte non rientrò a casa... mio marito, dico. E lui mi aiutò a cercarlo. Lo trovò in cantina, steso per terra, con tutto il vomito addosso. Però non ha fatto una piega. Se l'è caricato sulle spalle, l'ha portato su in casa, l'ha lavato, l'ha cambiato... Non me lo sarei mai aspettato da un signorino come lui. Ecco, da quel momento c'è stata un po' più di confidenza.»

«E così, immagino, ha scoperto qualcosa.»

«No, anzi... ho pensato che se faceva una vita così ritirata doveva avere i suoi motivi, ma certo non era cattivo. E allora... perché ficcare il naso negli affari suoi?»

«Secondo lei si stava nascondendo? Le sembrava preoccupato?»

«Boh, più che altro svanito. Lo era sempre stato, ma negli ultimi tempi... per esempio non mi salutava più, mica per maleducazione, ma perché stava con la testa tra le nuvole. Io andavo a far le pulizie a casa sua, due volte la settimana. Avevo le chiavi, entravo, accendevo il coso... l'aspirapolvere... e lui neanche una piega, come se non ci fossi. Leggeva, studiava o se ne stava seduto davanti alla finestra a guardare fuori. Una volta... be' è stata da ridere... l'ho trovato in ascensore, con la luce spenta. In piedi, con gli occhi aperti. Non faceva niente. Quando ho aperto la porta, la luce si è accesa e io ho fatto un salto indietro dallo spavento. Capirà... vedermelo apparire davanti, di colpo, pallido come un morto... Lui ha strabuzzato gli occhi, ha avvicinato un dito alla pulsantiera ed è rimasto bloccato così... poi s'è girato verso di me e m'ha chiesto: a che piano sto? Giuro. E non era mica drogato, sa? Di questo ne sono sicura, quando una fa le pulizie, di certe cose se ne accorge. Be', su da lui mai nessuna traccia di polverine strane, niente siringhe, niente di niente. Un ragazzo a posto. Solo che non ci stava più tanto con la testa, ecco...»

«Ha detto che a volte si assentava per mesi. Viaggiava?»

«Viaggiava? Forse, ma senza valigia. Non so, non credo. Girava.»

«Girava?»

«Andava in giro. Almeno così diceva lui quando gli chiedevo dov'era stato. Sono andato in giro, diceva. E perché non credergli? Potevano anche essere delle ferie fuori stagione, dei lavoretti a termine, o forse andava a trovare qualche parente, chissà. Al massimo stava fuori due o tre mesi. Ma l'ultima volta ne erano passati sei, e così l'amministratore ha deciso di fare la denuncia. Non so se la polizia l'ha cercato. Di sicuro non l'ha trovato. Poi quelli del Comune sono venuti a ritirare i mobili e il resto. Devono aver messo tutto all'asta. Cianfrusaglie. Lo sa che non aveva neanche la televisione?»

Mi volse le spalle e andò ad aprire un cassetto. L'orologio a muro segnava le venti e trenta, e giudicai che fosse giunto il momento di andarmene. Cavai un paio di biglietti di tasca, e mentre li appoggiavo sul tavolino della guardiola, lei si girò con una scatola di cioccolatini in mano.

«Qui dentro c'è roba del suo amico» disse. «Qualche documento, il diploma di laurea, e altre carte personali. Le ho tenute da parte, caso mai fosse tornato. Se vuole...»

Carte. Solo carte.

In cima, delle fotocopie di un'opera poco nota di Berkeley: *Aritmetica dimostrata senza algebra e senza Euclide*.

Poi delle illustrazioni, ex-libris e cartoline, che raffiguravano antichi angoli della nostra città: lampioncini a gas, strade deserte, su una c'era scritto VIETATO IL TRANSITO AI PEDONI, insegne di strani negozi: un LATTONIERE, un GRANAGLIE E LEGUMI, una CERERIA che vendeva LUMINI INODORI, CAFFÈ TOSTATO, STEARICHE MIGLIORI MARCHE, VINO MARSALA, SAPONI PROFUMATI E BUCATO; un ponte sul fiume, con un uomo in maniche di camicia seduto sull'argine, di spalle; una strada anni venti, ingombra di tram, carrozze, carretti e automobili; il muro di un palazzo, coperto da un gigantesco cartellone pubblicitario del lucido da scarpe BRILL.

Poi un taccuino di appunti, che mi riproposi di leggere con attenzione. Poi una lettera dell'Università di Bombay che aprii subito. Poche righe per informare che nessun professor Chandra Singh aveva mia insegnato in quell'Università. E in allegato, un articolo di *Times of India* dal quale si desumeva che la figura e le teorie di Chandra Singh non erano state altro che una burla ben orchestrata da alcuni giornalisti dell'*Illustrated Weekly of India*.

Per ultimo, un ritrattino a matita, su carta giallina, di un giovane con i capelli lunghi e la barbetta rada. Una faccia che mi ricordava vagamente qualcuno, ma non avrei mai indovinato chi, se non avessi letto la scritta sul retro. HYLAS.

Dunque mi ricordava così, come mi aveva visto quell'ultima volta, all'epoca dell'occupazione dell'Università. Una spelacchiata controfigura di Jesus Christ Superstar.

C'era di che sorridere di fronte a quel santino. E di che commuoversi, perché, vedete... tra quelle poche cose non c'era una sola fotografia, non un solo nome, né un numero di telefono da cui si potesse risalire a una qualche sua conoscenza, amicizia o parentela. C'ero solo io. Mi aveva disegnato. Forse lo confortava sapere che da qualche parte esistevo realmente.

Sulla prima pagina del taccuino era vergato a matita questo titolo: *Dove ha ragione Hylas*. Il testo, a caratteri finissimi, quasi illeggibili, riportava una citazione dai *Dialoghi* di Berkeley, nella quale Hylas diceva: "Ma Lei non si accorge, Filonous, che facendo di Dio l'autore immediato di tutti i movimenti della natura, Lei fa di Lui l'autore di assassinii, di sacrilegi, di adulteri e di tanti altri peccati del genere?".

Seguiva, sorprendentemente, una minuziosa confutazione della risposta di Filonous. Il mio amico metteva in risalto le insanabili contraddizioni del pensiero berkeleiano su questo punto particolare. A suo avviso tutto derivava dall'imposizione di un inutile Dio ai liberi soggetti umani. E fissava così i fondamenti della propria filosofia:

1. Non è possibile che le cose possano avere una qualunque esistenza fuori dalle menti che le percepiscono (Berkeley);
2. L'essere o il non essere delle cose dipende da noi. Sta a noi stabilire cosa dev'essere creato e cosa dev'essere distrutto (Hylas);
3. L'essere è frutto del credere, il non essere del non credere (Singh);
4. Le cose sono perché le percepiamo, e percepiamo perché crediamo.

Cominciavo a capire qual era stata la comune premessa e cosa ci divideva: parlando di cambiare il mondo, io mi riferivo alla prassi, alla negazione materiale dello "stato di cose presente", lui invece, già a quel tempo, cioè prima che avesse notizia di Singh, stava maturando una specie di spiritualismo attivo... o di materialismo magico. A giudicare dai punti 3 e 4, non negava affatto il mondo reale, ma lo considerava frutto di suggestione. Mi sembrò di poterne inferire che, secondo lui, si doveva mutare mentalità, autosuggestionarsi a credere e a non credere, e questo era l'unico modo per edificare o distruggere un mondo a nostra misura.

Le note che leggevo non erano datate, ma dal momento che lo si citava, erano certo posteriori alla scoperta di Singh, e probabilmente anche del fatto che si trattava solo di un personaggio inventato. Ma questo era un dettaglio abbastanza secondario per il mio amico, dato che lui aveva in certo modo anticipato Singh, e ora si proponeva di superarlo.

Ecco cosa scriveva nell'ultimo aforisma del taccuino:

VIA LE COSE DA NOI

L'uomo deve cessare di aggiungere nuove divinità a quelle che ha già creato, nuove cose a quelle che ha già prodotto. L'affollamento delle cose si è fatto intollerabile. Il mondo ridonda di cose inessenziali e superflue, spregevoli e nocive, mantenute in essere da piccole e grandi fedi organizzate, dall'abitudine, dalla tradizione, da un comune buon senso nel quale è ormai arduo discernere il senso e impossibile trovare il buono. È stato valicato ampiamente il limite oltre il quale l'aggiungere non serve ad altro che ad annullare ogni differenza in un amalgama caotico e proliferante. Eppure gli uomini si ritengono appagati solo continuando a creare nuove cose, persuadendosi che esse siano buone, anzi migliori. E quando sentono crescere il dubbio dentro e fuori di sé, mettono in opera mille strategie per soffocarlo, perché essi si sono fatti sempre più ingordi e son disposti a credere a tutto per avere tutto. Per pareggiare la bilancia continuano ad aggiungere da entrambi i lati. Vogliono creare il nuovo senza distruggere il vecchio, vogliono avere senza perdere, mettere senza togliere. Non procedono in linea retta, né a ritroso, ma in cerchio, per avere i due movimenti assieme. Fanno come quell'esploratore che seguendo solo le proprie orme, si condanna a non raggiungere nessuno, tantomeno se stesso. Ma se gli stolti aggiungono, sappia togliere il saggio. Sappia dubitare, confutare, sottrarre. Non credere. Cancelliamo le cose da noi. E a forza di togliere, qualcosa resterà.

Come ho detto, questo era l'ultimo pensiero. O più esattamente, l'ultimo espresso in forma comprensibile. Il resto erano brevissime annotazioni, appunti buttati giù in fretta, con calligrafia impossibile. Riuscii a decifrarne un paio:

Non resistere. Cedere. Fare il vuoto.
Neutralizzare. Deviare. Far circolare.
Trasformare. Bruciare. Dissolvere.

Consistenza (pietra)
del Nous (filosofale)

Le pagine finali del taccuino parevano composte di misteriosi segni stenografici, geroglifici arabi, caratteri sempre più piccoli e indistinti, disposti in lunghe righe appena ondulate: un encefalogramma un attimo prima di diventare piatto.

Smisi di cercarlo.

Mi dicevo che sarebbe stato impossibile rintracciarlo, che non volevo ridurmi a girare per portinerie e uffici mostrando la sua carta d'identità scaduta da sei anni, che avrei finito per rendermi ridicolo nel ruolo del detective dilettante.

Ma la ragione era un'altra. Quelle carte, troppo chiare e troppo oscure, troppo private comunque, avevano destato in me un profondo disagio. Badate, non si trattava tanto del merito delle riflessioni, né solo dell'ossessione che vi si rivelava, ma della vischiosa miscela delle due cose: più di vent'anni passati a chiedersi se esiste qualcosa là fuori, per poi concludere che quello che esiste va cancellato... anni passati in solitudine e in ristrettezze d'ogni tipo per ricavarne che quel che aveva era comunque troppo e doveva sbarazzarsene... anni di ricerca testarda, patologica, cercando di attingere un orizzonte di verità che era solo un trompe l'oeil affisso in fondo a un vicolo cieco.

Smisi di cercarlo. E lo trovai.

Faceva molto caldo. L'asfalto si disfaceva. Erano i primi d'agosto. Di ritorno da una vacanza e in attesa di ripartire per un'altra, percorrevo in macchina la città semideserta, irreale come un teatro di posa.

Guardavo sfilare facciate di palazzi dalle imposte serrate, saracinesche chiuse... immagini incerte prendevano forma nella mia mente... prospettive di strade lunghissime, passanti isolati e fiacchi... ora più nitide, andavano a sovrapporsi a quelle reali... quella vecchia casa con una parete coperta di affissioni pubblicitarie... il calore decolorava le

cose, mi pareva di vedere attraverso un filtro
ocra... il fiume non limpido, ma nemmeno fetido;
residuo pulviscolo di smog nell'aria tersa... come
in una fotografia sgranata... un uomo in maniche
di camicia, seduto sull'argine, di spalle.

«Chiodo!»

Non rispose. Scesi dall'auto. L'afa mi tolse il respiro. Attraversai la strada, lo sguardo fisso su di
lui.

Sedeva con le mani in grembo, la schiena diritta,
rilassato e composto. Ai suoi piedi due sacchetti di
plastica, un cappotto pesante e una coperta. Scarpe alte, senza lacci. Non portava calzini. Non portava cintura. Strisce di unto sulle caviglie, i polsi, il
collo. Il viso era coperto da uno strato di sporco,
eppure rifulgeva come bronzo terso. La pelle era
sorprendentemente liscia, levigata. Risaltavano gli
occhi, grandi, umidi, con le pupille spalancate. La
barba, solidificata, gli scendeva sul petto con lunghi riccioli paglierini. Il capo, fatta eccezione per
una lieve peluria alle tempie, era completamente
calvɔ.

Un senzatetto che sembrava un gimnosofista,
uno di quei santoni indiani che si ritirano a vivere
nudi nella foresta, in perpetua meditazione, senza
storia e senza età, giovani vecchi dal sorriso inte-
riore, gli occhi spalancati su invisibili meraviglie.
Questo era il mio amico.

«Chiodo!» chiamai ancora.

E lentamente parve risvegliarsi da quel suo torpore sognante. I suoi occhi mi misero a fuoco, lentamente, e il sorriso fiorì sulle sue labbra.

Sussurrò: «Hylas» ma forse fu solo un sospiro.

Poi fu come se un'ondata di ricordi lo travolgesse. Chiuse gli occhi e barcollò vistosamente, tanto che dovetti sostenerlo. Quando li riaprì erano ancora più neri e lucenti.

Stavolta lo disse distintamente: «Hylas!».

Lo abbracciai. Era così esile, quasi incorporeo...

Sedetti accanto a lui e gli raccontai di me, dei lavori che avevo fatto, con successo, ma senza passione, e dei miei matrimoni, passionali e senza successo. E intanto pensavo che avrei dovuto lasciargli dei soldi, cercando di non offenderlo, facendoglieli scivolare discretamente in uno dei suoi sacchetti. E subito dopo m'indignavo con me stesso: rispettalo, mi dicevo, è una sua scelta vivere così.

Fu inevitabile e liberatorio rifugiarsi nel come eravamo.

«È stato un vecchio libro che mi ha riportato da te» gli dissi infine. «Sono certo che ricordi quello che ci disse il padre di quella nostra compagna di scuola... una battuta stupida, dozzinale... per dimostrare l'esistenza del mondo esterno basta attraversare la strada... be' non era sua, ma di Lukàcs pensa un po'! E io che volevo far di te un marxista!»

Scivolò a terra, agilmente. Ora le nostre posizioni si erano scambiate. Ero io l'uomo seduto sull'argine, senza giacca, le mani sulle ginocchia. Lui mi stava davanti e mi guardava, in silenzio, senza smettere quel suo vago sorriso. Poi sollevò la mano, con il palmo rivolto verso di me e fece un gesto circolare all'altezza del mio viso come se stesse pulendo un vetro dal vapore, magari era una benedizione, chissà...

Pronunciò il mio nomignolo per l'ultima volta, e si avviò lungo il ponte lentamente, abbandonando lì le sue povere cose.

Perché non lo seguii? Non lo so. Il tempo si era fermato. Lo chiamai, certo, più volte, ma lui non si girò, forse non udì neppure.

In cima al ponte baluginava un sottile schermo di umidità. Lui vi penetrò e continuò a camminare, ormai non più consistente di un miraggio.

Raccolsi la mia giacca, senza sapere che fare, diviso tra lui, i suoi sacchetti dimenticati e la mia automobile dall'altro lato della strada.

Stavo per muovermi, quando all'improvviso un grosso camion mi sfrecciò davanti facendomi sobbalzare, mentre una ventata d'aria calda mi scompigliava i capelli.

Istintivamente riportai lo sguardo in cima al ponte che il camion stava risalendo a forte andatura.

Chiodo non si vedeva più, doveva essere arrivato in fondo alla discesa, ormai. Sperai che si fosse tolto dal centro della strada.

Il cuore cominciò a battermi più forte e mi misi a correre.

Chiamai il suo nome con quanto fiato avevo in gola. Mi fermai molto prima d'essere arrivato in cima alla salita, raggelato da un'assurda sequenza di suoni: l'orribile stridore della frenata, lo schianto, la sirena.

In un attimo la strada si era riempita di gente. La sirena del camion, rimasta bloccata, continuava a suonare intollerabilmente. Finalmente qualcuno riuscì a disinnescarla e nel silenzio sgomento, rimasero solo le disperate imprecazioni del guidatore che ripeteva: «Non l'ho visto, perdio! Non l'ho visto!».

Identificai il povero corpo maciullato del mio amico, fingendo di guardare oltre la spalla del poliziotto, e poi mi tolsi subito di lì, rifugiandomi in un portone.

Scivolai a terra. Il sudore mi ruscellava giù dal collo, la camicia ne era letteralmente inzuppata, eppure tremavo.

Poi sentii qualcuno singhiozzare, a pochi passi da me.

Gli avevano portato una sedia. Non lo vedevo bene perché un agente era chino su di lui e me lo nascondeva in parte, ma capii che era il camionista e sentii quello che disse quando si fu un poco calmato: «Ma sì, sì! La strada era libera. Avevo tutte e due le mani sul volante. Guardavo avanti. Non ho bevuto. Non avevo la radio accesa. Stavo attento. E in cima alla salita avevo rallentato. Avrei potuto fermarmi benissimo se l'avessi visto. Ma non l'ho visto. Solo all'ultimo momento, appena prima di investirlo, m'è sembrato di vedere qualcosa... come un riflesso di luce... insomma come quando uno apre una finestra e il sole batte sul vetro e ti vedi arrivare una luce di traverso alla strada... però non era così forte da accecarmi, da nascondermelo. Avrei dovuto vederlo lo stesso. L'avrei visto, l'avrei visto di sicuro...».

Il poliziotto si sforzava di calmarlo, come si fa con un uomo in stato di choc che dice cose incoerenti. Non poteva capire.

Solo io sapevo com'erano andate le cose. Solo io sapevo perché quell'uomo non aveva visto il mio amico.

Filonous era riuscito nel suo intento. Ora m'era chiaro il significato del suo ultimo gesto: non voleva affatto benedirmi, voleva cancellarmi da sé. Io, e i ricordi che evocavo, eravamo l'ultimo suo legame con le cose, l'ultimo suo ancoraggio al "mondo esterno". Tutto il resto era riuscito a rimuoverlo dalla sua coscienza, dalle sue percezioni, dal *suo* essere.

Togliete, aveva scritto, e qualcosa resterà.

Un guizzo di luce.

Ecco, non ho altro da aggiungere. So che vi sarà difficile credermi. Voi non avete conosciuto il mio amico, avete conosciuto me. E quel tanto, o quel poco che avete appreso dalle mie parole, o che avete creduto di leggere tra le righe o dietro le righe, potrebbe avervi fatto concludere che sono io il vero, l'unico caso umano (clinico?) di questa vicenda.

Ma vi sbagliate. Non dovete preoccuparvi per me. Io sto bene. Ho già un'altra moglie. Presto avrò un nuovo lavoro, tornerò ad occuparmi di cose molto concrete, farò altri quattrini.

Io sono Hylas.

Orfano di Filonous.

MICHELE MARI

I palloni del signor Kurz

Per Bragonzi l'unica cosa bella, nella triste vita del Collegio di Quarto dei Mille, erano le partite di pallone. Eppure, anche quella beltà era angosciata. Se n'era accorto fin dalla prima partita, quando vide che al momento di tirare in porta anche i più bravi, anche i più grandi avevano una specie di contrazione, come si trattenessero: e ne usciva infatti un tiro debole, incerto, che il portiere facilmente parava. E sì che l'attimo prima quello stesso attaccante sembrava gagliardo, aveva corso, si era avventato impetuoso sul pallone, lo aveva difeso, si era precipitato a lunghe falcate verso l'area: ma poi... ma poi quel tiro fiacco.

Si decise a chiedere solo alla terza partita, dopo che gli capitò di tirare molto forte e il pallone, impennandosi, per poco non andava dall'altra parte, oltre il muro che segnava la fine del cortile: «Uuuuh...» fecero tutti in coro coprendosi gli occhi con le mani, e quando il pallone ricadde dentro il cortile, anziché rallegrarsi, lo redarguirono aspramente. «Ma perché, cosa ho fatto di male?» domandò a Paltonieri mentre rientravano per la merenda; «e se anche il pallone andava di là, c'era da fare tutta quella scena?»

Allora Paltonieri gli spiegò. Disse che di là dal muro abitava il signor Kurz, che nessuno aveva mai visto ma che doveva odiare tutti i bambini del Collegio, perché ogni volta che il pallone finiva da lui non lo restituiva mai (com'è civile ed urbana costumanza: tu l'hai mandato di là e trepidando attendi, speculando alla muraglia: e per silente miracolo ecco quello ritorna, disegna sua parabola in cielo, ritorna, ritorna: e colmo il cuore di gratitudine tu ringrazi sonoro, «Grazie!» dici, non sai a chi, ma lo dici. Oppure il miracolo è ritardato, ti allontani dubbioso, intristito dalla fine forzata del giuoco: ma quando torni, la mattina seguente, il pallone è lì nel cortile, ignori da quanto, e allora il tuo grazie è più vivo, perché lo pensi soltanto, lo rivolgi all'indietro). Non solo, ma vani sarebbero stati tutti i tentativi per riavere i palloni, almeno così affermavano le Signorine, che tanto tempo prima, cedendo all'universale insistenza, si erano recate a parlare con il signor Kurz. «Il signor Kurz è nel suo diritto» pare avessero riferito con aria annoiata, «e può tenersi tutto ciò che capita nel suo cortile.» Una risposta del genere, commentò Paltonieri, che aveva udito il racconto da Morchiolini, lasciava capire che le Signorine non dovevano aver messo un grande impegno nella loro missione: se solo avessero potuto andare loro, una volta sola, a parlare con quel signore, forse lo avrebbero convinto, forse li avrebbe sgridati un po' ma alla fine avrebbe restituito tutti i palloni sequestrati in quell'anno e chissà, anche negli anni precedenti. Ma non c'era niente da fare, il regolamento vietava ai bambini di uscire dal Collegio, e poi, perché mai? Il signor Kurz aveva detto di no a loro, che erano le Istitutrici, figurarsi a dei mocciosi! E anzi, avevano aggiunto, da quel momento non sarebbero più andate da quel signore, avevano una dignità, loro, e non ci tenevano ad essere umiliate da uno che – sottolinearono con una punta di sadismo – aveva oltretutto ragione.

Ora, proseguì Paltonieri, se il Collegio avesse avuto un'ampia dotazione di palloni non ci sarebbe stato nulla di grave in tutto ciò, pèrsone uno sen prende un altro, e il signor Kurz facesse pure ciò che volesse. Ma la verità era che la dotazione non solo non era ampia, ma nemmeno era prevista, e che ci si doveva arrangiare con i rari palloni privati. «Capisci cosa vuol dire?» incalzò Paltonieri tutto in orgasmo. «Che bisogna star dietro ai nuovi, quelli appena arrivati con la valigia piena di giochi, e sperare che abbiano un pallone, e se ce l'hanno convincerli a prestarcelo, fargli dei regali, e già questo basta a insospettirli, magari il pallone è nuovo e lo custodiscono gelosi, se cerchi di portarglielo via strillano e arrivano le Signorine, capisci? e quando finalmente li hai convinti, gli hai dato un mucchio di figurine e di giornalini, gli hai promesso che giocheranno pur loro, anche se son così piccoli che una partita di calcio non sanno neppure cos'è, quando finalmente è tutto a posto e si inizia, PUM!, qualche scemo butta il pallone di là, e siamo rovinati. E non è nemmeno possibile farsi comperare un pallone dai genitori quando vengono a trovarci e ci portano a Genova, perché il giorno di visita è la domenica... Sai il pallone di oggi, quello che stavi per mandare dall'altra parte? È di Randazzo, e per averlo ha dovuto scrivere il mese scorso a suo papà per dirgli di portarlo questa domenica, e suo papà sta a Messina e viene due volte in tutto l'anno, capisci? »

Bragonzi capiva, e capiva anche che le loro non sarebbero mai state vere partite ma dei mostri, dei cimenti snervanti in cui più della battaglia fra le due squadre contava quella non detta che si giocava fra tutti loro e l'uomo crudele in agguato. Con il passare dei mesi questa immagine crebbe sempre di più nella mente di Bragonzi, che si abituò a pensare al signor Kurz come a un enorme ragno nero immobile nel mezzo del suo cortile, ma rapidissimo a gettarsi sui palloni che come grassi insetti cadevano nella sua rete: allora, afferratili con le sue immonde zampe, li succhiava orribilmente fino a lasciarne floscia la spoglia... Questa avidità era la cosa più spaventosa, perché fasciava di sé il pallone prima ancora che andasse di là, lo chiamava infettandolo di una lebbra azzurrina, e giocarci era un po' come contrarre quel morbo, o colloquiare con un condannato a morte; altre volte gli sembrava invece che il pallone fosse una bellissima donna promessa a un tiranno geloso, e che atroci tormenti attendessero l'incauto che osasse sfiorarla.

A poco valeva ch'egli militasse ormai stabilmente fra i Deboli. Quella di dividere tutti i bambini in Forti e Deboli (o, come dicevano loro, in Forti e Seghe) era stata un'idea di Saniosi, la cui intelligenza, nell'impossibilità di risolvere il problema del signor Kurz, aveva almeno cercato di trasformare l'incubosa presenza, da elemento paralizzante, in elemento attivo del gioco. La sua proposta era semplicissima, e si fondava sull'abolizione del cambio di campo: le Seghe avrebbero tirato sempre nella porta disegnata sul dormitorio, i Forti sempre in quella sul muro che separava il cortile dal signor Kurz; in questo modo, aveva pensato Saniosi, la paura di perdere il pallone avrebbe nuociuto ai Forti fiaccandone il gioco fino a riequilibrare la partita. E così fu, senonché tutti volevano essere accolti nel novero delle Seghe, e a questo fine si imbrocchivano ad arte, palesavano lacune tecniche mai dimostrate in precedenza, aprivano esageratamente le gambe a procurarsi l'umiliazione suprema del *tunnel*. Si rese necessario il ricorso a un tribunale di mémori, che citando pedantescamente *dribblings* e discese, traversoni e incornate misero i Forti, senza possibilità d'appello, di fronte alla loro bravura.

Bragonzi era dunque una Sega, ma questo non gli impediva di avvertire in partita, quasi derivandolo dagli sguardi indecisi dei Forti, un senso diffuso d'angoscia. Questo senso si aggravò dopo l'episodio di Lamorchia.

Le cose erano andate così: per una lunghissima settimana erano rimasti senza pallone, a sragionare annoiati nel vuoto. Poi, la domenica, il papà di Tabidini aveva portato suo figlio a Genova. Vedendolo sospirare davanti alla saracinesca abbassata di un negozio di giocattoli lo interrogò, e appresa la verità diede in una larga risata: poi, senza parlare, lo prese per mano tirandolo fino ai più vicini giardinetti, dove diverse masnade di ragazzini stavano giocando a pallone. «Quale vorresti?» domandò abbracciando con un unico gesto della mano tutto quel bulicame.

«Come quale vorrei?» chiese deglutendo Tabidini, che aveva capito benissimo.

«Tu non ti preoccupare. Ce ne sarà uno che ti sfagiola più degli altri, no?»

Tabidini osservò: costoro s'appagavano di una sfera di gomma ipodimensionata, colorata e grassoccia, da bimbi; quegli altri, subito dietro, s'affannavano intorno a un pallone più serio, ma sgonfio, lo si capiva dal suono, e dal rimbalzo penoso. Guardò oltre la fontanella: lì era la sfida più grossa, d'almeno dieci per parte, ed il pallone era sano: ma di plastica tesa, leggero, di quei che s'impennan bizzarri e quasi volan spontanei, no no, troppo pericoloso, peccato però; alla loro sinistra, in un'area interamente priva d'erba, avvolti da una nube terrosa, sei lungagnoni disperati giocavano con un pallone color della terra, d'indecifrabil natura: li guardò meglio: non avevano "la roba", e giocavano coi mocassini e coi calzoni lunghi tirati su al ginocchio, un raschiare di suole, uno scivolar fra bestemmie. Aspettò che il pallone uscisse per un istante dalla nube di terra per osservarlo più attentamente: uh, era un pallone di cuoio di quelli preistorici cuciti a mano, con un valvolone largo come un dieci lire, e di quel color noasetino che il bianconero aveva da tempo sconfitto, pesantissimi, gibbosi e un po' piriformi, di una sostanza minerale che si era chimicamente arricchita negli anni di fanghi e d'umori... mal di testa e unghie nere all'incauto che l'avesse adottato, no no, vediamo quell'altro nel prato là in fondo: chiese al padre licenza, e si inoltrò nei giardinetti fino a lambire la nuova partita: la quale, commista poco seriamente di padri e sorelle, ruotava ahimè intorno a un pallone da spiaggia leggero, leggero, leggero, omaggio d'una crema solare ai nesci dell'arte. Tornò sconsolato al suo babbo, uno sguardo a quest'altri pellegrini che si beavano, poveracci! d'un'infeltrita ballota da tennis.

«Allora?»

Stava per rispondere che c'era ben poco da scegliere, quando fu distratto dall'arrivo simultaneo di quattro macchine, e subito dopo di altre due. Ne scesero una ventina di giovanotti in tuta, pieni di sacche e di borse; bastò che uno di loro si tastasse i muscoli posteriori delle cosce, frollandoli un poco, perché Tabidini, sciogliendosi, capisse: sì, non aveva bisogno di vedere al di là per sapere cosa ci fosse dietro quell'alto muraglione grigio, meta palese del gruppo. Un campo vero! Una partita vera! pensò ormai liquefatto, quando uno degli ultimi giovanotti, appoggiata la sua borsa per terra, ne estrasse un sacchetto di plastica: e questo svolse e ripose, mettendone a nudo il contenuto: fulgente alla luce mattutina del Sole, nuovo e intatto che pareva smaltato, di sfericità senza mende, morbido e teso ad un tempo, pianeta di gloria, il più bel pallone che Tabidini avesse mai veduto in sua vita. Spinto da un impulso irrefrenabile sfilò la mano grassoccia da quella del padre e corse in direzione del giovane, che rimasto ormai dietro a tutti i suoi compagni stava meticolosamente richiudendo la sua borsa. Appena fu a distanza sufficiente per

leggere Tabidini si fermò, e lesse: "World Cup".
Ah! Un tuffo al cuore, e subito sotto, in altro pentagono: "Official Soccer Ball – Patented – Licen-
sed – Tested", e poco più sotto ancora: "N° 3".
Ma ciò che fece strabuzzare gli occhi a Tabidini fu
la firma, la firma svolazzante stampigliata sulla
lunghezza di due altri pentagoni (di primo acchito
non volle crederci, riguardò bene il ghirigoro, ma
sì, non c'erano dubbi): "George Best". Best! Il pallone di Best! Il più grande di tutti! La leggenda
evocata dopo ogni serpentina ubriacante! Finora al
Collegio avevano avuto solo un pallone con sòpra-
vi il nome, "Totonno Juliano" si intitolava, anzi
c'era anche la fotografia, ma era di plastica, se l'e-
ra portato dietro Fiorillo da Napoli, un buon pallone, ma niente di più, e comunque dopo pochi
giorni era diventato preda del signor Kurz. Ma
questo! E di Best! Si voltò disperatamente verso
suo padre, che si mosse per raggiungerlo. Intanto
il giovane, data una voce ai suoi compagni, indiriz-
zò loro il pallone quasi invitandoli a un saggio. Tabidini conosceva bene quella debolezza, quel cedi-
mento alla tentazione di provare il pallone nuovo
ancor fuori del campo, per strada, pur sapendo benissimo che il ruvido asfalto ne avrebbe segnato lo
smalto: come se il proprietario, incapace di reggere
a tanta perfezione, la volesse artificialmente spor-
care e invecchiare per poterla finalmente saper cosa sua.

Il signor Tabidini conosceva suo figlio. Senza ri-
volgergli la parola trotterellò dietro ai giovani rag-
giungendoli proprio sul portoncino di ferro che
s'apriva nel muro. Distante da loro, suo figlio li vi-

de parlare, suo padre da una parte, gli altri intorno a semicerchio, le borse posate per terra. Scuotevano la testa, facevan gesti nervosi. Poi suo padre tirò fuori il portafoglio dalla giacca e incominciò a sfilarne delle banconote. Quelli scossero ancora la testa, poi come suo padre continuava a sfilar banconote, presero a discuter fra loro. Qualcuno si allontanò facendo il gesto di mandare al diavolo qualcun altro, poi si riavvicinò. Adesso suo padre era fermo in silenzio; un giovane gli si fece sotto agitando le mani, ma altri tre lo afferrarono e lo spinsero fuori del gruppo. La discussione continuò, finché il padre non mise ancora mano al portafoglio. Quando Tabidini vide uno dei giovani prendere da terra il pallone e consegnarlo a suo padre, credette di sognare. Baciato dal Sole mentre riveniva da lui (gli altri, dietro, continuavano a discutere con gesti rabbiosi), suo padre gli sembrò un paladino che tornasse col Graal.

Quella sera, in un tripudio di «Ooooh» e di «Uuuuh», Tabidini fu salutato da tutto il Collegio come un eroe, e nel suo lettino, prima di addormentarsi, ogni bambino fantasticò pensando alla partita indetta per l'indomani. L'immagine di George Best era così luminosa che quella sera le loro menti non ebbero posto per il signor Kurz.

Quel che seguì fu cosa tremenda, e ogni bambino si trovò di colpo più vecchio. A Bragonzi restò il dolore speciale di non essere riuscito a toccare il pallone nemmeno una volta. La partita era incominciata da appena un minuto, i Forti attaccavano, un rimpallo fece impennare il pallone in campanile sublime: nella coscienza di tutti ricadde len-

tissimo, mentre sotto ferveva la mischia e si sgomi-
tava rusando. Nella confusione nessuno si accorse
di Lamorchia, solo Bragonzi lo vide predisporsi a
battere al volo: «No! No!» gli gridò, o forse lo
pensò solamente, il pallone scendeva con lentezza
irreale, già quello si metteva obliquo torcendo il
busto e arretrando la gamba destra, già piegava il
ginocchio sollevando la scarpa da terra, «No!
No!», non così, non al volo, lascialo rimbalzare,
ma Lamorchia non poteva sentirlo, come fascinato
vêr l'alto, ogni facoltà sensitiva trasferita ormai alla caviglia, in quel seno che dicesi collo. Abbandonando l'uomo che aveva in custodia, Bragonzi si
lanciò nella mischia verso Lamorchia e intanto lo
scongiurava, gli inviava messaggi, e poi di colpo se
ne accorsero tutti, si fermarono come pietrificati,
bloccate le membra in viluppo, e incapace di voce
ognuno pensò dentro sé "Non farlo, non farlo",
nessuno osava guardare la caviglia di Lamorchia,
tutti ne guardavano l'occhio in deliquio, catturati
dalla sua beatitudine e insieme inorriditi... PUM!
fece il pallone colpito troppo sotto, di dorso, e
s'impennò un'altra volta, ma non più in verticale
bensì in parabola atroce, luttuosa: il pallone di
Best ricadde proprio sullo spessore del muro to-
gliendo a tutti il respiro, poi, dopo un'impercettibile stasi, precipitò definitivamente dall'altra parte, e divenne cosa del signor Kurz.
    Nessuno fece del male a Lamorchia, perché il
male era chiuso nei loro cuori. Lo stesso Lamorchia, del resto, da quel giorno non fu più lo stesso,
né mai più volle giocare a pallone: lo si vedeva ai
bordi del campo, seduto come un pensionato che si

scaldi al sole del meriggio, e quando il pallone finiva dalle sue parti e dal campo gli gridavano «Palla!», egli sì lo raccoglieva, ma non avendo poi il coraggio di calciarlo o lanciarlo lo portava fino al centro del campo stringendoselo al petto, e lì lo depositava con cautela.

Erano passati sei mesi da quel giorno, durante i quali erano finiti dal signor Kurz almeno altri 12 palloni, poi, stanchi di tanti dolori, essi non giocarono se non con palle di stracci annodati che avevano il vantaggio di non sollevarsi da terra, mostruosi turbanti che sostenevano la finzione di sfera per non più di mezz'ora, poi incominciavano a sfarsi, grevi comete che si trascinavano dietro una coda pulverulenta di stracci. Dopo quattro mesi di quella pena umiliante, un bel giorno d'autunno, Bragonzi interruppe la sua discesa sulla destra e fra le proteste generali afferrò con le mani quel simulacro di palla.

«Compagni, amici» avrebbe detto se fosse stato un antico Tribuno, «considerate chi siamo, chi fummo, e specchiandovi in questo cencio ignominioso possiate trarne la vergogna sufficiente a riscattare una vita forse non ancora perduta per la causa del Calcio. Pensate a quelli che ci precedettero su questo medesimo campo con sprezzo del pericolo, e v'ispiri l'ombra di quei Grandi ai quali tutti noi, in giorni ormai troppo lontani, cercammo di conformarci, Tumburus, Fogli, Mora, Pascutti, Bobby Charlton, Chinesiño, Del Sol: essi ci guardano: e non tremiamo? e ancora esitiamo?»

Le sue parole non furono queste, naturalmente,

ma questo ne era lo spirito, e il risultato – a giudicare dal digrignare dei denti – non fu diverso da quello che un simile discorso avrebbe prodotto. Dunque fu decretata la guerra, ma per il momento, dovendosi combattere anche sul fronte interno delle Signorine, e non sapendo cosa si sarebbe trovato di là dal muro, ci si limitò ad indire un'azione esplorativa. Nell'accecamento dell'ora si offrirono tutti come volontari, ma fu deciso all'unanimità che se c'era uno cui l'onore della missione spettava di diritto, questi era Bragonzi. Per decidere chi gli sarebbe stato compagno si procedette al sorteggio, e n'uscirono Tabidini e Del Siero.

Alle due di quella notte Bragonzi strisciò fuori delle coperte, e tastando le pareti nel buio si recò in fondo al corridoio, dov'era la camera della loro Signorina. Bussò tre volte, e quando quella aprì, scarmigliata e furente e cercando nell'ombra chi fosse il molesto, le disse d'un fiato: «Presto, venga, Tabidini sta male!». Poi, mentre la Signorina correva dal sofferente non prima di essersi coperta le spalle con una *liseuse*, Bragonzi ne penetrò la camera e tutta la frugò (resistendo alla distrazion delle calze e dei pizzi) fino a trovare il mazzo di chiavi desiato. Poi, nascostolo in sito dei bagni ben scelto, rientrò in camerata, lanciando a Tabidini il segnale fissato: e quello tosto cessò dal gorgogliar rantoloso.

Un'ora dopo, quando ovunque regnava nuovamente il silenzio, Bragonzi e Del Siero si vestirono e sfilarono come ladri dalla camerata ai bagni, e recuperate le chiavi furon signori del Collegio. Per prima cosa aprirono lo sgabuzzino delle pulizie, ritraendone una torcia elettrica e una serie graziosa di cacciaviti diversi: quindi, disserrate altre due porte, usciron nel campo, e improvvisamente (o era solo il brivido dell'aria gelata?) fu come se il signor Kurz li vedesse. Un'ultima porta, il capanno del giardiniere, e si trovaron padroni di una lunga scala a pioli. Bragonzi si sforzava di non pensare a ciò che faceva, ed anzi, grazie a un sentore di febbre, ne aveva coscienza come se già lo ricordasse, e fosse cosa passata. La scala appena più bassa del muro, la fatica di rizzarla come un obelisco egiziano, Del Siero che tituba pentito e la necessaria rampogna, la salita paurosa, piolo dopo piolo nel terrore di scorgere, di là dall'orlo del muro, la prima zampa pelosa, l'equilibrio precario su in cima, e lo sforzo di sollevare la scala per calarla dall'altra parte, prima spinta sù dal sottostante Del Siero poi tenuta dalle sole sue forze, l'aria fredda sul volto e l'impossibilità di vedere alcunché dalla parte di Kurz, il piangoloso invito di Del Siero a tornare indietro, la discesa laggiù.

Giunto nel cortile di Kurz, Bragonzi rimase a lungo in silenzio, poi, come tutto taceva, accese la torcia. Il cortile era piccolo, molto più piccolo del loro, e non asfaltato. Qui dunque, su questa terra, cadevano i palloni. Di fronte, una casa bassa, a due piani, con le finestre chiuse: la casa di Kurz. Ai lati il cortile era chiuso da due muri alti come quello appena scalato, ma lungo il muro di sinistra correva una costruzione strana, luccicante. Bragonzi si avvicinò e vide che era fatta di vetro, a riquadri piombati: la serra di Kurz. Cercò di guardar dentro, ma i vetri gli restituirono solo il baglior della torcia. Il posto ideale per nasconder la scala pensò, se Kurz la vede sono spacciato. Ora venivano buoni i cacciaviti fu il suo pensiero successivo, ma non ce ne fu bisogno: la porticina era chiusa da un verricello senza lucchetto, e tanta facilità gli fece tornar subito in mente l'immonda bocca del ragno.

Spalancato il battente, vi trascinò e vi spinse dentro la scala, avendo ben cura di cancellare i solchi lasciati per terra: così, al cinema, aveva veduto fare alle *Squaws* dietro ai guerrieri lucenti. Chiusosi nella serra, riaccese la torcia per nascondere meglio la scala, e li vide. Li vide tutti, in una volta sola, e con essi le generazioni, le maglie, le speranze, le corse.

La serra era tutta scaffalata in triplice filare, due scaffalature contro i lati e una nel centro, a mo' di dorsale, sì da creare due corridoi paralleli; ogni scaffale aveva sette ripiani, ogni ripiano una fila continua di vasi, ogni vaso sorreggeva un pallone. Di diametro leggermente più grande del vaso, i palloni sporgevano per tre quarti del proprio volume, toccandosi l'un l'altro coi fianchi come i segmenti di un bruco mostruoso. Sbigottito, indeciso se inorridire o esultare, con il cuore che gli tumultuava nel petto, Bragonzi si avvicinò concentrando il fascio di luce sopra il primo pallone dello scaffale di sinistra. Era un pallone vecchissimo, più grigio che marrone, tutto spelato e con diverse scuciture; lo toccò: la cosa più ruvida che avesse mai sentito. Sul vaso una scritta nera in carattere stampatello, sbiadita dal tempo: "8 maggio 1933". Bragonzi tremava. Illuminò il pallone seguente: questo

sembrava essersi ridotto come un vecchio maglione, e sprofondava perciò più degli altri nel vaso,
era tutto ammaccato, e pieno di macchie che pa-
rean di catrame; anche per lui, sopra il vaso, una
scritta sbiadita: "13 novembre 1933". È un sogno
pensò Bragonzi, rifiutandosi di capire. Avanzò
lentamente nel corridoio spostando il raggio di luce: 4 febbraio 1934, 28 aprile 1934, 16 maggio
1934, 1 giugno 1934, 18 giugno 1934, 3 agosto
1934, 3 settembre 1934... poi otto palloni del 1935,
sei del 1936, dieci del 1937, sette del 1938, cinque
del 1939, nessuno dal 1940 al 1945, dodici del
1946, sedici del 1947... Possibile? Abbandonò la
scaffalatura di sinistra, e portando la luce su quella centrale lesse subito: "21 luglio 1956". Questa
scaffalatura era doppia, a ogni vaso corrisponden-
done un altro che dava sull'altro corridoio: qui
corse affannato, e lesse a caso: "7 marzo 1960",
"11 agosto 1961". E finalmente lo scaffale di destra, carico di sfere del 1963, del '64, del '65, del
'66... Sopraffatto dall'emozione accelerò il passo
lungo il corridoio, verso il fondo, dove sapeva cosa avrebbe trovato... Avrebbe trovato il pallone di
Fermenti, il primissimo che vide volare dall'altra –
da questa – parte, e il pallone di Randazzo, eccoli!
e il "Totonno Juliano" (eccolo! "9 marzo 1967",
sì, accadde quel giorno), e il suo, quello rossonero
adorato, era lì (fece per prenderlo, poi ritrasse la
mano), e tutti gli altri fino al pallone di Best, eccolo là! alla luce della torcia brillava più di tutti gli
altri, ancora nuovo e profumato, e poi tutti i palloni perduti fino al giorno della conversione alle
palle di stracci, non ne mancava nessuno, cari, ca-

ri, cari! Ma ciò che gli procurò un brivido in tutto il corpo fu ciò che vide *dopo* l'ultimo pallone, anche se avrebbe potuto immaginarselo: una fila di vasi vuoti, pronti ad accogliere i nuovi arrivati...

Contemplò a lungo la vuotezza di quei vasi, illuminandone in successione l'interno, e si chiese dove fossero in quel preciso momento i palloni destinati a riempirla, in quale magazzino o vetrina, e quando sarebbero piovuti come frutti maturi dal muro, in quale data, un sedici ottobre o un venti marzo chissà. Per ora si giocava con le palle di stracci ma un giorno si sarebbe tornati alla norma, era inevitabile, e allora il signor Kurz sarebbe stato di nuovo contento. Chissà cosa pensava di quella temporanea cessazion di palloni, forse dal rumore più sordo dei colpi aveva capito la verità, e aspettava la sua ora, come faceva dal 1933... Bragonzi tornò all'inizio della serra, davanti a quel primo pallone: guardandolo, e pensando che coloro che ci giocarono dovevano avere ormai superato l'età di suo padre, considerò che i palloni con cui un individuo gioca in sua vita si perdon per mille strade, finiscon nei fiumi e sui tetti, lacerati dai denti dei cani o bolliti dal sole, si sgonfiano come prugne appassite o esplodono sulle picche dei cancelli, o semplicemente scompaiono, credevi d'averli e li cerchi dovunque, ma non ci son più, chi sa da quanto li hai persi o te li han ciulati nel parco; considerò che in questi modi si eran sicuramente dissolti tutti i palloni toccati da quei bambini, se avesse chiesto, avendoli tutti al proprio cospetto, "Dove sono tutti i vostri palloni?", quelli si sarebbero stretti nelle spalle, incapaci di render ragione

pochi metri dalla sua sedia, poi fermarsi docile nella polvere. Ciao pallone gli disse, contemplandolo con tenerezza nella luce dell'alba.

Giunto in cima al muro si accorse subito che Del Siero si era addormentato per terra, proprio sotto di lui: lo svegliò lasciandogli cadere una scarpa sulla schiena, poi recuperò la scala e scese nel cortile del Collegio. Della folla dei compagni, alla prima occasione in cui si poteron parlare, ebbe solo una percezion collettiva, senza metterne a fuoco le facce od i nomi mentre, avvolto dai loro sguardi delusi, raccontava di porte chiuse e del buio.

Nei giorni successivi piovve, e il cortile rimase deserto. La domenica la Signorina disse a Bragonzi che c'era una sorpresa, suo padre era venuto da Milano a trovarlo, si vestisse, sù svelto. Il papà lo portò al ristorante e dopo al cinema a vedere un film di Lemmy Caution, poi gironzolarono un po' per il porto a guardare le navi. Verso sera presero un taxi, ma anziché dare l'indirizzo del Collegio suo padre disse «Alla stazione». Bragonzi non fece domande, e rimase in silenzio anche nel Deposito bagagli, dove suo padre si fece consegnare una grossa borsa nera. Con un altro taxi tornarono in Collegio, e solo quando furono davanti al cancello, mentre il tassista aspettava per riportarlo in stazione, suo padre si accovacciò per terra e dischiuse la borsa. Ne uscì per primo un Soldino, ma già Bragonzi aveva cominciato a tremare; poi una stecca di pongo e un piccolo *puzzle*, e intanto da sotto si sentiva un fruscìo di *cellophane*, poi un aeroplanino di balsa da montare, poi un altro Soldino, e alla fine quel sacchetto trasparente, che suo padre gli diede dopo averlo trattenuto un po' più degli altri regali, sorridendogli in silenzio mentre lui sperava che il tremore non si vedesse al di fuori. «Grazie» disse, e voleva aggiungere qualcosa, ma mentre ci pensava suo padre era già risalito nel taxi. Allora nascose tutto sotto l'impermeabile e corse in camerata. Era l'ora passata la quale si doveva tornare in Collegio "già mangiati", perché il regolamento vietava di raggiungere tutti gli altri nel refettorio (suo padre non lo sapeva, non avendo lui mai avuto il coraggio di dirglielo), così in giro non c'era nessuno. Riposti gli altri doni nel suo armadio, Bragonzi si sedette sul letto con il sacchetto trasparente sulle ginocchia. Il sacchetto era chiuso da un cordino rosso, e insieme al pallone conteneva la pompa e l'ago per gonfiarlo, nonché una scatoletta di grasso di foca e una pezzuola di feltro coi bordi a zig-zag per ingrassarlo: aperto, liberò un delizioso effluvio di cuoio, che gli ricordò l'odore del suo paio più bello di scarpe. La pompa era gelata, il pallone meno. Introdusse l'ago nella valvola, poi incominciò a gonfiarlo con cura: un po' dell'aria di questa camera, pensò, sta finendo lì dentro, e non ne uscirà mai più. Quando anche l'ultimo pentagono si estruse convesso, staccò l'ago. Allargò lievemente le cosce per trattenere meglio il pallone, non volendo che toccasse il pavimento. Era sontuoso, un "Derby Star *Deliciae Platearum*" ancora più bello del "World Cup" di Best, chissà suo padre quanto aveva dovuto girare per averlo, e quanto l'aveva pagato, d'un bianco appena più perlaceo degli altri, con riflessi cangianti, e coi pentagoni neri incorniciati da un profilino rosso sottile, e una piccola stella gialla proprio sotto la scritta, anche Rivera l'avrebbe calciato con cautela, una cosa mai vista... Lo palpò a lungo con i polpastrelli e se lo passò sulle guance per suggerne tutta la morbidezza, poi decise di dargli ancora qualche colpo di pompa, poi tornò a carezzarlo. Guardò l'orologio: tra poco sarebbero saliti sù tutti quanti, doveva far presto. Mise pompa e sacchetto nell'armadio, e scese nell'atrio con il *Deliciae Platearum* sotto il braccio. Dall'atrio passò nella sala della televisione, quindi costeggiò il refettorio abbassandosi sotto il livello delle finestre del corridoio per non farsi vedere dai commensali; la porta che immetteva al cortile, in fondo al corridoio, era aperta, le Signorine facevano il giro subito dopo cena.

Il cortile non era ancora completamente buio, e dal cielo, ora che aveva smesso di piovere e che le nuvole si erano stracciate, si capiva che l'indomani sarebbe stata una bella giornata. Evitando le pozzanghere, Bragonzi si recò al centro del campo, dove c'era un bollo di vernice bianca ormai consumata. Guardò il pallone fra le sue mani, alla luce della luna era ancora più bello. Controllò che il dorso della scarpa destra non fosse inzaccherato, guardò il muro davanti a sé poi sopra il muro, respirò a fondo, guardò un'altra volta il pallone, lo lanciò in aria aspettando che ricadesse, quando fu a una trentina di centimetri dal suolo lo colpì con il collo del piede, e dal suono capì d'averlo colpito bene, lo vide salire veloce, stagliarsi scuro sopra una nuvola imbiancata dalla luce lunare, poi chiaro contro il cielo notturno, sembrò restare sospeso nell'aria, poi discese, scomparve dietro l'orizzonte nero del muro.

Adesso poteva tornare, e seppellirsi nel letto.

ENRICO PALANDRI

Non bisogna fidarsi degli appartamenti

C'era una porta, e non sapevo se si apriva o non si apriva. Allora io l'ho aperta; lì dietro c'era vuoto, buio, silenzio e un vento gelido che asciugava la pelle.

Ho richiuso la porta, ho dato un'occhiata alle altre stanze e siccome l'affitto era basso ho detto all'agenzia va bene, la prendo.

Era una casa come le altre, con una porta in più che non bisognava aprire. Comprai un grande armadio di noce per mettercelo davanti. Ci vollero quattro operai per portarlo dentro.

«Mettetelo lì.»

«Ma come, proprio davanti alla porta?»

«Sì, per favore.»

«Guardi che è dura muoverlo da solo un armadio così.»

«Lo so, è per questo che voglio metterlo lì davanti.»

«Ma che c'è dietro quella porta?»

«Buio, vuoto e silenzio.»

L'operaio che faceva le domande rimase un attimo zitto, poi continuò, con fare sempre più amichevole: «Potrebbe usarlo come ripostiglio, ci mette quello che non usa e che non vuole proprio buttare via. Sa, ci sono tante cose che uno dice "non mi serve più a niente, lo butto via" e magari dopo qualche tempo tornano in mente. Dove ho messo quel pezzo di corda? o quelle assi, ci farei una mensola...».

«Lo so, ma chi ci va a riprendere la roba là dentro?»

«Ma c'è proprio vuoto, buio, silenzio?»

«E un vento gelido che asciuga la pelle.»

«Magari potremmo metterci una lampadina.»

«Non credo che basti.»

«Se mi ci lascia guardare le prometto che io ce la metto.»

«Faccia pure, però è meglio che prepari tutto prima perché lì dentro due volte non entra.»

«L'attacco al filo, entro, la poso e semmai riesco.»

Gli altri tre operai hanno dato una mano al giovane che ha attaccato un filo elettrico alla presa più vicina, lo ha fatto correre lungo il muro, ha piantato dei chiodini nel mezzo della piattina facendola abilmente curvare dove necessario, ha messo un interruttore subito fuori dalla porta e a un certo punto mi ha detto: «Sono pronto».

«Se non le dispiace io l'aspetto in cucina, quando ha fatto me lo viene a dire.» Gli altri operai mi sono venuti dietro senza aprire bocca.

«Mi spiace, ho poco da offrirvi, solo dei campari soda e del bianco.»

Abbiamo sentito la porta che si apriva e quasi subito che si richiudeva. Il quarto operaio è venuto in cucina.

«Ho messo dentro la lampadina.»

«Ma com'è?» gli ha chiesto un altro.

«È freddo, buio, vuoto.»

«Strano, chissà cos'è.»

«L'affitto era basso, così l'ho presa lo stesso» ho detto io scuotendo la testa e guardando per terra. Mi vergognavo e mi scusavo.

«Però è strano... io qui non ci vivrei.»

«Ma la lampadina aiuta?»

«La lampadina l'ho messa dentro, ma non avevo acceso l'interruttore.»

«Che scemo» gli ha ribattuto uno.

«Provaci tu allora, furbone.»

«Visto che va dentro» li ho interrotti io, «può provare a sistemare il filo anche dentro? non si sa mai, magari funziona e la uso.»

L'operaio mi ha guardato un attimo come non avesse avuto davvero intenzione di provarci, ma non si è tirato indietro di fronte agli altri compagni.

Io ho iniziato a versare il vino e i campari; cercavo di cambiare discorso e chiedevo a tutti da dove venivano, se avevano famiglia; li invitavo a una leggerezza gioviale, come se finito quel lavoretto ce ne potessimo andare via tutti assieme. Invece io sarei rimasto, quella strana casa era casa mia e gli operai mi segnalavano la loro estraneità ignorando il mio imbarazzo e ascoltando attentamente i rumori del corridoio: abbiamo sentito la porta aprirsi, qualche colpo di martello, poi anche il secondo operaio è tornato.

«La luce è a posto.»

Ci siamo alzati per andare a vedere e siamo rimasti qualche momento in silenzio davanti alla porta; uno dopo l'altro gli altri due operai hanno provato l'interruttore e dalle fessure vedevamo una listarella chiara di luce. Uno mi ha guardato con aria convinta e mi ha detto: «Funziona», poi senza più parlare abbiamo spostato l'armadio davanti alla porta e lo abbiamo lasciato lì.

Le altre stanze erano piuttosto accoglienti e a modo mio mi sono affezionato alla nuova casa; sebbene la porta nascosta non mi uscisse mai completamente di mente riuscivo a vivere una vita tranquilla. La posta arrivava, avevo un tetto sopra la testa per le giornate di pioggia, un letto accogliente con la televisione vicina, una cucina sufficiente per le mie solitarie ambizioni gastronomiche. Quando poi visitavo le case di amici, o persino certi uffici, notavo sempre se i mobili erano in posizioni bizzarre, o le lievi bombature dei muri che avevano chiaramente coperto una porta, e non facevo domande. Se avessero chiesto a me cosa c'era dietro l'armadio di noce non avrei detto nulla, a questo punto, o avrei detto c'è una finta porta, di sicuro non mi sarei più avventurato a spiegare che c'era il vuoto e il silenzio. A ognuno, mi sembrava, bisogna concedere uno spazio del genere, poi ne fa quello che vuole.

L'armadio di noce era poi di grande utilità, sebbene ostruisse un po' l'ingresso in camera da letto. C'entrava di tutto, vestiti, coperte, persino altri mobili, volendo. Se dovevo rimettere a posto in fretta perché veniva qualcuno avevo preso l'abitudine di sbatterci dentro tutto, chiudevo la porta e in un attimo la casa sembrava in ordine.

Sono andato avanti così per degli anni, senza mai chiedermi come facesse l'armadio a contenere tanto; ci sono certe cose che, come mi aveva spiegato l'operaio, non buttiamo proprio via: le accompagnamo lungo un declino, lasciamo piuttosto che ci si perdano attorno, senza chiederci dove sono finite.

Poi è arrivata la signora L. e ho dovuto occuparmi di nuovo dell'armadio. A casa mia, una volta, la signora L. veniva a pulire, rimettere in ordine, prepararmi qualcosa da mangiare; era premurosa e gentile. Non la vedevo mai arrivare, la trovavo in grembiule, scambiavamo qualche battuta cortese, poi la vedevo riuscire inanellata ed elegante. Quando si vive soli si ha una strana generosità con tutti, si ascolta, si chiede e si dice senza sapere bene perché, soprattutto a casa propria. La signora L. mi parlava volentieri dei problemi della sua famiglia e io mi ero così abituato a quella conversazione che a volte fantasticavo di poterla tenere sempre con me, in un luogo lontano; alla fine mi mancava ogni volta che se ne andava, restavo ore imbambolato, stordito, a interrogare le ore vuote che disegnavano un arcobaleno gelido sopra la mia testa. Poi le cose, una dietro l'altra, reincatenavano i pensieri ad altre cose e ad altri pensieri, mi distraevo e non soffrivo più.

La signora L. cominciò un giorno a raccontarmi che il marito non l'amava, che s'era abituata a me e che pensava di lasciarlo per venire a stabilirsi in casa mia. Rimasi un po' sorpreso, nonostante l'indubbia tenerezza che provavo per lei non avevo mai manifestato altro che un cordiale cameratismo; ma non feci resistenza e lei venne a vivere con me. Ci fu subito disagio nella nostra vita comune, eravamo stati piuttosto felici nell'epoca in cui veniva a pulire, viversi a fianco violava le nostre regole d'oro. Io non potevo fare a meno di immaginare che il sentiero segreto che dalla sua vita portava una volta verso di me l'avrebbe ora portata verso qualcun altro; ma non mi sentivo davvero geloso, piuttosto irretito. Iniziarono ad apparire sottovesti, visi struccati, capelli in disordine. La tensione dei tempi in cui ogni segno marcava in qualche modo la nostra relazione si era rilassata in un'abitudine che venne presto infarcita dalle piccole angherie territoriali della vita coniugale. Fin dal primo giorno in cui si era stabilita in casa mia la signora L. aveva chiesto di spostare l'armadio di noce. Ero riuscito varie volte a far cadere il discorso, che pure tendeva immancabilmente a risorgere, mi sembrava, anche per via di quel filo elettrico lasciato dagli operai lungo il muro che adesso non si sapeva più dove andava a finire e segnalava una luce nascosta. Liberarsi di quell'armadio era diventato ineluttabile, cercavo di rimandare la decisione, di risponderle a puntate, ogni due o tre pasti, ma sapevo che non avrei resistito a lungo. Mi aspettava al varco. Un giorno la trovai in scarpe da ginnastica, blu jeans e una camicia a scacchi: non era più una signora, ma una ragazza; aveva ritrovato uno stile leggero più adatto alla sua età, forse saremmo andati d'accordo.

«Ora mi dai una mano e lo spostiamo, se no io me ne vado.»

Erano quindi solo abiti da lavoro, non una ritrovata leggerezza. La presi per mano e la portai in cucina: «Ascolta: lì dietro c'è una porta che non voglio vedere».

«Una porta? e dove va?»

«Non lo so. So che c'è buio, freddo e silenzio.»

Si alzò irritata; aveva di nuovo i modi inafferrabili, ostili dei primi tempi della nostra relazione, quando era solo la signora L. che puliva la mia casa e io pagavo; allora ogni sguardo, ogni soldo in più o in meno modificava la nostra relazione. Si cambiò d'abiti ed uscì senza aggiungere una parola.

Tornò la sera tardi, io ero già a letto. Forse per la minaccia che ora pendeva su noi di una rapida fine, senza gloria, i nostri gesti ripresero quella notte la nettezza di una volta, la bonarietà indulgente in cui ci eravamo provati nella vita insieme si era finalmente dissolta. La mattina mi alzai presto per andare a lavorare, la guardai dormire un poco, solo mezzo coperta dal lenzuolo, e pensai che le volevo bene; per quanto strana potesse suonare sulle mie labbra una frase del genere, glielo avrei detto, era vero ed era giusto dirlo.

La sera, al mio ritorno, la signora L. non c'era più. Era riuscita non so come a spostare l'armadio. Aveva lasciato le poche cose che aveva portato con sé in giro per casa, così mi illusi che sarebbe tornata. Rimisi l'armadio al suo posto e per qualche settimana lasciai le sue cose dov'erano; ma poi tutto va, anche il sentimento delle cose che vanno, ripresi a scorrere come il tempo tra i miei quattro muri, anche io tra le lancette dell'orologio, un po' irregolare ma progressivo, come se tutto fosse sempre in qualche posto avanti a me. Un giorno raccolsi le cose della signora L., le avvolsi in un fagotto e le sbattei nell'armadio.

Mi era rimasta però nelle orecchie una obiezione della signora L., dell'epoca precedente alla nostra convivenza. Aveva detto *è impossibile che in quell'armadio c'entri tutto, a un certo punto sarà pieno*. Allora non avevo alimentato la sua diffidenza dicendole che non lo avevo mai svuotato in tanti anni, ma ora ne ero stupito anche io. Cercai di ricordare un oggetto che vi avessi messo dentro e non mi veniva in mente, dovevo aprire e poi era chiaro, la racchetta da tennis, due vecchi cappotti, tre assi di abete. Aggiunsi il fagotto della signora L. e richiusi l'armadio. Un paio di giorni dopo trovai nel bagno un barattolo di non so quale crema che doveva esserle appartenuto, aprii l'armadio per aggiungerlo alle sue cose ma il fagotto era sparito. Pensai che fosse tornata mentre ero fuori, aveva ancora le chiavi. Ma già ero arrivato al punto in cui dicevo queste cose contro quello che in realtà temevo. Mi stesi a letto inquieto e caddi in un sonno agitato. Sognai che tutti i mobili di casa mia finivano a uno a uno nell'armadio, come i giorni, i pensieri, inghiottiti nel buio, nel silenzio, nel vuoto. Svegliandomi ebbi la sensazione che la casa fosse davvero diventata più piccola. Uscii per strada, era una sera vicino al Natale, i negozi erano luminosi, addobbati, e mi sembravano anche loro più piccoli. Ricordavo che feste immense erano da bambino certe vetrine, come si fossero poco per volta rimpicciolite, come pure i tanti miei sogni, di una donna bellissima e irraggiungibile, di una vita magnifica; le cose, prima di morire, pare ci debbano passare davanti agli occhi in una loro versione immeschinita, forse per aiutarci a separarcene, e sarebbe una grazia, forse per costringerci a provare misericordia per la vanità di certe aspirazioni, o per piegarci, infine e dolorosamente, alla meccanicità della vita esteriore. Finiscono i sogni e le cose stesse paiono sgonfiarsi, le case diventano più piccole, i giorni più brevi.

Comprai una torcia elettrica, delle candele e tornai a casa. Avevo vissuto tanto con quella strana porta, mi sembrava naturale che l'armadio che le avevo messo davanti, per nasconderla, ne fosse stato in qualche modo modificato.

Spostai l'armadio, provai l'interruttore e vidi di nuovo la listarella di luce filtrare dalle fessure della porta. Prima di aprire però misi cappotto, guanti, sciarpa e cappello, mi infilai in tasca candele e fiammiferi e provai la torcia elettrica. Aprii ed entrai. Con mio sollievo, dopo dieci passi, vidi che la lampadina montata dagli operai, per quanto non illuminasse dove andavo, restava visibile, e mi avrebbe aiutato a tornare. Continuai a camminare. Con la torcia scorgevo, qua e là, oggetti che mi erano appartenuti in passato e che avevo messo nell'armadio. Lo zaino, il sacco a pelo, un vecchio orologio a cucù... Non capivo bene però dove mi trovavo, sotto i piedi mi pareva d'avere dei calcinacci e del cemento. Faceva freddo, come mi aspettavo, ma il cappotto mi proteggeva bene. Poco per volta la luce della mia torcia diminuì, il buio e il silenzio divennero faticosi. Quanto ci aiutano a orientarci anche i rumori più stupidi! il traffico, le chiacchiere, le finestre che si aprono. Lo sapevo, e ne avevo nostalgia. Mi voltai, sebbene non avessi intenzione di tornare indietro; la luce montata dagli operai era ormai svanita. Salutai con il braccio, sebbene non sapessi più chi. Camminai a lungo, forse per un'ora, con una languente sensazione del tempo che passa. Tra poco un minuto sarà come un anno, pensavo, e sarà ancora buio. A un tratto mi parve di sentire una musica di carillon staccarsi dal silenzio. Era tanto che non sentivo rumori e dubitai, lì per lì, che si trattasse della mia immaginazione; ma tanto, a questo punto, che differenza fa? Così iniziai a seguire quel suono, un po' a destra, un po' dritto, ora è a sinistra. Forse anche i miei movimenti erano immaginari, o forse talmente astratti che il mio modo di notarli non corrispondeva più a nulla, ma l'inadeguatezza dei miei strumenti non mi faceva più paura, piuttosto mi faceva sorridere. Avrei potuto dire *inizio a camminare*, o *camminasti*, o *camminerà* senza che la distinzione dei tempi e delle persone indicasse più nulla. Pensavo solo ad andare, sorridevo ed ero confortato da quella musica che, fosse in qualche luogo o solo nella mia immaginazione, si faceva comunque più chiara, se non più forte. Era una musica che conoscevo, avevo avuto anche io un carillon così una volta. Tirai fuori le candele e le accesi tutte, una a fianco all'altra, in cerchio. Lì dentro c'era un bambino, il carillon era appeso a una delle balaustrate di legno della culla. Il bambino era sveglio, sorrideva e sembrava tranquillo. Ricordai poco per volta quella stanza, il disegno della carta da parati, il paralume, il cassettone. Poi dall'ombra è spuntata la mamma ed è entrata nel cerchio. L'ho vista avvicinarsi alla culla, fare dei bei sorrisi, dire delle tenerezze. Faceva freddo, dov'ero io, e dissi senza speranza: «Mi manchi tanto». Sono rimasto così, a guardarli giocare fino a quando le candele si sono consumate ed è tornato il buio. Nell'ultima luce lei ha detto: «Su su, che fai tardi come al solito». Mi sono alzato e ho camminato ancora, ormai senza più idea del tempo, prigioniero solo della mancanza. Mi lacrimavano gli occhi e tiravo su col naso. Poi ho trovato il muro e un interruttore. L'ho acceso ed ero in un'osteria; a un tavolino c'erano i quattro operai che giocavano a tressette e altra gente che non conoscevo.

«Ah, è qui finalmente. La signora L. la cerca.»

«E dov'è?»

«Di là», mi ha indicato una porta di assi e io mi sono incamminato. Ho aperto e fuori c'era un bellissimo prato, era il tramonto e gli uccelli volavano bassi. Mi sono girato verso gli operai, li ho ringraziati e gli ho augurato una buona partita. Uno di loro mi ha fatto cenno di andare pure, senza fare complimenti, gli altri erano troppo presi dalla partita.

Finalmente all'aperto, finalmente in montagna! Ecco perché faceva così freddo! Ho attraversato il prato sicuro, sapendo bene dove andavo e sono arrivato a una piccola baita ai margini del bosco. La signora L. era lì davanti che tagliava della legna e appena mi ha visto mi ha fatto un cenno con il braccio. Io ho tolto il cappello e l'ho raggiunta senza correre. Nel prato c'erano fiori selvatici e moltissimi grilli che presto avrebbero iniziato a cantare.

«Finisci tu che metto su la cena?»

Ho tolto guanti e cappotto, mi sono tirato su le maniche e ho iniziato a spaccar legna; lei dopo due minuti è tornata fuori con due bicchieri di vino e una sigaretta: «Ho messo su l'acqua ma quassù ci mette un sacco. Intanto faccio una pausina».

A me faceva piacere tutto in quel momento, l'aria, il vino, adoperare i muscoli. Di tanto in tanto riprendevo il fiato e la guardavo fumarsi la sua sigaretta, con la camicia a scacchi, i blu jeans e le scarpe da ginnastica.

«La tua roba ti è arrivata?» le ho chiesto.

«Sì, grazie.»

Tornando in cucina mi ha detto che sarebbero venuti a cena anche i quattro operai e mia madre. Le ho chiesto se lì potevamo restare, lei mi ha sorriso, mi ha passato una mano tra i capelli ed è tornata in cucina. Forse ci lasceranno restare.

MARCO PAPA

Mirko Polkan

C'era una ragazza, alla finestra. Non proprio *alla* finestra. Stava *dietro* la finestra. Impossibile distinguere qualcosa con chiarezza – viso, mano, profilo – tra le stecche della serranda abbassata fin giù.

Forse non era nemmeno una ragazza.

Qualcuno, sì, c'era, là dietro.

Con tutta la forza della memoria, dal marciapiede di fronte, cercavo nel frattempo di far apparire il suo viso, almeno, agli occhi della mente, di ricostruire con tessere sparse il suo identikit. Ma senza successo: i tratti del suo volto non mi si volevano rivelare. Soltanto del suo sorriso avevo un'impressione. O meglio, avevo un'impressione dell'impressione ricevuta, di un certo calore sparpagliato dentro. E di due dentini leggermente separati tra loro... Troppo poco per saziare la mia ansia recente.

E dire che conoscevo il suo nome e il suo indirizzo! Non ero forse, come ho detto, davanti a casa sua? Non guardavo in direzione di quella che, secondo certi calcoli e ipotesi fatti trovando il suo nome sul citofono e il numero dell'interno, presumibilmente era la sua finestra?

L'avevo conosciuta durante una gita scolastica. Della gita ricordavo: il pullman bloccato per un guasto, in alta montagna, tra due pareti di neve spalata, e il caldo divorante del ritorno attraverso una pianura che costeggiava il mare. Sotto quel sole rovente di giugno inoltrato, durante una sosta all'autogrill, costruito su un ponte sovrastante l'autostrada, lei aveva mangiato un cotechino. La sua scelta mi aveva colpito. Ma non ricordavo niente del volto, della voce, della corporatura. Poi si era messa a giocare a palla a volo con gli altri compagni, nel piazzale del parcheggio, dieci minuti prima che il pullman ripartisse, per non sprecare nemmeno un istante della vacanza. Portava un maglione blu legato con le maniche intorno alla vita. Lei era quella del maglione blu e questo era l'ultimo ricordo.

Ma dovevo averci parlato, perché sapevo, l'ho detto, come si chiamava e dove abitava.

Mentre io guardavo la finestra, un bambino guardava me.

Gli feci cenno di avvicinarsi. Lui, saltellando su un piede solo come se giocasse a campana, attraversò la strada.

Tirai fuori un foglietto dal portafoglio e ci scrissi sopra il mio nome, accompagnato dalle parole: "Ti ricordi di me?". Chiesi al ragazzo di recapitare il messaggio, gli dissi il piano e l'interno che, stando alle mie supposizioni, corrispondevano alla finestra. Lui, intascata una piccola mancia, ovvero tutto il denaro che avevo con me, riattraversò la strada saltellando e lo vidi accostarsi deciso al citofono e suonare.

Ritornò con una fotografia che, disse, gli era stata consegnata per me. Dietro c'era scritto:

"Così avrai un ricordo del mio viso. Noterai che sono abbastanza carina, che ho i capelli biondi non troppo lunghi, lo sguardo dolce."

Stetti per un po' a contemplare la foto, inebetito dalla mia passione adolescenziale, che non aspettava altro per tramutarsi nel vero amore. Poi mi avviai verso i giardini, dove volevo godermi in solitudine un po' del nuovo inaspettato sentimento.

Mi accorsi che il bambino mi trotterellava dietro.

«Che cosa vuoi?» gli dissi, con tono seccato, fermandomi all'improvviso. «Non vedi che mi sto innamorando?»

«Sì, sì, lo vedo» disse lui, saltellando da un piede all'altro, «ti sei innamorato di una ragazza che non ti ricambierà.»

«Chi ti ha chiesto un parere?» feci io. «Chi ti autorizza a prenderti tanta confidenza?»

«L'ho guardata bene, sai» disse lui, «quando mi ha consegnato la foto. Aveva una vera e propria cattiveria dentro gli occhi. Certo, lì, nella foto, non si vede. Ma è una foto vecchia: sarà di centomila anni fa. Se vuoi, ti cerco io una brava fidanzata, una veramente adatta a te. Quanti anni hai?»

«Sedici» risposi. «E tu?»

«Una trentina» disse il bambino.

Ai giardini, si sedette su una panchina e mi invitò a sedermi accanto a lui. Infilò la mano in tasca, tirò fuori un pacchetto e mi offrì una sigaretta. La accese sfregando un fiammifero, l'unico che aveva, sulla suola della scarpa. Dopodiché me la ficcò tra le labbra e mi guardò soddisfatto tirare la prima boccata.

L'aria di settembre era serena, la luce tiepida e radente, mi sentivo tranquillo. Dentro il mio pensiero d'amore, mi piaceva fumare.

Intanto il bambino incideva il suo nome, *Mirko Polkan*, con un temperino, sullo schienale della panchina. Poi se ne stette ad annoiarsi seguendo con lo sguardo le formiche che si affaticavano in mezzo alla ghiaia.

«Andiamo al cimitero, a disseppellire un arcivescovo?» disse ad un tratto, dopo essersi a lungo annoiato.

«Dove hai letto queste cose?» gli chiesi, stupito che potesse maturare simili propositi.

«Da nessuna parte» rispose, facendo spallucce. «Io leggo pochissimo. Preferisco l'azione. E nell'azione, magari, trovare la morte. La storia dell'arcivescovo l'ho vista al cinema. C'erano dei ragazzi che, al seguito di Gian Bardùlo, andavano a disseppellire un arcivescovo e gli facevano la festa.»

«Gian Bardùlo?» dissi.

«Sì, Gian Bardùlo, il comandante» disse Mirko, con un lampo negli occhi.

«E gli facevano la festa?»

Mirko annuì, muovendo la testa su e giù un paio di volte, con aria seria e perfino compunta.

«In che senso, la festa?»

«In quel senso lì... Come dite, voi?»

«Sessuale?»

«Ecco, sì: sessuale!»

298

«A un morto?» dissi.

«Proprio così, sissignore, proprio così!» ribadì il bambino, lasciando la compunzione e cominciando a ridere tutto eccitato.

A me pure veniva da ridere. Cercai di trattenermi inutilmente. E lui rideva ancora di più vedendo me ridere, e io ridevo di rimando, finché il riso comune ci costrinse a rotolarci giù dalla panchina, sulla ghiaia, dove cominciammo una lotta fra le risa più convulse, come porci in brago.

Alla fine eravamo così stanchi che cascammo addormentati. Le buffonate di Mirko avevano avuto il potere di distrarmi dal mio pensiero d'amore.

Mi svegliai prima di lui. Mi misi subito a cercare la fotografia. Non la trovavo più. Guardai nelle tasche dei pantaloni, compresa quella posteriore, dopo aver controllato se l'avevo nel portafoglio. Dove l'avevo lasciata? Non lo ricordavo più. Quand'è che l'avevo abbandonata? Come avevo potuto essere così sciocco e così poco riguardoso nei confronti della fanciulla che amavo? Disperato, perlustrai le vicinanze, compresa la panchina, sopra e sotto. Guardai in mezzo all'erba, fra i cespugli, nelle cavità e tra le radici degli alberi. Con le mani smossi il terriccio seminando il panico tra le formiche. Soltanto dopo molto tempo, quando ormai il mondo era pronto a spararmi nel pozzo oscuro dell'indegnità, ebbi l'idea di perquisire Mirko, ancora sognante e ronfante. Trovai la foto che spuntava dai pantaloni, tra canottiera e maglietta.

Non era nemmeno un po' sgualcita. Un vero miracolo, se si pensava che era finita lì probabilmente in seguito alla lotta.

Non stetti a farmi altre domande. Ripresi subito la fotografia e restai a contemplare la dolce immagine: ma mi sembrò che lei mi sorridesse con aria beffarda e un po' lontana, irraggiungibile, come di una che non mi avrebbe mai voluto. Ero lì, in piedi, con la foto tra le mani, la passavo da una mano all'altra, e quasi pregavo che cambiasse espressione, come una figurina animata, che all'improvviso i suoi occhi mostrassero uno sguardo più accogliente, quando mi sentii toccare la spalla. Mi voltai: era un vigile urbano. Mi indicò severamente il bambino ed io capii che non potevamo più restare lì. Allora, mentre il vigile si allontanava, diedi uno strattone a Mirko, che spalancò gli occhi di soprassalto, spaventato. Ancora semiavvolto nel sonno, sulle prime sembrava non riconoscermi.

«Ah sì» disse dopo un po', stropicciandosi le palpebre, «sei l'innamorato» e sbadigliò senza ritegno. «Che fame! Hai qualche soldo?»

«No, niente» dissi, desolato. Guardai nel portafoglio, ma così, per scrupolo. «Quel poco che avevo te l'ho dato prima, in cambio della commissione. Ma dovrebbe bastarti per comperarti almeno un panino.»

Mirko mi guardò come se fossi diventato matto. Non aveva più quei soldi, spiegò: ci aveva pagato la foto alla ragazza, era lei ad averli intascati.

Come, pagato? Come, intascati? Gli mollai un ceffone: «Hai fatto questo e non mi hai detto niente! Mi hai fatto credere...».

Mirko scoppiò in lacrime.

«Maledetto imbroglione!» gridai, fuori di me, trattenendomi a stento dal mettergli di nuovo, subito, le mani addosso.

Mirko, asciugandosi le lacrime con il polso, mugolò che si trattava, in fondo, di una stupidella, di una sulla quale davvero non si sarebbe potuto contare, che lui si era comportato così nient'altro che per il mio bene, per non lasciarmi a bocca asciutta, e che io mi stavo dimostrando un vero ingrato.

A questo punto nulla più mi trattenne: gli allungai due di quegli schiaffi che a momenti gli staccavano la faccia.

Allora Mirko esplose, gonfio di rabbia: «Vuoi saperla tutta? La ragazza non esiste! La fotografia ritrae mia sorella, e le parole dietro ce le ho scritte io, solo io, con le mie proprie mani, per farti contento e perché tu riprendessi serenamente i tuoi studi. Dovresti essermi grato, dovresti. I quattrini se li è presi mia sorella, naturalmente. E se tu non ci credi, io me ne frego!».

A sentire simili improntitudini, lo afferrai per un braccio, lo tirai su e gli affibbiai due calci in culo. «Cammina» gli ordinai, e a forza di calci lo feci marciare davanti a me, riempiendolo d'insulti. Ero furioso. La ragione mi aveva abbandonato. Pensavo al modo migliore di punirlo.

Attraversammo la città tra pugni e maledizioni, guardati dalla gente stupefatta, che non aveva il coraggio di fermarci. Passammo gli obelischi e le rovine del centro, il corso popolato di ragazzi rivestiti tutti uniformemente di tela azzurra, costeggiammo il fiume fino alla campagna, dove avevo intenzione di abbandonarlo come il peggiore dei cani per fargli passare la notte all'addiaccio, come meritava un traditore di quella fatta.

Mirko piangeva e guaiva: «Ho fame! Ho fame!».

Ci fermammo, e lui continuava a lamentarsi. Con una mano si massaggiava il culo e la schiena, con l'altra il collo e le spalle.

Mosso a compassione, avevo smesso di maltrattarlo. Lo guardavo tremare, ora, nel freddo della sera che diventava notte.

«Ho fame, ho fame» ripeteva Mirko, instancabile, a testa china.

Gli asciugai le lacrime con il fazzoletto.

«Vediamo se riesco a darti qualcosa» dissi.

Mi sbottonai i pantaloni. Accarezzandolo dolcemente sulla nuca, gli diedi il mio sesso da poppare, sperando di aver latte sufficiente a placarlo.

Il bambino cominciò a succhiare con impegno: il suo sguardo si rischiarava, e quasi rischiarava anche la notte, via via che lo stomaco si riempiva di latte. Ero contento di aiutarlo, ora, di averlo lì, sotto di me, quasi come un figlio mio.

Quando staccò le labbra, mi girava la testa. Dovetti sedermi sull'erba umida.

Mirko saltellava da un piede all'altro. Io guardavo dalla parte più buia della campagna. Pensavo a quella ragazza, a quel mio ricordo (o un'invenzione?), alla sua voglia di cotechino, alla sua finestra, alla fotografia con cui ero stato gabbato, a tutte le cose che accadono e che non sono accadute. Eppure potevo riconoscerla, ormai, se volevo, dovunque: anche in una macchia su un muro.

GIOVANNI PASCUTTO

Ricordi d'inverno

Il capo era Danilo ma per sapere come andarono le cose bisogna rivolgersi al sottoscritto perché Danilo non c'è più. Conviene dire subito: quel "grave danno alla collettività", così scrissero diversi giornali, non pesava sulla coscienza di nessuno. Non ci sono stati morti e i lamenti della pubblica amministrazione erano musica per le nostre orecchie. Qualcuno ricorda ancora il boato, il camino che andava giù e poi l'incendio. Che un inceneritore venisse distrutto dalle fiamme poteva sembrare curioso ma è proprio andata così. Sospettarono prima gli autonomisti e poi i rossi. Polizia e stato democratico aspettavano una rivendicazione che non arrivò mai. Danilo morì tre anni dopo in un incidente d'auto. Io rimasi zitto e buono.

Il capo era Danilo ma a scoprire che il fiume appena prosciugato nascondeva impareggiabili tesori ero stato io, perciò venni promosso vicecapo. Aldo che era l'anziano del gruppo e aveva ambizioni di comando me la giurò. Mi prese in disparte e mi disse due cose: che m'avrebbe riempito di botte al-

la prima occasione e che mia sorella era una puttana. Non reagii: riguardo a mia sorella la pensavamo alla stessa maniera.

Stavamo rovistando nel fiume quando proprio
Aldo esultò strappando dal fango un grumo rossa-
stro. «Un bomba!»

«Piano che ti sentono» disse Danilo. Aldo ripulì
la bomba in una pozza, la mostrò a Danilo. Dopo
un rapido esame il capo decretò che era marcia.

«Per me funziona» disse Aldo con aria offesa.

Danilo gliela tolse di mano, staccò l'anello di si-
curezza e la lasciò cadere ai piedi di Aldo. «Dieci
secondi e sapremo chi ha ragione.»

Aldo diventò grigiastro di colpo e prese a tremare. Agitava le braccia e guardava giù, come se si
trovasse ai bordi di un cratere e stesse precipitan-
do. Con un salto raggiunse la riva e si tuffò in una
buca dove ortiche alte mezzo metro si agitavano
alla brezza del primo pomeriggio.

Arretrarono anche Ugo e Lucio mentre Danilo,
vero capo, rimase tranquillo, a poche spanne dalla
bomba. Non potevo scappare adesso che ero vicecapo; stavo a mezzo metro da Danilo, non proprio
tranquillo ma abbastanza composto perché così si
deve comportare un vice. Per più di dieci secondi
non respirai, né sentii i familiari battiti del cuore.
Cercavo Dio, volevo farmi perdonare tutto, anche
le carognate che non avevo commesso, ma in quei
momenti Dio era imprendibile e i miei pensieri assai confusi. Mi capitò di bestemmiare e poi mi as-
salì la più nera disperazione e rimasi disperato anche dopo, quando fu evidente che Danilo non si
sbagliava: quella bomba non scoppiava mai.

Aldo riemerse pieno di vesciche e per ricostruirsi un briciolo di reputazione mi sfilò di tasca la pistola che avevo trovato un paio d'ore prima. «È un giochetto disarmarti» disse.

«Tanto è scarica.»

«Già. Difficile trovare pallottole di questo calibro.» Fece una schifezza di sorriso e aggiunse: «Se non le trovi è da buttare».

Per me moriva d'invidia. La pistola era bellissima: Luger, canna lunga una spanna, otturatore a posto. Roba da ufficiali nazi.

Avanzavamo in ordine sparso frugando nel canneto. Danilo si ferì una mano con fildiferro e maledì i disgraziati che avevano scambiato il fiume per una pattumiera. La finestra di camera mia dava proprio sul fiume bello e profondo, tutto incurvato nonostante la pianura. Percorrendo la strada non ci si accorgeva della sua presenza. In inverno era protetto dalla nebbia e in estate ci pensavano gli alberi a nasconderlo. Sul finire della guerra, raccontavano in giro, passava di media un cadevere al giorno. Bene, avanzavamo in ordine sparso e a ridosso del ponte trovammo quattro bombe a mano e un sacco pieno di pallottole. «Nuove di fabbrica» disse Danilo. Anche le bombe sembravano pronte a esplodere. Il capo le esaminò con molta cura, le ripulì con l'erba.

«Come fai a sapere che funzionano?» domandò Aldo.

«Ripetiamo il gioco di prima?»

Aldo perse di nuovo colorito. Io che avevo sposato la causa del più forte cominciai a ridere. Ugo e Lucio mi vennero dietro e allora anche Aldo finse di stare al gioco. Danilo però era serissimo e io che ero il suo aiutante mi ricomposi.

«Appena c'è l'occasione giusta le usiamo» disse Danilo guardando me e nessun altro.

Verso sera avevamo a disposizione un autentico arsenale. Io contavo tre bombe a mano, un moschetto senza calcio, qualche chilo di pallottole che non entravano nella mia Luger. Aldo aveva una dozzina di caricatori, due mine antiuomo, un proiettile da mortaio smangiato dalla ruggine e due baionette a stella. Uno dei suoi caricatori andava nella mia pistola e quattro pallottole entravano nel caricatore. Barattai i suoi proiettili con tutto quello che avevo trovato.

Lucio e Ugo si erano messi in società; avevano riempito una cassetta di proiettili. Contavano di svuotarli con tutta calma e rivendere i bossoli di rame al ferramenta. Il bottino più sostanzioso era di Danilo. Aveva trovato una mitraglietta intatta, una cartucciera ancora piena, sette bombe a mano, un tracciante e una mina anticarro.

Era un venerdì di fine agosto. La squadra di operai stava ripulendo il fiume più in su, verso il cotonificio. Il giorno dopo, aveva spiegato lo stradino a una donna che si lamentava perché non poteva lavare la biancheria al fiume, il livello sarebbe tornato quasi normale. Le pulizie riprendevano lunedì.

Mancò poco che a cena non venissi scoperto. Ogni volta che ero a tavola mio padre diventava nervoso perché, a sentir lui, mangiavo in fretta. Lui era lentissimo: masticava e rimasticava lo stesso boccone per un periodo a mio giudizio irragionevole. Teneva gli occhi socchiusi, spostava il cibo da una guancia all'altra. Deglutendo allungava il collo e le vene si gonfiavano come se da lì scendesse il cibo. Poi emetteva un rumore sordo, da lavandino.

«Il morto di fame» disse a me che ripulivo il piatto. Sapevo cosa avrebbe aggiunto. Che mangiavo come una furia per scappare al gabinetto. «E tutto questo perché?» Mi fissava come fossi il figlio del suo peggior nemico. A questo punto guardava mia madre, cioè sua moglie, come fosse stata la rovina della sua vita.

«Riccardo ti prego, il lesso si raffredda...» sussurrava la donna.

Riccardo guardava dentro il piatto quel lesso troppo sfilacciato, troppo asciutto, senza nervetti: proprio il lesso che non piaceva a lui. «Dico, almeno andasse a fare quello che fanno tutti. No, lui è diverso, chissà cosa combina al gabinetto!»

Toccava intervenire a mio fratello. «È ora di finirla» gridava e scrutava me, mio padre, mia madre, il canarino in gabbia, il posto vuoto di mia sorella. Invisibili ma palpabilissime particelle cariche di elettricità fluttuavano per la stanza. Io stringevo in pugno la forchetta, mio padre il coltello, mia madre il mestolo. Come altre volte, in quegli attimi, sentivo il bisogno di ridere. Fino a quella sera ero riuscito a trattenermi.

Piantai la forchetta sulla tavola e cominciai a ridere, poi la risata diventò uno sghignazzo. Chiusi lanciando un urlo.

Sembrava che la morte fosse entrata all'improvviso in quella casa. Tutti spiazzati, muti. Mio padre perse qualche secondo ad aggiustarsi la dentiera. Mia madre immagazzinò una grande quantità d'aria e s'immerse nel suo mondo. Mio fratello disse: «Ti senti bene?».

«Bene grazie e tu?» risposi.

Mi allungò una sberla.

Mi alzai, senza fretta. La testa mi vibrava appena appena. «Grazie» ridissi. Lo sguardo lo tenevo dritto, mica giù a contar le mattonelle come facevo sempre.

«Tu ci nascondi qualcosa» mi disse mio fratello.

Non poteva sapere della pistola. Sorrisi.

Mio padre uscì con una delle sue frasi melodrammatiche: «Maledetta famiglia e il giorno che vi ho generato!». Tossì. Mi puntò un dito addosso e proseguì: «Maledetto tu...».

Lo stoppai con un vaffanculo, aggiunsi che ero così stanco che...

«Continua fratello, continua.» Mi sentii afferrare il gomito. «Se ti stanchi che fai?»

«Niente» dissi.

Il mio braccio tornò libero. Mio fratello guardò mia madre con aria interrogativa però mia madre viaggiava ancora nel suo mondo. Io osservavo il canarino intento a frantumare il miglio. Poi mi chiusi in camera.

Quella notte faticavo a prender sonno, così presi la Luger che tenevo sopra l'armadio. Forse l'avevo oliata troppo. Mi venne da vomitare quando, infilata la canna in bocca, sentii sgocciolare. Oh, mica volevo chiudere. Non prima d'aver commesso qualcosa di veramente definitivo. Sarebbe stato un gran gesto liberare la casa dalla presenza del grande padre. Lo so, mia madre avrebbe pianto ma dopo, liquidato il lutto, avrebbe ammesso che il mio gesto, molto impulsivo, non era tuttavia immotivato. Avevo quattordici anni e una voglia matta di vedermi grande.

Il lunedì successivo Danilo, Aldo e io eravamo di nuovo nel fiume. Uno scandaglio perfetto il nostro. Arrivati ai confini del seminario, si decise una pausa.

Il seminario aveva il più invitante frutteto della zona. Le razzie cominciavano in maggio e andavano avanti fino alla raccolta delle castagne. Rubavamo di tutto. Capitava a volte di imbatterci nelle suore che lavavano tuniche ai preti e se lasciavano il sapone accanto al lavatoio, spariva anche quello. Altre volte s'incontravano i seminaristi, camminavano zitti zitti come se la vita fosse tutto un funerale. I preti anziani passeggiavano lungo l'argine, dopopranzo, per meditare in pace e favorire la digestione.

Quel lunedì, dopo aver alleggerito un melo, ci trovammo a tu per tu con l'amministratore del seminario. Don Ciro era alto quasi due metri, un cristone pieno di muscoli e certi peli attorcigliati che gli uscivano dal colletto. Afferrò Danilo per i capelli e l'altra mano cadde, pesante, sulla mia spalla. Aldo trovò il modo di svignarsela con il suo sorrisetto ciarlatano. Don Ciro, dopo averci trascinati verso il lavatoio, disse con voce stanca: «Due ladri battezzati».

«Cazzo adesso arriva la predica» commentò Danilo.

Un rovescio lo colpì in pieno viso scaraventandolo nel pantano. Si rialzò tramortito. Era sporco di fango e sangue. Sembrava confuso e se gli avessi raccontato che era caduto da un trattore in corsa, mi avrebbe creduto. Poi, mentre barcollava verso riva, mise a fuoco Don Ciro e capì. «Questa me la paghi» disse sputando sangue. Non fece molto per evitare lo schiaffo che lo raggiunse alla guancia sinistra. Era uno schiaffo abbastanza perfido per via dell'anello che Don Ciro custodiva al dito.

«È mio dovere impartirvi una lezione, giovani.» Ci costrinse a svuotare le tasche. Io avevo il temperino, quasi mille lire, fiammiferi e altre cianfrusaglie. Danilo le sigarette, cinquemila lire, un preservativo.

Don Ciro si tenne i soldi e scagliò nel fango il resto. «Grazie per l'offerta alla Madonna Pellegrina» disse. «Dio è misericordioso anche coi cretini. Per questa volta non chiamo i carabinieri.»

Con un gesto che non ammetteva repliche, ci invitò a levar le tende.

Due giorni dopo ci fu una specie di consiglio di guerra. Danilo e Aldo avevano compilato un elenco di persone da colpire. Curiosamente mancava Don Ciro. Non feci domande: il prete doveva essere una faccenda personale per Danilo.

L'elenco includeva anche il guardapesca che non ci lasciava mai in pace, l'ortolano che non ci restituiva mai il pallone e poi Ernesto, il finocchio del paese. Suggerii di inserire anche Nereo, il rottamaio che stava impestando l'aria e imbrogliava i ragazzini. Nereo si arricchiva svuotando la discarica della Base NATO che si trovava a una dozzina di chilometri a monte. Girava armato, lo so di sicuro, e per tutelare la spazzatura che teneva dietro casa aveva fatto costruire un muro più alto di quello di Berlino.

Ogni tanto dal camino che aveva ricavato in mezzo all'orto saliva un fumo nero e appiccicoso che faceva impazzire anche i tafani. Aveva anche costruito un basamento di materiale refrattario, dal colore verdastro, prelevato sempre alla Base, e per ripararlo dalla pioggia si era procurato, grazie agli amici americani, una bella lastra di amianto. Insomma aveva fatto un barbecue. Verso sera, in estate, sfornava certe pizze e certe grigliate che facevano abbaiare tutti i cani del vicinato. Poi una notte una pizza anche a cottura finita, anche a fuoco spento cominciò a brillare di una luce verde e minacciosa. I cani abbaiarono più forte e dal traliccio d'alta tensione che si trovava oltre il fiume scoccò un lampo che zigzagando tra gli alberi s'infilò nel camino del barbecue e si sciolse con un tonfo nel basamento. Calò il silenzio, Nereo e figlio rientrarono in casa e tutti e due avevano la stessa sensazione: che una mano invisibile fosse entrata in loro e viaggiasse in direzione del cuore. Cominciò a piovere e per tre giorni le mattonelle del barbecue continuarono a friggere, a brillare di notte, e il liquido verdastro sciolse anche il terreno: si formarono tanti piccoli crateri.

Nereo venne travolto da un mare di metastasi. Aveva tanto di quel cesio in corpo che seppellendolo qualcuno si chiese se fosse proprio il caso di confinarlo all'interno del cimitero. Poi la pietà cristiana ebbe il sopravvento. Il figlio lo raggiunse quindici giorni dopo e il prete accorse in tutta fretta a benedire la moglie l'antivigilia di Pasqua.

Comunque, quando proposi di inserire Nereo nella lista, il barbecue non era stato ancora inaugurato. Torniamo a Danilo e compagni: avevano stilato una lunga catena di bersagli che non mi entusiasmavano più di tanto. Avevo terminato le medie e pur di non lavorare ero disposto a continuare con gli studi, però dovevo darmi una mossa: tra meno di un mese ricominciava la scuola.

Poi avevo un unico obiettivo, mio padre. Non ci può essere indifferente una persona che si dovrebbe amare, così la pensavo. Se una persona che si dovrebbe amare non si ama, inevitabilmente si odia. Avrei provato sentimenti nuovi se mio padre fosse morto?

«Non ci sto» dissi.

Danilo era deluso.

«Il mio obiettivo è un altro» aggiunsi.

«Se ti tiri indietro sei un traditore» s'intromise Aldo.

«Sarei un traditore se mi tirassi indietro tra qualche giorno come farai tu» gli risposi.

Aldo aspettava solo l'ok del capo per rompermi

un ginocchio. «Da un traditore ci si aspetta di tutto, anche che faccia la spia.»

La storia rischiava di andare per le lunghe. Conoscevo il rivale, era un chiacchierone. Tirai a indovinare: «Io spia? Tu piuttosto vai a raccontare in giro quello che abbiamo trovato!».

«Non è vero!»

«Ho incontrato tua cugina.»

Avevo colpito nel segno: Aldo cominciò a rimpicciolire. «Io non...»

Danilo allargò le braccia come se volesse stiracchiarsi, poi lasciò cadere un pugno che finì in mezzo alla schiena di Aldo. «M'avete rotto, ognuno va per la propria strada» disse allontanandosi. Lucio e Bruno soccorsero Aldo mentre io andavo dietro a Danilo.

«Aspetta, aspetta...» lo affiancai. «L'idea della lista non mi piace, troppe complicazioni, però...»

Lo convinsi che prima di entrare in azione era indispensabile un adeguato allenamento.

Iniziammo a esercitarci con un vecchio gelso, dal tronco nodoso e pieno di scaglie. Era un gelso rosso, qualità abbastanza rara dalle nostre parti e pare che qualche contadino se lo fosse portato addirittura dall'America. Dava frutti dolcissimi. Aveva una cavità alla base e proprio questa lo rendeva idoneo ai nostri esperimenti.

Sistemammo una ventina di proiettili esplosivi. Poi ci infilammo paglia e qualche foglio di giornale. «Appena è acceso, filiamo» disse Danilo.

Ubbidii agli ordini e appena una fiammella illuminò la cavità del tronco, raggiunsi il fossato. Poco dopo arrivò anche Danilo e restammo zitti.

Non ci fu un unico botto ma una serie di esplosioni che culminarono con una raffica. Il gelso ondeggiò, il fumo usciva addirittura dai rami più alti. Un picchio precipitò a terra tramortito quindi l'albero si piegò di lato e cadde. Eravamo molto impressionati.

«Tra poco arriva qualcuno» dissi.

«Già, è meglio non farci trovare» rispose Danilo.

Lui tagliò oltre il campo di pannocchie, io filai dalla parte opposta.

Mezz'ora dopo, ero tranquillo in camera mia, sentii la sirena dei pompieri. Fu mia madre a dirmi, preoccupatissima, che c'era stata un'esplosione vicino al fienile dei contadini. E ora stava bruciando tutto: stalla e fienile. Mi gironzolava intorno, mia madre, un poco intimidita. «Ne sai qualcosa?» azzardò infine.

Feci un vigoroso no con la testa e lei tirò un sospiro di sollievo, desiderava sentirsi dire solo questo. La resi felice, povera donna.

Qualche ora dopo il contadino bussava a tutte le porte cercando i colpevoli. Sapeva che era stato qualche tanghero della zona ma non aveva prove, e poi mani e scarpe erano sporche di cenere, puzzava di stalla così doveva sostare in corridoio, l'aria stanca e triste, quasi pentito di disturbare a quell'ora gli abitanti della via. E insomma lui che andava in cerca del colpevole, finiva per scusarsi...

Danilo e il sottoscritto decisero di starsene un po' quieti. È mio dovere sottolineare che non eravamo mai stati così bellicosi. Ma avevamo trovato le armi e loro ci avevano incarognito in maniera preoccupante.

Non mostravo d'aver più paura di mio padre. Se, per esempio, scendendo per le scale lo incrociavo, immaginavo di chiudere la faccenda con uno spintone.

Mio padre ebbe l'esatta percezione di quello che mi passava in testa un sabato pomeriggio. Mi credevo solo in casa e sono uscito dalla camera con la pistola alla cintola. Non avevo soldi e sono entrato nella stanza dei miei. Era buio, ero davvero convinto che non ci fosse nessuno. Avanzavo verso l'armadio, contavo di frugare nelle tasche di mio padre per recuperare qualche moneta. Poi il letto si mosse. Ero sorpreso come un rapinatore sorpreso in casa d'altri. D'istinto sfilai la pistola. Tolsi la sicura. Voleva farmi credere di dormire, mio padre, ma sono sicuro che aveva aperto gli occhi. Li aveva aperti e chiusi un istante dopo: forse voleva negare l'evidenza oppure, chissà, si preparava davvero a morire.

Comunque, dopo quella volta, mio padre non mi chiese più nulla. Ero stato espulso dalla sua vita, dal suo passato, dai suoi sogni futuri.

Un mese dopo ricominciammo gli esperimenti. Questa volta l'obiettivo era il lavatoio del seminario che saltò in aria senza opporre la minima resistenza. L'amministratore sporse denuncia contro ignoti e da quel giorno capitava di vedere una pantera viaggiare dalle nostre parti. Mia sorella conobbe uno dei due poliziotti, mi disse che era simpatico e che ballava bene.

Avevo troppo da studiare e mi ero stancato di fare il bombarolo. Danilo voleva far saltare per aria il traliccio e io gli dissi che era pazzo, poi al buio ci stavamo tutti. «L'arma la ributto dove l'ho trovata» aggiunsi. Mi ero innamorato di una ragazzina, si chiamava Anna, frequentava la terza media, era un anno più indietro di me eppure aveva un sacco di cose da insegnarmi.

Danilo era deluso. «Promettimi una cosa sola» disse. «Promettimi di stare con la bocca chiusa.»

Anna mi aveva spiegato che non ci si poteva baciare se non schiudevo le labbra. Mi lasciai guidare da lei e fino a un certo punto la seguii con grande impegno. Poi, quando le mie mani cominciarono a viaggiare per conto loro, Anna si oppose. Era risolutissima. Disse che c'erano dei limiti, in amore, che non andavano superati. M'insegnò la difficile arte d'aver pazienza.

Non raccontai in giro di me e Danilo e avrei desiderato che anche Danilo se ne rimanesse zitto. Ma non fu così.

Mi rivelò i suoi progetti dopo capodanno.

Bisogna sapere che dalle mie parti, alla vigilia dell'Epifania, vige il rito del falò. Fuochi più alti delle case illuminavano la campagna fino a notte inoltrata. E noi ragazzi ci ingegnavamo a incendiare a tradimento i falò, tanto per rovinare la festa al prossimo.

Ora il piano di Danilo era semplice, e al medesimo tempo efficace: contava di sistemare tutto l'esplosivo che aveva accumulato dentro un falò. Ovviamente, perché lo scherzo riuscisse, i proprietari del falò non andavano avvisati.

Ridacchiai. Quello di Danilo mi sembrava un sogno destinato a non concretizzarsi.

«Che falò vuoi far esplodere?»

«Quello dei preti» rispose.

Il seminario faceva il più grande falò del circondario. Sacerdoti, suore e seminaristi si sarebbero raccolti intorno alle fiamme. Prima la nenia del rosario, poi le canzoni. Chiusi gli occhi.

«Scherzi» dissi.

«No» rispose.

Aprii gli occhi. «Lo sapevo, sei pazzo.»

«Sì.»

«Ce l'hai con l'amministratore? E allora riempigli l'auto di tritolo!»

«Ho il plastico» disse.

«Che?» Non sapevo nemmeno di che stesse parlando.

«Ho quasi otto chili di plastico. È più potente del tritolo, più della dinamite, anche...»

«Scherzi, dimmi che scherzi.» Lo presi per il colletto, si lasciava strattonare e sorrideva. «Mi stai prendendo in giro, vero che mi stai prendendo in giro?»

«No.»

«E quello che dici di avere, dove l'hai comprato, dal droghiere?»

«L'ho fregato a Nereo. Lui sa dove si trova un deposito di armi. Ci sono anche munizioni, e una dozzina di cassette con dentro il plastico.»

Aveva gli occhi di un allucinato Danilo.

Provai di tutto, tentai di commuoverlo, finii per pedinarlo. Andai anche da Nereo, che stava cominciando a costruire il suo camino.

«Il tuo errore, ragazzo» mi disse dopo essersi degnato di ascoltarmi qualche istante, «è di cercare uno strumento di giustizia e non di governo politico.»

Era un mondo di pazzi quello che avevo intorno. C'erano in giro certi ceffi da galera e si capiva che erano più armati adesso di quando c'era la guerra. Se andavo in campagna invece di trovare le impronte dei trattori c'erano i solchi lasciati dai cingolati. Due volte l'anno truppe scelte di mezza Europa venivano da noi a esercitarsi. Sparacchiavano nel greto per giorni e giorni: era importante far sapere al nemico, oltre le montagne, che il paese, il nostro paese, non dormiva.

Nel frattempo in seminario si stava ultimando quell'enorme panettone fatto di rovi, fascine e cartoni.

Trovai la forza di spiegare non proprio tutto ma quasi tutto a un seminarista. Era un eccentrico, per l'estate se ne sarebbe andato. Luigino era assolutamente privo di vocazione, in cambio era un gran centrocampista. Lo aveva ingaggiato una squadra che militava in serie C.

Lui mi ascoltò, con tono dolce e basso, da perfetto seminarista: «Ti ringrazio. Stento a crederci, comunque mi terrò alla larga dal falò».

«Non avverti i tuoi amici?»

«Non ho amici in seminario» rispose pacato.

Arrivò la vigilia dell'Epifania. Mi ero alzato presto, deciso a far la ronda intorno alla proprietà del seminario. Nessuna traccia di Danilo. Il falò era sempre là, al centro del cortile.

Mi venne un'idea. Era quasi mezzogiorno e non avevo voglia di tornare a casa. Il falò era bello e pronto, i seminaristi stavano andando in mensa. Se lo incendiassi adesso, anticipando Danilo? I seminaristi non sarebbero riusciti a costruirne uno nuovo entro la serata e Danilo avrebbe dovuto rimandare l'attentato. Decisi di attuare subito il progetto.

Avevo scavalcato la rete e, costeggiando l'argine, mi avvicinavo al falò senza dar nell'occhio. Avevo acceso qualche fiammifero e cominciavo a soffiare per alimentare il fuoco quando sentii non so quanti cani abbaiare. Un mastino napoletano guidava l'intera cucciolata dalla mia parte. Sono convinto che se fosse stato solo, quel cagnone si sarebbe limitato a spaventarmi. Ma era con la prole e la famiglia, si sa, rovina anche i rapporti animale-uomo. Insomma quella bestia doveva dare il buon esempio e mi avrebbe sbranato, ero convinto.

Tagliai attraverso il campo coltivato a erba medica.

Quel pomeriggio il cielo s'incupì. Si alzò una nebbia fredda e sfilacciata.

«Stanotte nevica» sentenziò mia madre.

Me ne stavo in camera, incapace di connettere. Appena chiudevo gli occhi vedevo il falò esplodere, i preti che volavano come stracci. Non era una bella visione. Andai a casa di Danilo. Lo avrei pregato, contavo di minacciarlo se le preghiere non bastavano. M'ero portato dietro la pistola. Danilo era scomparso. Sua madre disse che non s'era fatto vedere nemmeno a pranzo.

Tornai verso il seminario. Da grigiastro il cielo era diventato nero. Io lo giuro, dentro mi sentivo morire. Verso le sei comparvero i primi seminaristi. Alle otto avrebbero acceso e in pochi minuti la vendetta di Danilo sarebbe stata definitiva.

Un fesso di seminarista s'era portato dietro la chitarra e adesso cantava "viva la gente", "di che colore è la pelle di Dio". Ecco, sentendoli cantare, con quelle voci da angioletti, con quei faccioni puliti e positivi, pensai per un momento che forse Danilo faceva bene. Quelli volevano guadagnarsi al più presto il cielo e Danilo glielo offriva su un piatto d'argento. Provai anche a pregare, se ricordo bene, ma ero sfiduciato. Diressi allora a Dio i peggiori insulti che mi venivano e dal cielo, lo giuro, qualcuno si affrettò a rispondermi. Una serie di lampi e poi tutto un crepitio di tuoni. La temperatura si era addolcita e mentre il prete anziano con la torcia in pugno si avvicinava al falò, cominciò a piovere, poi a diluviare.

Un temporale estivo in pieno inverno, ecco la potenza del Signore! Più ero fradicio più ero felice, il terreno era molle e gli alberi non riuscivano a trattenere l'acqua. Il fiume s'ingrossava a vista d'occhio, sembrava che l'acqua ribollisse dentro i tombini. Sarebbe stato impossibile accendere un fuoco in quelle condizioni.

Passò la notte dell'Epifania e il giorno successivo pioveva ancora. Il telegiornale mostrava paesi allagati, tronconi ferroviari interrotti da smottamenti, gallerie ostruite. Fu dichiarato lo stato di calamità naturale e io toccavo il cielo con più di un dito. Poi la temperatura si abbassò e cominciava a nevicare.

Il rito del falò venne definitivamente rimandato all'anno successivo.

Una settimana dopo rividi Danilo.

«L'hai messo davvero l'esplosivo?»

Danilo disse di sì.

«Dovresti andare a riprenderlo, se lo scoprono succede il finimondo.»

Danilo mi guardò con affettuosa compassione.

Ho le prove che aveva messo davvero quell'esplosivo nel falò, e non era mai andato a recuperarlo. Ho le prove perché, un mese dopo, stufa di vedere quel cumulo di rovi e cartoni che stavano irrancidendo in mezzo al cortile, l'amministrazione pensò bene di chiamare una ruspa. La ruspa caricò tutto su un camion e il camion puntò diritto verso l'inceneritore, vanto della pubblica amministrazione.

Di notte, una limpida notte di febbraio con tante stelle in cielo e tanti cuori innamorati in terra, ci fu la terribile esplosione. Poi l'incendio. Più di mille tonnellate di schifezze. Un fungo alto e puzzolente, gli avanzi di una società civilissima si dileguarono in cielo. Per più di una settimana ristagnò nell'aria un familiare odore di letame.

CLAUDIO PIERSANTI
Formitrol

Quando un uomo si accorge di avere bisogno di una donna incontrata vent'anni prima, quando avevano appena quattordici o quindici anni, vuol dire che è esplosa una bomba nella sua vita, che ha distrutto quasi tutti i suoi anni.

Circa un anno fa, naturalmente senza farsi annunciare, è esplosa la mia bomba, e sono rimasto a lungo intontito. L'unico vivo, fra tanti, tutti quelli che mi erano attorno, morti senza il tempo di una preghiera. Morti ai miei occhi. Non c'erano più e non c'erano mai stati. La memoria si capisce che è potente soprattutto quando cancella.

Il passato remoto resta l'unico pensiero. Laggiù, in fondo a un mucchio di calendari stracciati, c'è il periodo incontaminato. Laggiù vivono ancora quelli che non hanno esercitato alcun influsso speciale sugli eventi attuali, se si esclude quello di essere appunto scomparsi dalla nostra vita, di non averla saputa modificare. Il periodo a cui ho pensato di più è l'inverno tra il sessantanove e il settanta.

Il nord della Francia era coperto di neve e continuava a nevicare fitto. Il viaggio era stato disastroso, ma anche affascinante, per noi che non avevamo mai viaggiato. Ognuno aveva tirato fuori la coperta di lana dallo zaino appena partiti da Milano, e per dieci, quindici ore avevamo bivaccato lungo un corridoio e davanti a due bagni. Eravamo in quindici, e solo due o tre avevano più di diciotto anni. Io ero tra i più giovani e anche tra i più estremisti. Ero anarchico da tempo, ma mi ero unito a quel gruppo di cattolici del dissenso perché non avevo avuto il coraggio di entrare nella sede degli anarchici. O meglio, una volta ero entrato per prendere il loro giornale, ma le foto degli anarchici fucilati appese ai muri e la faccia sospettosa del vecchio custode mi avevano intimidito. Con i miei capelli lunghi e la sciarpa nera avevo sperato di essere accolto per simpatia. Me ne ero andato senza rancore, con la speranza di fare un incontro che potesse introdurmi nel sospirato circolo Malatesta.

Nell'attesa, lunga abbastanza perché cambiassi idea, mi associai a quel gruppo che viveva in comunità in una casupola di campagna. C'erano altri anarchici, nel gruppo, di altre città, e anche loro avevano sofferto lo stesso problema di comunicazione; non avevano letto il mio Bakunin ma conoscevano tutte le bellissime canzoni degli anarchici.

Ne cantammo alcune appena arrivati nel villaggio che avrebbe ospitato il convegno sull'antimilitarismo. C'erano molti cattolici (erano loro gli ospiti, avevano buone strutture d'accoglienza e tollerabili luoghi di preghiera, sobri e silenziosi, tollerabili anche da giovani anarchici) ma anche molti reduci del maggio parigino. Ne ricordo soprattutto uno, che aveva il viso deturpato dalle botte. Il 68 mi sembrava molto lontano, ma a lui non lo dissi, e ascoltai i suoi racconti di guerra come avevo ascoltato quelli di mio nonno. Ero un anarchico che non conosceva veri anarchici, quindi non capivo nulla del presente: sapevo che Bakunin era fuggito vestito da prete, ma di Valpreda sapevo solo quel che leggevo sui giornali. Si dormiva in belle casette pulite e si passava il tempo chiacchierando nella casa in comune, calda e affollata, piena di fumo, ma anche di buone cose da mangiare. Amavo soprattutto il pain doux, e ne mangiavo tanto, preferendolo alla cena. Il vino era altrettanto buono, e faceva dimenticare il freddo. I vetri della casa erano gelati, e c'era sempre qualcuno che gridava La porte!, perché c'era sempre qualcuno che entrava o usciva. Ai tavoli si svolgevano discussioni molto animate, e non era raro ascoltare un frate che citava Marcuse. Io e i miei amici aspiranti anarchici non capivamo quasi nulla, ma eravamo felici, e chissà perché finii con l'identificarmi col pain doux che mangiavo, insomma mi sentivo buono, e non ero più convinto di voler fare un intervento a favore delle armi. Lo fece Guido, dichiarandosi contro gli eserciti ma a favore della lotta di popolo, e non so come tirò in ballo una citazione dallo Zarathustra che stava leggendo in quei giorni. Neanche quelli del 68 lo presero sul serio e dovetti consolarlo e dargli ragione tutta la sera.

Io non esistevo ancora. Ascoltavo, ascoltavo e guardavo, ma come se fossi immaturo anche per l'esperienza. Non mi aspettavo di essere amato, e neppure notato: per me era già molto se qualcuno sedeva accanto a me e mi parlava come se avessi anch'io qualcosa da dire.

Presi il mal di gola, come tanti, ma a differenza degli altri lo amai come un vecchio amico. Grazie al mal di gola conobbi Formitrol, una ragazza di Torino che suonava la chitarra. Cantava poco perché aveva mal di gola anche lei, e si curava con le pastiglie Formitrol, che erano buone anche se non facevano passare il mal di gola. La chiamai Formitrol per scherzo, e lei mi disse che potevo chiederle tutte le pastiglie che volevo, aveva parecchie confezioni di riserva. Anche Formitrol non esisteva ancora, ma sembrava sul punto di cominciare: ebbi subito l'impressione che stesse per fare una scelta, ma non me ne parlò mai. Mi parlò del padre, che faceva il poeta. Era buono, gli voleva bene, ma era tanto noioso, e non aveva il coraggio di dirglielo. Apprezzava anche lei il pain doux e il vino rosso, che erano la nostra cena abituale. Dopo, con le sigarette accese, uscivamo all'aperto. Sopra i giacconi portavamo due plaid a scacchi, con i quali ci proteggevamo dal gran freddo e dalla neve. Non saprei spiegare come ci riuscivamo, ma ci stringevamo le mani, camminando, anche se, per tener fermi i plaid procedevamo a braccia incrociate. Erano splendide le colline innevate e gelate, illuminate da chissà quale luce. Non eravamo soli, per le stradine di campagna, incontravamo spesso ragazzi olandesi un po' ubriachi che Formitrol conosceva e salutava in inglese.

Durante la nostra prima passeggiata notturna incrociammo un ragazzo che avrebbe segnato il nostro incontro, anche se non parlammo mai con lui. Formitrol lo aveva visto qualche volta a Torino, ma non sapeva il suo nome. Arrivò di notte sul suo motorino, sotto la neve. Si proteggeva con un grande sacco di plastica, ed essendo alto e grosso sembrava impossibile che avesse viaggiato su quel trabiccolo per centinaia di chilometri. Era un ragazzo triste e solitario, ma non era matto, aveva certamente grandi problemi che non riusciva a risolvere, e ci faceva tenerezza.

Era una ragazza minuta, Formitrol, e bella. Si sentiva il suo buon profumo anche in una notte gelata. Quando scivolava sul ghiaccio la tenevo stretta e le impedivo di cadere: non so per quale dono di natura è molto difficile che io scivoli o cada. Le parlai di questa mia caratteristica, che lei aveva subito notato, e le dissi che a volte mi imbarazzava, soprattutto in montagna: era contro natura, per il mio corpo, cadere a terra, la violazione di un equilibrio interno costruito con tanta cura da generazioni di montanari.

Non parlammo mai di politica, perché entrambi credevamo di averne parlato anche troppo; parlavamo con leggerezza, e ci capivamo al volo, insomma ci eravamo innamorati e non sapevamo che fare. L'aria fredda, anziché allontanarci, ci univa di più. Mi ero innamorato altre due volte, ma non avevo mai baciato chi amavo. Andò così anche con Formitrol. Non era il momento, sentivo che purtroppo non era il momento: ancora non esistevo, potevo appena parlare, ma senza dire niente. Formitrol mi capiva, forse era come me in tutto. Ai miei amici piaceva fare vita di gruppo, dormivamo nella stessa stanza, ci svegliavamo insieme, ma io ero contento solo quando incontravo Formitrol. Del convegno antimilitarista non m'importava più nulla, e disertavo tutte le sessioni mattutine, Formitrol dormiva fino a tardi, anche perché aveva le idee confuse sull'uso delle armi e i dibattiti la confondevano di più. Inoltre aveva il suo segreto da meditare, come tutti, in quello strano villaggio. Migliaia di persone si erano trovate a transitare di là con i loro pensieri segreti.

Passarono i giorni e le notti, e con Formitrol passarono bene, furono bellissimi. Facemmo visita a un monaco del luogo, che abitava in una chiesetta romanica circondata da un cortile di tombe innevate. Il monaco preparò il tè e offrì ottimi pasticcini, ma non ci parlò da monaco o da studioso. Era contento di tutto, della nostra visita, del raduno dei giovani, delle preghiere che aveva ascoltato, della neve, del tè. Uscimmo dalla sua piccola casa ridacchiando tra noi, ma in fondo il monaco ci aveva resi più sereni, e sentivamo meno freddo.

Ci sono stati tanti altri momenti, per noi due soli in quel villaggio gelido. Ore trascorse nella piacevole attesa della separazione che si avvicinava. Mi sentivo così felice che anche una separazione definitiva non avrebbe potuto turbarmi. L'ultima sera che trascorremmo insieme vedemmo ripartire il ragazzo col motorino. Era stato seduto da solo qualche ora, davanti alla finestra, incantato dalla neve che scendeva copiosa, e verso sera era corso a preparare i bagagli. Così, com'era arrivato, avvolto nel sacco di plastica, se ne ripartì, sbandando paurosamente per la discesa bianca, e lo sbuffo di fumo del suo motorino sembrava l'ultimo respiro del piccolo motore sfiancato. Formitrol uscì sotto la neve, per guardarlo, e quando tornò dentro aveva i capelli bagnati e la maglia umida. Stava per piangere, dovette scolare un'altra ciotola di vino per riprendersi. Parlammo fino a tardi, e uno dopo l'altro i nostri amici andarono a letto, ai tavoli vicini restarono poche persone, ormai tutte ubriache. Non ricordo di cosa parlammo: ci guardavamo negli occhi, questo lo ricordo, e le parole ci uscivano di bocca come il fiato. Ci stavamo amando, mentre intorno a noi si spegnevano le discussioni su un convegno appena concluso e già dimenticato.

Ci salutammo in corridoio, davanti alla porta della sua grande camera, dove dormivano in dieci. Gli zaini dei suoi amici erano già ammucchiati in corridoio, non volevano svegliare chi non partiva presto come loro. Ci baciammo le guance e ci lasciammo, promettendoci di scriverci agli indirizzi che ci eravamo scambiati, scarabocchiati su due pezzetti di carta. Giunto in camera scavalcai i corpi addormentati dei miei amici e mi sdraiai sulla mia branda. Temevo di non dormire e invece mi addormentai subito, e dormii sereno. All'alba qualcosa mi svegliò, e tenni gli occhi spalancati senza sapere perché. Di certo Formitrol non aveva fatto rumore. Aprì la porta piano piano e apparve nella luce tenue del corridoio. Restò un minuto a guardarmi senza rendersi conto che anch'io la guardavo, ma non sapevo che fare. Quando la porta si chiuse tornai ad essere solo come ero sempre stato fino a pochi giorni prima.

Delle settimane successive, passate a Parigi a diffondere periodici rivoluzionari nel quartiere latino, non è rimasto che un ricordo sbiadito. Se mi sforzo rivedo la coppia di militanti trentenni che mi ospitavano. Ogni volta che spegnevo la luce in camera mia loro cominciavano a fare l'amore e mi impedivano di dormire. Credevo che si fossero dimenticati di me, del giovane ospite sciocco e quasi invisibile.

Quel che mi accadde in quel periodo è davvero sciocco, se si esclude Formitrol. Sì, ricordo le strade buie del quartiere latino, risento la voce degli amici che gridano il nome del giornale, il poliziotto che si scalda il sedere, i bagliori delle molotov, il militante anziano che mi manda via perché sono piccolo e straniero. Formitrol l'ho perduta, mi dicevo, l'ho perduta per sempre. Frequentavo rivoluzionari ma per me erano come la legione straniera.

Alla fine di gennaio tornai in Italia e alla scuola che avevo abbandonato. Per molti anni mi dimenticai di Formitrol.

Poi, all'improvviso, dopo la bomba, quando non avevo più voglia di niente e mi mettevo alla finestra perché era l'unico posto che tolleravo, ho ripreso a pensare a lei. Mai a come sarebbe potuta essere la nostra vita insieme, sapevo che sarebbe stato stupido immaginarla. Pensavo spesso al momento in cui Formitrol aveva fatto capolino nella mia camera, e gli amici mi dormivano attorno gelosi come nemici. Lei disse: «Ciao», sottovoce, e disse anche il mio nome. C'era qualcosa che piangeva, nella sua voce.

Forse ci pensavo così spesso perché speravo di cambiare il passato, col mio ricordo ossessivo, con il mio essere lì così spesso e così addolorato e pentito. Prendevo quel ragazzo impacciato sotto il mio controllo e gli facevo scavalcare gli stupidi sacchi a pelo dei miei amici, e gli facevo gridare Vengo a Torino con te, non voglio perderti!

Perché non ho conservato il suo indirizzo, quel foglietto spiegazzato che pure ha seguito tanti miei portafogli? Non lo so, non so quando l'ho perduto. Avevo la certezza che un giorno ci saremmo incontrati di nuovo. Quando una sconosciuta tirava fuori dalla borsetta un tubetto di Formitrol il mio cuore si fermava, la guardavo negli occhi e restavo subito deluso. Non ricordavo bene gli occhi di Formitrol, speravo di riconoscerla dallo sguardo.

Quando ho cominciato a lavorare a Torino, accettando incarichi deprimenti, l'ho fatto anche per lei. Appena sceso dal vagone letto andavo in una bellissima barbieria, gestita da ragazze molto gentili e brave, che si erano abituate a quello strano primo cliente con la valigia.

Per le strade, tra migliaia di donne, speravo d'incontrare Formitrol. Una donna non molto alta dallo sguardo che è come un abbraccio. Se non ne parlavo a nessuno, se sapevo conservare il segreto, prima o poi l'avrei trovata. Non avevo veri amici, ma quasi ogni sera uscivo con tre o quattro colleghi, anche loro in transito. Si parlava spesso delle donne di Torino, alcuni dicevano che erano l'unica cosa bella della città, che gli uomini lì le trascuravano, e tutte le solite sciocchezze che si dicono sulle città in generale. Ogni battuta sulle donne di Torino mi feriva profondamente. Dolce Formitrol, se la incontrassi proprio mentre sono con questi carrozzoni sfasciati dei miei colleghi.

Incontravamo molte donne, e quasi sempre qualcuno della compagnia si fermava a dormire fuori. Noi che tornavamo in taxi al residence, alle tre del mattino, facevamo progetti per la notte successiva.

Dopo un mese cominciai a pensare che il mio trasferimento a Torino era fallito. Formitrol non l'avrei mai incontrata. Forse era andata a vivere in America, forse aveva cinque figli, forse ero diventato matto.

Eppure, anche pensandoci con freddezza, continuavo ad ammettere che lei restava la mia unica speranza. Dio aveva pensato a me e a lei perché vivessimo insieme. Non pensavo ad altro. Ma passeggiare ogni mattina per due ore, prima del lavoro, scrutare le cremerie e i magnifici bar, e i negozi, tutto questo cominciava a pesarmi.

Una mattina, mentre ormai passeggiavo senza più guardarmi attorno, ebbi l'idea che avrei dovuto avere molto tempo prima, e corsi al più vicino posteggio dei taxi. Era la mia ultima speranza, avrei voluto che l'autista corresse, che la città affollata mi lasciasse passare.

Salii alla redazione culturale e andai a parlare col redattore più anziano.

«Ti sembrerà strano» gli dissi aprendo la mia agenda pronto a scrivere, «ma ho bisogno di sapere i nomi di tutti i poeti torinesi degli ultimi vent'anni. Ti sembrerà strano, ma è una faccenda molto seria, e non posso dirti di più.» Lui non si scompose, e disse subito una decina di nomi, poi ne aggiunse degli altri, scavando sempre più a fondo nella sua memoria. Solo alla fine aggiunse: «E c'è il vecchio... certo, chissà perché penso sempre che è morto».

Sapevo che si trattava di lui: quello doveva essere il cognome di Formitrol.

Mi precipitai nel mio ufficio, che grazie al cielo era ancora deserto, e mi feci dare il numero del poeta.

«Sono un amico di sua figlia» gli dissi. «L'ho persa di vista molti anni fa e siccome sono a Torino...»

«Vuol dire Tiziana?»

«Sì!»

Ecco come si chiamava, era proprio lei, esisteva ancora. Mi ero alzato in piedi e mi premevo la cornetta all'orecchio.

«Se vuole posso darle il suo numero. Non abita più qui da anni.»

Caro, cordiale vecchio poeta, come lo amai da quel momento. Volle che gli ripetessi il mio nome e io lo scandii esattamente, e mi qualificai, nominai il giornale.

Ora Formitrol aveva un numero di telefono. Bastava comporlo e con ogni probabilità lei avrebbe risposto: «Pronto?». Non ero più in me dalla gioia, e non chiamai subito, camminai attorno ai tavoli e mi sedetti per pochi secondi su ogni poltroncina girevole. Per due volte composi il numero senza farlo squillare, poi attesi senza respirare la sua risposta.

Fu un incontro simpatico e senza imbarazzi, in un bar tranquillo del centro. Mi sembrò molto bella, ma non l'avrei riconosciuta, per strada. Il suo sguardo accarezzava ancora. Dentro di lei abitava ancora Formitrol.

Parlammo di lavoro, ma senza troppo ascoltarci, soprattutto guardandoci. Non cercammo neppure di raccontarci le nostre vite. A un certo punto, quando lei non aveva più tempo da dedicarmi, parlammo anche delle strade di Torino, e della città in generale: come due estranei. L'accompagnai fino alla porta. «Ti ho voluto tanto bene anch'io» mi disse ora che tornavo a sparire. «E me lo ricordo benissimo. Ma deve restare qui, non può più uscire.»

Due giorni dopo abbandonai il lavoro e presi il treno del pomeriggio. Le mie valige sembravano leggere, e il mio umore era sereno. Ero solo, completamente. Non c'era più nessuno, né nel passato né nel presente. Si poteva anche riderne, e ne ridevo. Il viaggio era molto lungo, ma la campagna era bella, qua e là nidi di nebbia la rendevano misteriosa e dolcissima.

Il buon umore durò per molti giorni, stabile anche se la realtà avrebbe dovuto farlo a pezzi. Non vedevo nessuno, nessuno mi cercava, e io non mi preoccupavo. Anzi, più passavano i giorni più mi sentivo sereno, come quando da ragazzo mi identificavo col pan dolce.

Avevo sempre temuto che arrivasse un momento come quello, e invece mi sentivo bene e dormivo tranquillo. Infatti mi proposero un lavoro nuovo, che sarebbe durato parecchi mesi. Un lavoro poco impegnativo.

Forse, dentro di me, sapevo che soltanto così, senza aspettare, si incontra qualcosa di nuovo.

Un sabato mattina mi svegliò il telefono.

«Ciao» disse una bella voce. «Sono Formitrol.»

«Sei tu?»

«Posso venire a trovarti? Sono alla stazione, ho appena perso una coincidenza.»

«Se puoi? Certo che puoi.»

Un'ora dopo è entrata per la prima volta in casa mia.

«Non riesco a crederci» ripeteva. Si affacciava alle finestre, rideva, mi guardava, si nascondeva gli occhi con le mani. «Non è possibile!» Ma si vedeva che cominciava ad essere felice.

ELISABETTA RASY

Matelda

Il sole del primo mattino entra nella stanza. È una stanza da studente, arredata sobriamente. Scaffali con libri alle pareti, in un angolo un bastone da sartoria con i vestiti appesi: pantaloni, tute, ma anche gonne a fiori e camicette colorate. In un cesto, dei pullover ammucchiati. Su una panchetta di paglia e legno appoggiata a una parete un singolare defilé di vecchie bambole, qualcuna in buone condizioni, qualcuna con un occhio mancante e il vestito o i capelli sfilacciati, che guardano compunte nel vuoto.

In un angolo, direttamente illuminata dal sole che entra dalla finestra, una scrivania con una doppia pila di libri e quaderni pronti per essere portati a scuola. In cima alla pila dei quaderni su una targhetta si legge: Matelda, II liceo. In cima alla pila dei libri c'è il Purgatorio di Dante.

La sveglia indica che mancano pochi minuti alle sette.

Nella stanza dove tutto è immobile, penetra dalla porta chiusa il frastuono di due voci alterate che s'incrociano e si scontrano con violenza. Una voce maschile e una voce femminile. A volte sono vere e

337

proprie urla, oppure colpi di porte sbattute o di oggetti scagliati per terra a rompere il silenzio della stanza di Matelda. La ragazza, perfettamente supina nel letto, le coperte tirate innaturalmente, rigidamente, fin sotto il mento, immobile, tiene gli occhi spalancati verso il soffitto. Quasi non sembra respirare.

Non è facile capire se sta cercando di ascoltare, e di dare un senso a quelle voci scomposte che le arrivano, oppure se, al contrario, la sua immobilità non sia uno sforzo per cancellarle, per annullarle.

La sveglia suona le sette. Matelda, con un movimento lievemente sonnambolico, è rapidamente fuori dal letto. È una ragazza alta, dal corpo atletico, un androgino dai lunghi capelli. Mentre Matelda, che si muove come se fosse sola nella casa, e non sentisse né vedesse nulla, si prepara per andare a scuola, le voci cominciano a precisarsi in un dialogo spezzato. Durante i tragitti che la ragazza compie nell'appartamento, tra il bagno e la cucina – ne esce con un bicchiere di latte e biscotti al cioccolato – le fisionomie dei due contendenti verbali, pur senza prendere corpo, si vanno chiarendo. Matelda passa accanto allo studio del padre: su un angolo di scrivania che la porta socchiusa lascia intravedere, ci sono accanto alla macchina da scrivere un fascio di quotidiani e un volume di attualità politica di recente pubblicazione a firma di un noto e gigionesco giornalista. I genitori evidentemente non stanno litigando nello studio. Non sono neanche nella loro camera da letto, dove la porta aperta inquadra preziosi indumenti femminili gettati su una poltrona, e un libro appena uscito sulla psicologia amorosa, un best seller stupido e rassicurante.

Matelda attraversa la casa come un'equilibrista sulla fune, con il vassoio della colazione su una mano. Non guarda attorno a sé, sembra non sentire, ma forzatamente sente.

Matelda non vuole sapere, ma sa cosa sta succedendo, e dall'intreccio delle voci duellanti, dalle telefonate che arrivano, la storia si capisce. La nonna di Matelda sta morendo. È vecchia, e la morte era attesa da molto tempo. Soprattutto dal padre di Matelda, figlio della vecchia moribonda, che ora in telefonate concitate parla con la clinica dove la madre è ricoverata. Il padre se ne andrà di casa, giura, non appena la vecchia sarà seppellita. Ha aspettato troppo, urla. Una vicenda di denaro, moralismo, ipocrisia e risentimento prende brutalmente corpo dalle parole e dagli insulti che marito e moglie si scambiano. La moglie replica sciorinando con astio luoghi comuni recriminatori, patetici e sciocchi insieme. La loro vicenda, come i loro corpi rissosi e violenti acquattati negli angoli confortevoli della casa elegante, si perde nel frastuono sempre più forte. Le loro voci portano in scena i demoni della desolazione e del rancore.

Matelda è ora in camera sua, vestita, pronta per la scuola, e guarda i libri e i quaderni sulla scrivania. Li guarda a lungo, perplessa, immobile. Poi prende il secondo volume della Divina Commedia, ed esce. In lontananza gruppi di ragazzi entrano in una scuola. Matelda li guarda – lo sguardo è sempre assorto in qualcosa che non è né di quel luogo né di quel tempo – e poi si rimette in cammino. Il rumore del traffico per strada è assordante come a casa le voci dei genitori. Un rumore pervasivo, paralizzante, nel quale Matelda sembra aver perso per sempre la parola.

Con un passo incantato, ora davvero da agile sonnambula, velocemente è arrivata in un parco. Un vecchio parco della città: residui di natura – piccoli relitti di antichi boschi, prati molto folti a tratti – e residui di storia – statue, ma soprattutto vecchie fontane al centro di piccoli spiazzi di terra battuta a cui si arriva da sentieri che attraversano i prati, circondate da antichi muretti o da panche di pietra – si alternano agli occhi di Matelda. A un primo sguardo il giardino sembra deserto. Ma mentre lo attraversa, e lentamente si decontrae, Matelda ha alcune visioni. In effetti, le creature che incontra sembrano materializzarsi dal nulla, apparizioni, figure generate dal parco. Scivolano per i vialetti vecchi solitari e assorti, uomini con lo sguardo perso nel vuoto, o balbettanti, vecchie apprensive con il cane, vecchie maternamente nutritive con i gatti – alcune tribù – del parco, vecchie misteriose barbone, cariche di magiche buste di plastica che portano il peso del mondo. C'è poi qualche giovane ginnasta, un ragazzo che fa esercizi a torso nudo, altri che corrono. Ci sono due guardie a cavallo in giro d'ispezione, stralunate e inspiegabili nelle loro impettite divise. C'è insomma l'esigua popolazione marginale e silenziosa, miracolosamente improduttiva, che si incontra alle otto e mezzo di mattina oggi in un parco di una grande città. Dove i parchi, soprattutto se il clima è mite, accolgono i derelitti felici. Il rumore, che ha assordato Matelda fin dal risveglio, si fa sempre più lontano. Nel giardino c'è quell'aura senza tempo tinta che Matelda studia sui libri di scuola.

Improvvisamente qualcosa attrae l'attenzione della ragazza. È un brusìo di foglie, un cigolìo di sottili legni spezzati, dei tonfi sordi. Il suo sguardo si anima mentre vede cespugli che viaggiano verso una sorta di piramide sacrificale di foglie e vecchi rami, in una valletta appartata. Matelda è attratta da quella parte, e ora che è vicina le si rivela il sacerdote di quell'olocausto vegetale. È un piccolo giardiniere comunale di una giovanile età indefinibile, che si addossa e trascina arbusti e fogliame con energia, ma senza violenza. Svolge quel lavoro in assoluta concentrazione e in assoluta solitudine. Non canta, non sbuffa, è insensibile ai tonfi, in una successione dei quali la piramide cresce. Non si accorge che Matelda si sta avvicinando, malgrado lei scendendo verso la valletta smuova cespugli e foglie a sua volta. Ma quando Matelda si ferma e, immobile, lo guarda, il piccolo giardiniere improvvisamente si volta. Ha un viso infantile e scuro, come un ragazzo poco cresciuto di un'isola mediterranea. Non dice una parola, e la guarda a lungo.

Per la prima volta dal momento del suo risveglio Matelda cerca di comunicare, disserra le labbra e sembra apprestarsi a salutare il giardiniere. Ma lo sguardo del ragazzo l'arresta: lui la sta guardando vorace e vagamente impaurito insieme. Matelda non si scoraggia, e prova a sorridergli come se fosse sul punto d'informarsi sul lavoro che l'uomo sta facendo, la logica secondo la quale certe foglie vengono tagliate e altre no, che fine faranno gli arbusti ammassati, come si cura un giardino grande e vario come quello... Prima che abbia potuto aprire bocca, il giardiniere si è rimesso a lavorare. Matelda non vuole perdere quell'occasione. Si avvicina ancora, ma l'uomo continua a lavorare. Inspiegabilmente Matelda, incline al silenzio – a casa – e alla fuga – da scuola – insiste ad avvicinarsi. L'uomo stavolta si gira di nuovo a guardarla, poi accosta le mani al viso e con gesti incredibilmente rapidi le spiega. È sordomuto. Mentre Matelda lo guarda assorta, il giardiniere le sorride. Ora, come il personaggio di una vecchia comica, le illustra il suo lavoro, rispondendo alle domande che Matelda non ha avuto modo di fare. È un gioco e un sortilegio: Matelda non vuole lasciare la valletta e il suo operoso abitante. Posa per terra il libro che ha con sé, e prova ad aiutarlo, ma i rami e le foglie la sporcano di terra. Il ragazzo si avvicina e soffia sul pullover impolverato. Matelda ricomincia il lavoro, ma è incerta e maldestra, quasi ipnotizzata dai buffi gesti veloci e precisi del suo partner, che non sembra impacciato dalla sua presenza. Ogni tanto il giovane sordomuto si volta e le lancia un rapido sguardo, senza sorridere. È un dialogo inspiegabile e stretto quello che li lega, fino a che tra i due si stabilisce anche nei movimenti un imprevisto affiatamento...

Ora Matelda sta camminando sui prati, di nuovo sola. Si guarda intorno in cerca di qualcosa, mentre il popolo del giardino prosegue le sue improduttive attività. Dopo un attimo di riflessione si incammina, come seguendo una precisa direzione. È arrivata a una vecchia fontana di pietra grigia, dall'acqua chiara e limpida. Con aria soddisfatta apre il libro che ha in mano, e per la prima volta quella mattina parla. Incomincia a leggere il canto XXVIII del Purgatorio, dove Dante incontra una donna soletta che si già cantando e scegliendo fior da fiore: Matelda, appunto, il personaggio che porta il suo nome. Legge:

Vago già di cercar dentro e dintorno
la divina foresta spessa e viva
ch'a li occhi temperava il novo giorno,
senza più aspettar, lasciai la riva...

SUSANNA TAMARO

L'isola di Komodo

Non era nato così. Era nato come tutti gli altri bambini, viscido, urlante e con la pelle grinza. E non si trattava neppure di un'attitudine famigliare. La madre infatti aveva sì degli occhi grandi, ma morbidi e vellutati come quelli di una cerbiatta mentre quelli del padre, nascosti da due spesse lenti da miope, erano grigi e affossati.

Non era nato così ma già allo scadere del secondo mese, quando l'ombra lattiginosa posata sulle cornee aveva iniziato a dissolversi, i suoi occhi invece di diventare mobili e vivi si erano dilatati in mezzo al volto come due laghetti torbidi, assumendo una strana fissità. Sulle prime Ada e Arturo non ci avevano fatto caso, avevano letto in qualche manuale che la sproporzione delle parti è una caratteristica dei neonati. Convinti che il loro unico figlio fosse ormai in grado di vederli trascorrevano ore intere vicino alla culla sventolando le mani e sorridendo.

Soltanto verso il sesto mese la madre iniziò a sospettare che non tutto andasse per il verso giusto. Era un afoso pomeriggio di agosto; entrata in punta dei piedi nella stanza del bambino per sorvegliarne il riposo restò sorpresa nel vedere che era sveglio. Stava fermo con le braccia e le gambe accostate al corpo nel mezzo esatto del materasso, le palpebre aperte e le pupille, simili all'estremità di una stalattite di ghiaccio, fissavano il soffitto. Scorgendolo in quella posizione innaturale Ada pensò che potesse avere una colica oppure che soffrisse per il troppo caldo. Dolcemente allora afferrò le sue ditine tenere e cominciò a chiamarlo per nome. Ai primi richiami non rispose. La madre cambiò tono, lo chiamò con voce forte come se fosse lontano, poi cantò una canzoncina allegra, gli prese i piccoli polsi tra le mani e per incoraggiarlo ripeté «Oh issa, oh issa» più di una volta. Fece tutto questo per quasi mezz'ora, senza alcun risultato. Glauco continuava a stare nel mezzo del lettino immobile e rigido, gli occhi spalancati e lucidi come quelli dei pesci sui banchi del mercato. Sono sudata, pensò allora, e si lasciò cadere seduta sulla panchetta vicino alla culla. Sventolandosi con una rivista femminile provò a chiamarlo ancora. Lo chiamò con toni di voce diversi, ora piano ora forte, ora paurosa ora rassicurante, disse pappa un paio di volte. Sopra la testa del bambino pendeva un carillon composto da tanti uccellini in volo. Ada lo caricò e subito al suono di una ninna nanna gli uccellini iniziarono a muoversi. Alla loro ritmica danza non corrispose nessun movimento dello sguardo di Glauco.

«Non è possibile» disse Ada e si portò le mani al volto, lo coprì tutto. Non è possibile ripeté ancora. Nella strada sottostante passava il furgoncino di un ambulante: per un po' si sentirono le grida del venditore reclamizzare il prodotto poi con il rumore di un motore vecchio si allontanò e nella stanza tornò il silenzio. Ada si appoggiò con la schiena alla parete, chiuse gli occhi, abbandonò le braccia lungo il corpo e rimase così per un tempo che non seppe. Il pensiero come impazzito correva da una parte all'altra, andava avanti, indietro, indietro e avanti. Risalì con il ricordo ai mesi dell'attesa, li scrutò in ogni piega nella speranza di scorgervi qualche incidente o qualche trascuratezza che avessero potuto favorire quell'evento. Da lì iniziò a passare in rassegna tutti i suoi antenati, s'inerpicò su su fino agli avi sbiaditi dei dragherrotipi, perlustrò i rami laterali del suo albero genealogico e di quello del marito senza trovare neppure una traccia, il cenno di un probabile indizio. Allora vide se stessa piano piano diventare vecchia. Con i capelli bianchi trascinava ogni giorno da una parte all'altra della strada quel figlio goffo e quasi inerte. Si vide attraversare la strada con Glauco avvinghiato al braccio e vide Arturo, ormai in pensione, seduto in poltrona senza niente in mano, rattrappito su se stesso come un insetto tra le spire del gelo. Mutando di stagione e tinte, quel quadro si replicò davanti a lei un numero di volte pressoché infinito – immersa in un colore che andava dal grigio chiaro al grigio scuro, al nero la loro vita, la sua vita e quella di Arturo, sarebbe proseguita in quel modo fino alla fine.

Ada aprì gli occhi, strinse i pugni, sollevò le braccia per percuotere il muro. Invece di farlo però emise un sospiro profondo e raccolte tutte le sue forze raggiunse il telefono. Sapeva per averlo letto nei fotoromanzi che il destino tanto come era feroce nel colpire altrettanto era sordo alle proteste e alle suppliche. Appena udì la voce del marito dall'altro lato del filo sommerso dai ticchettii delle dattilografe riuscì a dire soltanto: «Arturo, credo che dovremmo comprare un cane».

Davanti a questa imprevista richiesta Arturo prese tempo, passò il ricevitore da una mano all'altra. Si ricordò di una voce sentita a proposito di irragionevoli stranezze delle puerpere e di come, per non fare peggiorare la situazione, non bisognasse in alcun modo irriderle o contrastarle. Con voce lenta e calma domandò:

«Da caccia o da guardia?»

Solo a quel punto la moglie non si trattenne più ed esplodendo in rumorosi singhiozzi, disse:

«Oh, Arturo, da ciechi...!»

Invece di andare al canile, nel tardo pomeriggio, con il figlio avvolto in un viluppo di coperte, andarono al più vicino ospedale.

Quasi tutti i medici erano in ferie. Dato che non erano un caso urgente attesero a lungo seduti uno vicino all'altro in silenzio in una stanza piastrellata di bianco. Quando finalmente fu il loro turno, un dottore afferrò Glauco, lo posò su un tavolo d'acciaio e cominciò a svolgere le coperte dall'involucro. Un lieve rossore imporporò le loro guance. Dentro di loro speravano che tutto si sarebbe risolto in meno di un minuto con una battuta scherzosa.

E in effetti il medico appena visto il bambino

nudo con gli occhi enormi nel mezzo della faccia non riuscì a trattenersi ed esclamò: «Dio mio, che buffo. Sembra un piccolo allocco!».

Ada e Arturo fecero una piccola risatina nello stesso istante.

«Allora» disse Ada continuando a sorridere, «lei crede che sia tutto a posto, insomma, che sia... che *non* sia non vedente?»

Il dottore aprì un armadietto di metallo, estrasse alcuni strumenti. «Lo sapremo presto» disse e senza più prestare attenzione a loro prese ad esporre davanti agli occhi attoniti di Glauco oggetti di forme e colori differenti. Dopo ogni passaggio, con una sorta di minuscolo cannocchiale posato tra il suo occhio e quello del bambino, controllava se in quelle cornee apparentemente morte fossero avvenute delle piccole dilatazioni e di che tipo fossero. Alla fine, pulendo lo strumento con un panno, disse: «È strano, davvero strano. Oltre all'aspetto ha anche la vista di un allocco!». Dopo aver ricoperto il bambino si sedette, fece accomodare i genitori dall'altro lato della scrivania e con voce pacata li rassicurò. Glauco non era affetto da un'escrescenza maligna e non era neppure vittima di qualche morbo misterioso. A causa di un'eccessiva reattività dei bastoncelli vedeva bene, benissimo. Anzi troppo. Aveva lo sguardo potente dei rapaci che volano di notte.

«Un *lusus naturae*, ecco tutto» concluse alzandosi in piedi e dopo aver consigliato loro, come unico palliativo, l'impiego di colliri astringenti e di ninne nanne, li accompagnò alla porta e li congedò.

Nei mesi che seguirono a quella visita Ada e Arturo dedicarono tutti i loro pensieri e le loro energie alle cure del bambino. Con il passare del tempo, però, come acqua stagnante che lentamente si infiltra tra le assi e le intercapedini di una casa, sulla gioia per la levità del danno, cominciò ad inserirsi una sottile inquietudine. Infatti, nonostante avessero seguito scrupolosamente tutte le indicazioni del medico, gli occhi di Glauco non sembravano affatto voler regredire verso una dimensione normale. Come se non bastasse appena Glauco iniziò a compiere i primi passi si accorsero che si muoveva in modo diverso da tutti gli altri bambini. Invece di fare corsettine goffe e improvvisi ruzzoloni, Glauco percorreva la stanza in lungo e in largo con un incedere assai simile a quello dei rettili. Indifferente alla loro presenza e a quella dei numerosi giocattoli, andava avanti indietro, da una parete all'altra, dalla porta alla finestra per pomeriggi interi. Ogni tanto, come se una voce glielo ordinasse, si bloccava all'improvviso nel mezzo del percorso e fletteva la testa di qua, di là, roteando gli occhi enormi alla ricerca di qualcosa visibile a lui solo. I genitori allora, convinti che la causa di questo bizzarro comportamento risiedesse nel fatto che non aveva mai visto muoversi altri bambini, decisero di iniziare a portarlo regolarmente ai giardinetti.

Fu una soluzione inutile e di breve durata.

Dopo un paio di giorni, infatti, le madri degli altri bambini a cui fin dal primo istante non era sfuggita la diversità di Glauco, cominciarono ad avvicinarsi ad Ada e a interrogarla con falsa benevolenza sulla causa di quei moti quasi da automa. La giovane madre, colpita alla sprovvista da tanta curiosità, dopo aver dato un paio di risposte vaghe che non avevano sortito altro effetto che quello di alimentare il morboso interesse, senza sapere neanche lei il perché, aveva risposto che si trattava dell'effetto postumo di un virus contratto da lei e il marito durante il viaggio di nozze all'isola di Komodo.

Appena ebbe finito di dirlo sentì una delle donne bisbigliare: «Komodo? Ma non è l'isola dei varani sanguinari?» e subito si pentì di averlo detto.

La voce che Glauco fosse figlio per metà di un essere umano e per metà di un varano si diffuse prestissimo nei giardinetti e nell'intero quartiere.

Soltanto una settimana dopo, però, quando Ada vide al supermercato una madre allontanare bruscamente la sua bambina da Glauco si rese conto della gravità della situazione. Avvolta la testa del figlio in un lembo del suo cappotto si diresse a passi svelti verso casa.

Quella sera Ada e Arturo discussero a lungo insieme. Alla fine, per evitare altri episodi spiacevoli, stabilirono di portarlo a prendere aria a notte fonda.

Così, per mesi, alla fine dei programmi televisivi, alternandosi nell'incombenza, scesero con Glauco in strada all'ora in cui scendono i proprietari dei cani. Tra ninne nanne, colliri e passeggiate notturne Ada e Arturo, dentro di sé sempre più delusi, resistettero per ancora un anno intero. Ai parenti e agli amici che chiedevano loro di vedere l'erede rispondevano accusando impegni improvvisi o fastidiosi malesseri passeggeri.

Un pomeriggio, dal parrucchiere, Ada lesse su una rivista femminile che l'oscurità e la penombra favorivano il distendersi delle rughe intorno agli occhi. Tornata a casa lo raccontò al marito. Dedotto insieme che se l'oscurità rilassava il contorno degli occhi, doveva rilassare anche gli occhi stessi, subito con calce e mattoni murarono l'unica finestra della camera di Glauco. Durante i pasti e le permanenze nelle altre stanze gli imposero l'uso di occhiali da sole scuri, legati dietro il capo con un grosso elastico.

In quei mesi non si confessarono mai l'un l'altro che la speranza si stava sgretolando al loro interno come i muri di una casa abbandonata. Fingevano che tutto fosse normale ed effettivamente, nelle circostanze artificialmente create, lo era.

La situazione restò invariata fino al secondo compleanno del bambino. In quel giorno, con una lunga frangia che gli copriva gli occhi, Glauco per la prima volta fu presentato ai parenti. Tutto andò bene fino al soffio delle candeline. Fu a quel punto che una zia, vedendolo muovere il capo a scatti come se stesse seguendo il volo di un insetto, esclamò: «Guardate che carino! È così piccolo e sa già imitare il camaleonte!».

La sera stessa, appena gli ospiti se ne furono andati, per la prima volta Ada ebbe un crollo. Seduta sul divano abbracciò il marito e scoppiò in singhiozzi. «Oh, Arturo» disse, «cosa possiamo fare?» e continuò a piangere come se niente potesse consolarla. Allora Arturo, impotente quanto lo era lei, sospirò e disse:

«Ne possiamo fare un altro...»

Il bambino venne al mondo esattamente nove mesi dopo. Alla nascita non mostrava alcuna anomalia. Per scrupolo, passati tre mesi, lo portarono ad una visita di controllo. Uscendo dall'ambulatorio Ada e Arturo si fermarono in un'enoteca per comprare una bottiglia di spumante.

Assorbiti dalle prepotenti necessità del neonato ben presto soppressero le passeggiate notturne di Glauco. Portarono un vecchio televisore nella sua stanza e lo sistemarono davanti al letto.

Più crescevano le risate argentine e i gorgoglii al di là della parete meno Glauco partecipava alla vita di famiglia. Durante le sue rare apparizioni sempre più spesso i genitori davano segni di fastidio. Un giorno Ada trovandolo fermo davanti alla culla del fratellino si mise a gridare come una pazza: «Vattene, non guardarlo! Vattene!» e afferratolo per un braccio lo riportò nella sua stanza.

Lentamente, quasi vi fosse stato un tacito accordo, sia lei che il marito cominciarono a credere veramente all'esistenza di quel virus malefico. Glauco non pensò mai che i suoi genitori lo odiassero, non pensò neppure a ribellarsi. Immaginava che quello fosse l'ordine naturale delle cose e, in quell'ordine, trovò uno spazio. Sebbene non parlasse e non fosse mai riuscito ad articolare più di un paio di dittonghi, comprendeva perfettamente tutti i discorsi che sentiva intorno. Nel buio della stanza imparò a conversare mentalmente con lo schermo. Quando però si accorse che le risposte che dava il televisore non corrispondevano mai alle sue domande, smise di farle.

Un giorno si entusiasmò davanti ad un documentario che mostrava migliaia di noctiluche galleggiare di notte sulla superficie dell'acqua. Davanti una di esse ingrandita al microscopio si riconobbe. Ad un tratto seppe di essere un ectoplasma luminoso e che il suo destino era di fluttuare sospeso sul limitare di spazi profondi.

Poco dopo il suo sesto compleanno venne a far visita a casa loro un'assistente sociale. Oltre la porta la sentì interrogare i genitori su perché mai non lo mandassero a scuola. Udì la voce della madre dire di non aver mai avuto un figlio con quel nome, la voce del padre sovrapporsi e aggiungere che si doveva senz'altro trattare di un errore dell'anagrafe o di un caso di omonimia e poi udì entrambi ridere forte.

Incalzati dalle domande della donna chiamarono

in salotto il loro unico figlio. «È un bambino prodigio» disse la madre, «a quattro anni suona già il flauto.» Appena le prime note tremolanti invasero la stanza, Ada e Arturo presero ad accompagnare quella musica con le parole di una canzone. Dopo circa mezz'ora l'assistente sociale, convinta davvero che si fosse trattato di un errore dei computer dell'anagrafe, scusandosi per l'inopportuna intrusione, si congedò.

Ormai privo di un nome e di una data di nascita, ignorato o quasi dagli altri abitanti della casa, Glauco visse fino ai dieci anni chiuso nella sua stanza. Pressappoco in quel periodo e in tempi molto brevi, il suo corpo si trasformò in quello di un uomo. Allora, insofferente all'immobilità, nel cuore della notte cominciò ad uscire di casa per fare passeggiate lunghe e solitarie che duravano fino all'alba. Nessuno glielo permise ma nessuno, mai, neanche glielo vietò. Usciva ogni sera dall'appartamento non appena dai fiati leggeri era certo che tutti stessero dormendo.

Un paio di volte la maniglia gli sfuggì di mano e la porta si chiuse con gran rumore. «Cos'è, Arturo?» domandò allora Ada senza aprire gli occhi. «Cosa vuoi che sia» rispose lui. «Sarà qualche gatto...»

In strada, con le mani intrecciate dietro la schiena, Glauco camminava per ore. Camminava su e giù per i vicoli tortuosi della città vecchia, da lì giungeva al mare, dal mare risaliva ai viali sciatti della periferia. Dopo l'inverno la città non ebbe più segreti per lui. Conosceva ogni via, ogni anfratto; i gatti randagi lo seguivano in fila come se fosse il pifferaio magico. Allora, insofferente, prese l'abitudine di salire su un colle alle spalle della città. Da lì era possibile dominare l'intero abitato, il mare e il porto con i movimenti dei suoi carghi. Seduto sul prato spelacchiato cosparso di sacchetti di plastica e fazzolettini di carta Glauco contemplava senza mai stancarsi il susseguirsi irregolare dei tetti e dei camini, le foreste metalliche di antenne, l'alternarsi ininterrotto della luce al buio nelle finestre degli insonni.

In quelle ore di immobilità assoluta imparò a posare il suo sguardo terribile sui muri silenziosi e freddi, imparò a perforarli. Immerso nel buio vide decine e decine di corpi inanimi rapiti nell'apparente calma del sonno. Li vide muoversi all'improvviso con gesti incontrollati delle mani, le muovevano come per scacciare qualcosa, i volti contratti in smorfie. Vide bambini svegliarsi di scatto, stare seduti in mezzo al letto gridando a più non posso. Vide bambini e anche uomini giovani e forti, dai ventri bianchi, scossi da un singhiozzare sommesso e vide anche i vecchi, vecchi senza più lacrime, con il corpo secco irrigidito come se con le unghie insanguinate si tenessero sull'orlo di un baratro.

Si alzava soltanto quando ad una ad una si spegnevano le stelle e Venere lucifera compariva in fondo, testimone dell'oscurità dissolta. Nel ripercorrere la strada verso casa si sentiva più leggero.

Non si trattava di un fatto di pendenza. Se il ritorno fosse stato in salita, si sarebbe sentito più leggero lo stesso.

Un paio di anni dopo successe un fatto increscioso. Una sera, uscendo dalla sua stanza per la passeggiata notturna, invece di trovare come sempre l'appartamento disabitato e buio lo trovò pieno di gente. C'erano uomini, donne, diversi ragazzi. Alcuni avevano dei cappellini in testa; altri, in mano, dei bicchieri di plastica. Il tavolo della stanza da pranzo era coperto da vassoi pieni di cibo, da pile di piatti e mucchi di forchette. Nel mezzo c'era una grande torta con delle candeline azzurre sopra. Incerto sul da farsi Glauco restò un istante fermo davanti alla sua stanza. Solo Ada si accorse di lui. Facendosi largo tra le persone lo raggiunse e senza dire niente con una leggera pressione della mano sul suo ventre lo respinse dentro.

Disteso sul letto con le mani dietro la nuca e davanti a sé il televisore spento, Glauco decise che era giunto il momento di andarsene per sempre.

Partì la notte dopo. Era una delle prime notti di primavera, l'aria era tiepida. Nell'oscurità dei prati brillavano le corolle delle pratoline, i petali dei primi crochi. Privo di un'identità tra gli uomini, appena fuori della città si diresse verso i campi. Da lì, camminando per giorni e giorni verso nord, raggiunse le montagne. Si era sempre chiesto guardandole dal colle se esistessero davvero o se, come quelle della televisione, fossero messe lì in fondo soltanto per rimpicciolire il cielo. Nel primo bosco si tolse le scarpe. Camminando sul muschio tenero s'imbatté in un rospo. Lo raccolse e se lo portò all'altezza del volto. Non aveva mai visto una creatura così buffa.

Proseguì ancora. Salì ai pascoli, sulle pietraie, scese nei boschi dalla parte opposta. Su un pendio, seminascosta dalle conifere trovò una grotta. Sembrava piccola e di facile accesso. Dopo averla esplorata stabilì che da quel momento in poi sarebbe stata la sua casa.

In breve imparò a conoscere il bosco intorno come conosceva i programmi televisivi. Conobbe tutti gli animali e imparò a comunicare con loro. Con i suoi occhi che ci vedevano bene, benissimo, anzi troppo, si muoveva leggero e sicuro come un gufo di notte.

Della scomparsa di Glauco non s'accorse nessuno. Già da tanto era come se non esistesse da nessuna parte. L'unica cosa che di lui non sparì, fu il nome. Nei giardinetti del suo quartiere infatti, le madri per un periodo ancora piuttosto lungo, indicando gli anfratti bui e maleodoranti tra i cespugli, minacciavano i loro bambini: «State attenti, non avvicinatevi. Là dentro vive l'uomo-varano, il mostro che incenerisce con lo sguardo».

Poi i bambini crebbero, le madri se ne andarono e la storia del mostro s'affievolì fino a sparire.

Il mostro di Komodo tornò in voga all'improvviso, qualche anno dopo. A farlo riemergere fu il corpo di un giovane ragazzo trovato una mattina dai giardinieri con il corpo lacerato da inspiegabili ferite. La vittima era un brillante studente del conservatorio. La polizia non arrivò mai né al colpevole né al movente. I genitori ammutoliti dal dolore non furono in grado di fornire nessuna indicazione.

Quella primavera nevicò come non nevicava da un decennio. Con fiocchi enormi e molli la neve cadde per giorni e giorni. Cadde sulle strade e sugli autobus, sui tetti e sulle macchine, cadde sui giardinetti. Poi, per una bizzarria meteorologica, il tempo in poche ore cambiò, s'invertì in scirocco.

Soltanto dopo una settimana il sole riuscì a prosciugare quel pantano e tra gli anfratti dei pitosfori e gli orinatoi ripresero come sempre a brulicare le lucertole e i coleotteri, i piccoli ratti.

ALESSANDRO TAMBURINI
Risveglio

L'uomo apre gli occhi nella penombra, mette a fuoco adagio lo scarno mobilio della stanza; dalle persiane filtra un chiarore diafano che sembra galleggiare a mezz'aria e riluce appena sullo specchio dell'armadio. Potrebbe essere l'alba, oppure pomeriggio tardi, ma le voci sono di ragazzi che giocano e dunque deve essere pomeriggio, se al mattino vanno tutti a scuola. C'è l'orologio, ci sono gli occhiali: le undici. Forse è domenica, e tra poco i ragazzi rincaseranno per il pranzo festivo. Ora il pallone picchia forte contro le persiane, l'uomo sussulta ma non pensa neanche di alzarsi e andare a imprecare alla finestra. Non è a casa sua, almeno questo è un punto di partenza. Tra i pensieri annaspanti solo uno prende forma, ed è la sagoma precisa di un treno.

Proprio come le bestie, sei persone in due metri imprigionate nei sedili e il più piccolo movimento di ciascuno dà il via a una sequenza di gesti meccanici e ottusi. Prima faceva freddo, poi troppo caldo, lo scompartimento è un ricettacolo di odori soffocati e guai dare spazio alla nausea. Il treno corre e i pensieri diventano sempre più lenti e pesanti, gli occhi senza memoria, senza un'immagine a cui appoggiarsi. È raro vedere qualcuno ridere lungo i marciapiedi delle stazioni, se non dietro le battute inconcludenti dei militari o di una scolaresca in gita. Sul treno il sonno è desiderio di annullamento e per dormire essere stanchi non basta. Allora provarle tutte, tappi alle orecchie, fantasie erotiche, fino alla sciarpa stretta sugli occhi, come la benda del condannato.

L'uomo solleva di scatto la testa dal cuscino e sente male, alle tempie e poi alla schiena. Deve aver dormito troppo a lungo o fuori orario, o forse è colpa del letto, della rete troppo molle che in mezzo fa la buca. Intanto però non trova niente che lo guidi fuori dal torpore. C'è ancora solo questo treno, di notte o a sera tardi.

Un vuoto mentale dura qualche minuto appena. È un varco che si colma in fretta, non occorre un grande sforzo, solo un po' di pazienza e tutto quanto in un attimo risale, come un pallone trattenuto con forza sott'acqua e poi lasciato andare. Il quadro si ricompone e di solito al centro c'è un orario, un piccolo tuffo al cuore. Dopo una breve resistenza, magari appena un accenno di protesta, ecco subito i gesti larghi di lenzuola e l'intoppo è rimosso, l'acqua nel bagno esce da tutti i buchi, water bidé e lavabo insieme.

Lui però non sa proprio come potrebbe essere il bagno, in questa casa non sua. Ancora gioca a rinviare la spiegazione che è certo di avere in testa e intanto è come essere un altro, che aspetta curioso davanti a un sipario chiuso e presto un po' si annoia. Vorrebbe dormire ancora, oppure una sigaretta, qualcosa da bere, due mani fresche per sciogliere il cerchio dalle tempie pulsanti. Gli occhi si sono abituati alla penombra, nello specchio si riconoscono pieni di sonno e l'uomo piega la testa docilmente.

Il treno già riparte e lui cammina spedito in senso opposto, incontro all'insegna gialla che indica l'uscita. Appena fuori dall'atrio chiede l'ora all'unico tassista. L'una, è molto tardi ma ha deciso di andare a piedi, per pensare a un ritmo più lento, comunque per prendere tempo. Si è avviato bilanciando le valigie ma i primi passi rivelano una stanchezza improvvisa, le gambe si muovono con una fatica che si ripercuote alla testa. Il tassista ora sorride con aria di vittoria, viene ad aprirgli la portiera e lui si butta a testa bassa dentro la vettura. Nel silenzio ovattato dell'interno il tassametro ticchetta in contrappunto col ronzio che gli vibra in testa, finché l'auto si avvia tagliando il piazzale deserto della stazione. Passa l'edicola col tettuccio verde, passano le panchine di ferro battuto sul viale delle scuole. I portici si aprono davanti al tassì come le ali di una folla muta e lui si guarda attorno con un distacco incerto, che da un momento all'altro minaccia di scivolare in nostalgia, in compassione di sé alla vista di un quadro troppo uguale a quello di una memoria sepolta. Ma lui prende un bel respiro e non si commuove, non adesso, sa che di lì a poco lo aspettano sentimenti più forti, emozioni più violente.

C'è una sveglia che suona, l'uomo allunga una mano deciso ma sul comodino non la trova, spalanca gli occhi e capisce che il suono arriva da più lontano. La sveglia è proprio la sua, ne riconosce il trillo elettrico intermittente, viene da in fondo al letto, dall'angolo in basso dove ha deposto le valigie e ora lui incomincia a ricordare, la sera avanti, l'amica e il treno e prima la notizia, dentro la busta sigillata. Intanto ha trovato la valigia giusta, spegne con sollievo la soneria. Nel buio della stanza si distinguono appena le strisce acquose tra le persiane e il riflesso tenue che si spegne nello specchio. Dalla strada non arriva alcun rumore, solo più lontano, forse a un isolato di distanza, passa veloce qualche auto con un sibilo smorzato.

Il tassista guida sicuro, si vede che ha un controllo quasi automatico su pedali e cambi di marcia, a misura di strade e distanze che conosce a memoria. C'è un nuovo spartitraffico luminoso, di dimensioni che sembrano eccessive per il piccolo e innocuo incrocio, davanti al palazzo delle poste. La pulizia si fa notare come al solito per chi arriva da fuori, sul pavé lucidato le poche insegne rimaste accese si riflettono come su uno specchio d'acqua ferma.

Il tassì ha già raggiunto l'indirizzo indicato alla

partenza ma l'uomo preferisce non fermarsi proprio davanti a casa. Dice all'autista di andare un altro po' avanti, di lasciarlo in fondo alla strada e quello, poco convinto, pigia appena l'acceleratore. Lui paga il suo silenzio con una buona mancia che l'altro intasca senza compiacimento, senza fargliela pesare. L'auto romba via, subito più veloce che col passeggero a bordo. La strada resta vuota, segnata dagli alberi e dai marciapiedi alti, dai cancelli che proteggono l'ombra segreta dei giardini. La casa sporge appena dalle altre, più massiccia, a suo tempo più signorile ma ora non tanto, appena un po' più malmessa di come lui l'ha lasciata dieci anni fa, e da quel momento diventava la casa di sua madre. Sul selciato i passi risuonano forte, passi lenti da cieco, o da chi non vuole arrivare.

Qualcuno ha socchiuso la porta, il profilo della ragazza si staglia in un fascio di luce intensa.

«Ti sei svegliato, finalmente!»

Lui, seminudo e accucciato vicino alle valigie, sorride, sente che il viso si distende.

«Ciao Cristina, scusa se mi vedi in mutande.»

«Ho sentito suonare la sveglia, per un momento mi sono spaventata.»

«Non l'ho puntata io, dev'essere scattata la soneria nel muovere le valigie.»

«Ti dispiace se resto qui mentre ti vesti?»

«Figurati, ma per favore accendi l'abatjour, non la luce grande.»

Un giorno intero seduto al finestrino, con l'odore del treno che sembra aver impregnato le mani e i capelli, non se ne vuole più andare. Non si conosce il motivo che ha spinto gli altri cinque dello scompartimento a mettersi in viaggio. Difficile credere che ogni sera a quell'ora lo stesso treno è in marcia sul medesimo percorso. È assurdo andare a cento all'ora per raggiungere una persona che è già morta, seduti, immobili dentro un vagone illuminato.

L'uomo si veste accanto al letto, si aggiusta allo specchio un ciuffo di capelli scomposti. La stanza pare molto più piccola con la luce accesa.

«Lo sai Cristina, che al liceo, quando scendevamo le scale verso la palestra sognavo sempre di potervi seguire nello spogliatoio delle donne. Mi piaceva l'idea di vedervi tutte mezze nude, si capisce, ma immaginavo ancora più eccitanti i vostri discorsi là dentro: non si sentiva altro che ridere, ti ricordi che freddo faceva?»

«Ma cosa ti viene in mente, adesso.»

«Ti sarai mica offesa?»

«Allora stavamo insieme, tu ed io, se non ti ricordi...»

«Ho paura che sei tu a non ricordare bene, avevamo già finito gli esami quando...»

«Stanotte ho fatto quasi fatica a riconoscerti, te ne sarai accorto. Ora che ti guardo meglio, invece, non mi sembri per niente cambiato.»

«Sono passati molti anni Cristina, otto, nove! Senza vederci. In certi momenti ne avrei avuto voglia, mi sei mancata.»

«*Tu* sei partito.»

«Se fossi andata via tu sarebbe stata la stessa cosa, eravamo cambiati, a me sembrava che qui non ci fosse più niente.»

«Io però ti ho invidiato molto, specialmente dopo, e mi sono ritrovata addosso una rabbia che non credevo. Per me è stato più difficile, restare qui e riuscire a sentirmi cambiata, in mezzo alle stesse cose e alla stessa gente.»

«La gente è uguale dappertutto.»

«Piuttosto avrai fame, o vuoi prima un caffè?»

Tazze enormi di caffè, dosi mai viste trangugiate d'un fiato, come fosse acqua, con tante persone che vanno avanti e indietro per la cucina, gente seduta, in piedi, parenti che conoscono la casa e sanno come muoversi. Tazze di caffè distribuite a grandi e piccoli, senza distinzione. Coi parenti non è mai andata tanto bene, e peggio dopo il rifiuto a lavorare in quell'ufficio, oltraggio mai perdonato da chi, a suo tempo, non ha potuto permettersi il lusso di scegliersi il lavoro. Meglio la vicina di casa, signora Mirella, la distributrice di caffè, che si muove più a suo agio di tutti, forse perché ha tanti anni, oltre al marito ha perso due sorelle più giovani e ne deve avere di esperienza.

Racconta che la mamma sembrava star meglio negli ultimi tempi, parlava di riprendere il lavoro e la si vedeva più serena. Alla domenica pranzavano assieme, con un'altra vicina vedova di un colonnello che viveva sola come la mamma. Ognuno portava un piatto già pronto e la mamma sempre un dolce, ma una volta venne con un arrosto e anche quello era buonissimo. Era brava ai fornelli ma per sé cucinava poco o niente, invece così si facevano compagnia.

Quando lui chiede «Lei dov'è?» i parenti gli si fanno intorno e la zia risponde per tutti, col tono con cui gli parlava da bambino.

«È in ospedale, nella camera ardente. Abbiamo pensato che fosse meglio così, anche per te che arrivavi.»

Solo domani potrà vederla e invece lui avrebbe preferito subito, si era preparato. Se l'immagina dimagrita, forse per via del nero.

Ora l'uomo è vestito e pettinato, ha riposto la camicia e la cravatta scura della sera prima, richiuso la valigia. Vorrebbe uscire da questa stanza che i pensieri hanno reso troppo contigua alle immagini del treno, alla casa di sua madre, invece si risiede sul bordo del letto, parla con una strana ostinazione nella voce.

«Inutile dirti che certi momenti penso sia stata colpa mia. Niente di drammatico, cerca di capirmi, però anche colpa mia, perché avrei potuto fare qualcosa per evitarlo.»

«Sbagli. Lei aveva la sua vita e ne era molto gelosa. Tu cosa vorresti rimproverarti? È stata la sola a non criticarti quando non hai voluto saperne della banca e te ne sei andato a fare il bohémien.»

«Perché mi conosceva, era contenta, purché lo fossi io.»

«Proprio per questo, cosa credi, che avrebbe accettato di averti vicino così, a farle da dama di compagnia? Era troppo sincera, con gli altri come con se stessa.»

«Venivo molto di rado, lo sai. C'era sempre qualcosa di più urgente da fare.»

«Vi stimavate troppo a vicenda per badare alla forma. A me è sempre piaciuto pensare che tra voi ci fosse un rapporto di amicizia, e un po' ve lo invidiavo.»

Lui si alza a rassetta il letto, lei cerca di aiutarlo ma non c'è gran che da fare.

«Sincerità, amicizia sì. Ma in quel modo, come un cane, per strada, l'avranno raccolta degli estranei, magari scambiata per una vecchia balorda. Troppa violenza, troppa cattiveria. È una scena in cui non riesco in alcun modo a riconoscerla.»

Cristina esce dalla stanza. «Ti faccio un caffè» ribadisce dalla cucina.

Le cuginette hanno ormai vent'anni, la più grande il mese prossimo si sposa. Vengono a stringergli la mano e lo guardano con la solita aria stupita e diffidente che hanno preso dai genitori, ma da parte loro gli risulta ancora più sgradevole. Meglio la signora Mirella, che dice «La mamma di lei parlava sempre, è stata tanto contenta quando si è sistemato col lavoro, prima aveva un pensiero! Ma era bravo e quando poteva veniva a trovarla, io me lo ricordo, e poi un viaggio tanto lungo!».

Gli zii, i cugini, gli amici di famiglia, sono venuti tutti ad aspettare il figlio, a rivendicare una frequentazione con la mamma e la casa che a lui da anni mancava e sembrano volergli dire che è troppo comodo arrivare solo adesso. La casa, popolata di sconosciuti, sembra già in affitto ad altri; mobili, oggetti e luci, è tutto fuori posto, sbagliato, buono solo per un rapido inventario. Alle finestre le persiane sono chiuse e le tende tirate, quasi che per questa gente la morte, più che un dolore, sia un fatto di cui vergognarsi. Solo la vicina di casa gli parla, gli resta sempre vicino, attenta che non rimanga mai senza una tazza ben colma di caffè.

È un appartamento minuscolo, quattro porte aperte su un ingressino. Lui la raggiunge in cucina.

«Per questo sono venuto, per farmi sgridare. Non c'è nessuno che conosco da tanto tempo come te.»

«Bravo, adesso siedi e dimmi cosa hai intenzione di fare.»

«Sai che non ci pensavo, in tutti questi anni, che tu abitavi nella stessa città in cui stava lei? Come se non vi collegassi l'una all'altra.»

«Vuoi anche due uova?»

«...»

«Forse è rimasto anche del prosciutto, mi dispiace perché non sei capitato bene, è una settimana che non faccio la spesa.»

«Guarda che va benissimo.»

«Allora, ti fermi un po' qui da me? Mi fa piacere, se no non te lo direi.»

«Il funerale è domani, poi non so. Al giornale devo rientrare lunedì.»

«Lasciali pure aspettare, al giornale.»

Il lampadario di vimini scende basso sul tavolo e fa brillare il piatto bordato di rosso che l'amica ha messo per lui, col pane nel cesto e la bottiglia di vino a metà.

«Non c'è molto» ripete Cristina. Insiste perché si sieda, mette il prosciutto a rosolare e sbatte le uova con una forchetta di legno, si lecca un dito, si gira, sorride, sembra chiedersi se lui l'ha vista bene, se davvero si trovano ancora simpatici. Lui è contento di poterla osservare intanto che segue le sue mosse attorno ai fornelli. Ricompone l'immagine del suo corpo, ancora snello nei calzoni larghi, nel maglione scuro di lana ruvida che fa risaltare il collo scoperto e le mani. Il vino e il caldo della cucina le hanno imporporato gli zigomi e a lui ora pare di essere vicino a un desiderio di lei di cui non aveva più memoria. Scuote la testa e trattiene un sorriso a fior di labbra, si guarda attorno e anche dell'ambiente ha ormai un'immagine precisa.

«Hai una cucina ordinatissima, non l'avrei detto.»

«Per forza, la casa è piccola, si riesce a malapena a muoversi.»

«Sono contento di rivederti, Cristina, e poi mi hai salvato. Non ce l'avrei fatta a restare ancora con quella gente odiosa. Invece è così bello essere qui con te.»

«Me l'hai già detto.»

«Sì, scusa, ma di', abiti da sola adesso?»

«Già da un anno, però non ti mettere idee strane in testa, ché deve passare un pezzo prima che ci entri un altro.» Ride, voltandosi, ma lo sguardo è dritto e fermo.

«Sei brava, Cristina.» Gli piace sentirsi pronunciare il suo nome.

Sul tavolo compaiono dei sottaceti, il formaggio, il pane tostato.

«Ci sta una sigaretta?» chiede lui.

«Solo se la fumiamo un po' per uno. Tu intanto accendi.»

La sigaretta è forte, sono quelle di Cristina. Il fumo si staglia contro la luce, azzurro sulla brace e grigio quello filtrato nei polmoni. Lui lo aspira a fondo, ripensa all'odore del treno e solo ora è sicuro di essersene liberato.

Sono così fresche le lenzuola, anche a spogliarsi storditi, da soli, lasciando cadere i vestiti per terra. Stirate e profumate di sapone, e il bello del sonno è non pensare al risveglio ma chiudere gli occhi, abbandonare la testa sul cuscino, addormentarsi come qualcuno che si allontana, dà la buonanotte e scompare. Il rumore del mondo diventa più regolare e sottile, come il ticchettio di una sveglia, nella penombra, quando non si ha urgenza di sapere che ore sono. E l'idea della morte sbadiglia e si assopisce con le altre, scende e sale da un treno, scorre via spedita dietro il funerale dei vagoni. Il sonno è una galleria e fino al risveglio c'è un tempo fitto come il buio, veloce come un gioco imparato da altri, che non si deve inventare; lascia tracce tenui e tremolanti, come le strisce di luce che trapelano al mattino attraverso le persiane socchiuse. E ora, quanto ha dormito? Quasi un'ora, con ostinazione, pur di tenere lontani i pensieri e cancellare il rollio del convoglio, il velluto stinto del sedile, il vetro appannato. La campagna è punteggiata di luci, il treno sobbalza sugli scambi, trascina con sé le campane del passaggio a livello e il bagliore dei fari incolonnati.

Si aprono le porte sul corridoio, i passeggeri si affacciano, chi si prepara a scendere e chi accende la sigaretta al finestrino. Il treno non è ancora entrato in stazione e lui è già davanti al predellino, la mano pronta ad aprire lo sportello, perché non gli pare vero di poter saltare giù e respirare l'aria fresca della sera.

Tra le poche persone in attesa, sotto la pensilina, si fa avanti una signora alta, in pelliccia, con folti capelli grigi sciolti sulle spalle.

«Mamma, ma cosa ti viene in mente di venire in stazione a quest'ora!»

La signora ha occhi sfavillanti, gli va incontro con passo deciso, preparandosi all'abbraccio.

«Lo sai che solo di sera mi sento in forze, e poi ho preso un tassì. Ma Cristina, e i bambini? Sei venuto solo.»

«Il piccolo aveva un po' di febbre e hanno preferito restare, sai, il viaggio è lungo e sarebbe stato uno strapazzo. Ho pensato che te li porto tutti per Natale, e manca appena un mese.»

Lei lo prende per braccio e in quella stretta energica anche il torpore delle membra scompare. Dormirà nella sua stanza di ragazzo, come sempre quando viene da solo a trovare sua madre.

PIER VITTORIO TONDELLI

Ragazzi a Natale

BERLINO OVEST. Eccomi qui a girare come un avvoltoio attorno a quel rudere della Gedächtniskirche, la chiesa della memoria, un campanile semidistrutto dai bombardamenti che, nel centro della città, dovrebbe ammonire gli uomini e il mondo ricordando loro il trucido mattatoio dell'ultima guerra. Lì, all'Europa Center, fra negozi illuminati e il traffico veloce della sera, i taxi, le automobili, i veicoli degli eserciti alleati, mi fa più che altro l'effetto di uno spartitraffico. Ci sono a Berlino ben altri segni della follia distruttrice della guerra, ci sono ancora case dall'intonaco scalfito dai proiettili, ci sono edifici che hanno conservato intatta solo la facciata, il resto sono cumuli di pietre coperte di neve. Ma in fondo la vera tragedia è che sono qui, solo, con nemmeno tanti soldi in tasca, a girare come un disperato nel traffico della città, a sentire che tutti si augurano Buon Natale e Buon Anno e io ancora non ho imparato bene questa benedetta lingua. La guerra, la vera guerra, dice Klaus, è questa: non l'odio che getta le persone una contro l'altra, ma soltanto la distanza che separa le persone che si amano. Stasera, stanotte, in questa vigilia natalizia, non sono che un povero studente italiano di ventiquattro anni perduto nella metropoli, senza un amico, senza una ragazza, senza un tacchino farcito da divorare bevendo birra e sekt. Se no va bene. Per questo, in un certo senso, io sono in guerra.

Lascio la Kudamm seguendo il traffico fino a Wittembergplatz. Il cielo è straordinariamente nero e puntellato di stelle. Al Sud, soltanto in Italia, sarebbe una notte dolcissima e profumata. Qui non sento odori, né, in fondo, è limpidezza questo soffitto vuoto e gelido, spazzato dal vento ghiacciato, e mi costringe a camminare alzando le spalle e guardando fisso a terra. La neve, caduta qualche settimana fa, è ammucchiata in blocchi di ghiaccio ai lati della strada. I berlinesi dicono che è un Natale mite, questo, in realtà è Siberia. Continuo a camminare, sto cercando di concentrarmi, devo trovare una via d'uscita, non posso passare questo mio primo Natale in terra di Germania solo, gettato in strada come un pidocchio. Klaus, il mio compagno di casa, è tornato in famiglia ad Amburgo per le feste di fine anno e così gli altri nostri amici Hans, Dieter, Rudy: chi a Monaco, chi a Francoforte, chi a Stoccarda. È rimasta Katy, l'unica berlinese del nostro giro, amica di Klaus, ma ha un cenone con parenti e affini e non mi ha potuto invitare. Sento improvvisamente odore di hamburger, alzo la testa, vedo un chiosco ai lati della strada, che frigge salsicce e patatine. Compro il mio pranzo di Natale, qui a Wittembergplatz e lo consumo guardando le vetrine illuminate e sontuose dei grandi magazzini KaDeWe che espongono decine e decine di abiti da sera, i più costosi sono quelli italiani. Ma in fondo non ho problemi di solitudine. Quello che mi manca è qualcuno, la sera, con cui sedermi al tavolo di una birreria e bere un bicchiere. Se no va bene.

ROMA. Tutto il pomeriggio che sto dietro a 'sto accidenti di permessino trentasei ore, girando fra la palazzina comando e la fureria e la maggiorità come un invasato isterico, battendo i tacchi e salutando meglio che posso e mettendo lì sul tavolo, bene in vista, il fatidico foglietto che mi autorizzerà a fuggire da questa maledetta caserma, fare un salto in albergo, prendermi una buona doccia, indossare un abito pulito e poi filare dritto dritto alla festa di Clara. E invece sono ancora bloccato in branda, manca la firma del colonnello e non posso schiodare. Mi verrebbe voglia di telefonare a quel pirla di cugino generale di cavalleria (pardon, dei Lancieri) che mi ha consigliato di fare il militare qui dicendomi vedrai, non ti faranno problemi per le licenze, sarai a casa quando vuoi eccetera, eccetera. E invece ecco qui il lanciere Giulio Marini, ormai isterico e devastato per un misero trentasei che nessuno ha la gentilezza di firmargli, con la prospettiva di rinunciare a una festa che fra poche ore inizierà e che non lo potrà vedere tra gli invitati! Cristo! Io gli telefono a quel pirlone e gli dico questo e quello, e anche quest'altro, eh, lo capirà con chi ha a che fare, ci sono tante sbarbe che mi aspettano, mica posso stare qui con 'sti imbecilli terroni in caserma! La notte di Natale! Figurarsi!

Ma che si fottano tutti! Ora vado di là, chiamo Udine e il cugino generale Vitaliano e mi sentirà quante ha da dirgli il lanciere Marini... Peccato soltanto che papà e mamma siano in montagna e sia ormai inutile provare a telefonare. A quest'ora saranno già cotti dallo champagne in un qualche bell'albergo. Magari avranno anche la neve.

CORVARA. Marisa è stupenda. Veramente fuori dall'ordinario. Abbiamo sciato tutto il giorno al Pralongià, piste facilotte, sia ben chiaro, però ottime per conoscersi e fare conversazione non essendo troppo impegnati nelle discese. Erano già tre giorni che la tenevo d'occhio, quei suoi capelli biondo-cenere che tiene sciolti sulle spalle, il suo modo di fare le discese e poi quel suo vestirsi con disinvoltura, mica tanto tute e scarponi lunari e robe del genere, ma un paio di pantaloni di lana elastica neri che lei dice autentici Fifties, di Laura sua sorella grande; e quegli scarponi ridicoli così vecchi da spezzare le caviglie, senza ganci e invece, addosso a lei, che classe e che garbo. Le altre del nostro giro sembrano tacchinelle tutte in fila e tutte sceme, stanno sempre lì a fare gli spazzaneve come tante della nettezza urbana, una attaccata all'altra come ochine. Marisa invece, che nonchalance...

ROMA. La frittata è fatta. La Maggiorità ha chiuso. Il Colonnello non si è fatto vedere. L'aiutante maggiore si è dileguato, il Tenente di picchetto, che potrebbe firmare, evita di assumersi la responsabilità anche quando gli faccio leggere il codice militare dove si dice che in mancanza di diretti superiori è lui, il fedigrafo, il reggitore della baracca. Il mio permesso langue nel buio di un qualsiasi ufficio, diomio, che tristezza. Potrei ancora andarmene in libera uscita, ma a questo punto lasciare alle undici e mezza una festa, per rientrare in branda, che senso ha? E se facessi una fuga? No, nemmeno pensarci. Gli amici fidati che mi dovrebbero coprire al contrappello sono in licenza. Sono stanco, annoiato e depresso. Rimango in branda a slumare il soffitto, le mani incrociate dietro la nuca, la sigaretta agli angoli della bocca. I najoni hanno cominciato da un po' a fare schiamazzi, i cucinieri, le guardie e gli altri paria sono venuti nella camerata semideserta con fiaschi di vino dei castelli e qualche panettoncino rubacchiato nel magazzino viveri. Si abbracciano e gridano e cantano guardando le foto delle ragazze. Di questa ciurmaglia non capisco né le parole né i gesti, sono arabi per me. È ormai mezzanotte. Piangerei dalla rabbia.

CORVARA. Ho fatto prestissimo stasera a far fuori il pranzo tradizionale di ogni vigilia e cioè tortelli di zucca con amaretti e brandy, pesce marinato di Comacchio, anguilla e salmone fresco. Davvero un record. Lunghissime sono state invece quelle avemarie che la nonna ci obbliga a recitare in piedi davanti alla tavola imbandita e illuminata dalle candele rosse, ogni anno alle nove in punto, un rosario completo con tutti i misteri e le glorificazioni e le beatificazioni. Non vedevo l'ora che finisse, infatti, poi ho assaggiato un po' di capitone e sono corso qui alla festa di Marisa. È un Natale stupendo. Una di quelle cose che si scrivono sui temi a scuola, la neve fuori dalle finestre della baita, il panettone, i dolcetti, le bibite e anche lo spumante benché siamo tutti minorenni e i nostri ci abbiano proibito di bere alcolici. Marisa è al centro della festa. Saremo una ventina qui nel soggiorno della sua casa. I genitori le hanno lasciato carta bianca andandosene al veglione dell'Hotel Cristallo (perché non ci mandano anche la nonna con le sue avemarie?). Sentiamo musica, balliamo, ci guardiamo. A mezzanotte i suoi amici, un gruppetto di Firenze, cantano una canzone con le chitarre. È in quel momento che lei mi si avvicina e mi bacia sulla guancia e mi fa gli auguri prendendomi per mano. I fuochi d'artificio cominciano a crepitare nel cielo. Usciamo di corsa dalla casa tenendoci per mano. Guardo Marisa, ha le guance rosse, i suoi occhi azzurri luccicano ai bagliori della notte. Ho quindici anni e so quel che un uomo deve fare in queste occasioni. Avvicino il viso alla sua guancia e la sfioro con un bacio. Risponde! Risponde! Dalle piste illuminate dalle torce e dai fuochi i maestri di sci scendono a valle, lentamente. È Natale e tutti sembrano felici.

ROMA. I siciliani, i napoletani, gli abruzzesi, i casertani, i sardi, i calabresi, i pugliesi fanno un casino della madonna. Hanno acceso la radio e cantano come indemoniati. Bevono e mangiano, ballano e brindano. Li odio! Li odio! Basta che abbiano da cantare e sono felici! Dio, che strazio! Poi si avvicina alla mia branda un tipo porgendo un bicchiere, dice perché non bevi con noi? È tutto strano, così imprevisto. Mi sembra di non aver aspettato altro. È incredibile come rispondo, un po' intimidito, di sì. Improvvisamente sento caldo e la rabbia tende a sfumare. Non è così male, entro nella festa, prendo a divertirmi e a ridere, scendiamo tutti di corsa nella piazza d'armi e accendiamo un fuoco enorme. Bruciamo tutto quanto troviamo. È come un ammutinamento. Tutti urlano, gridano, corrono nelle cucine in cerca di rifiuti, nelle officine dei camion militari, nell'infermeria. L'ufficiale di picchetto interviene con le guardie, ma è preso anche lui dal vortice del vino e si mette a cantare (è napoletano). È subito una gran festa, una povera festa per ragazzi in divisa.

BERLINO OVEST. Ho continuato a camminare fino a raggiungere Nollendorfplatz. La mia casa non è lontana, ma il pensiero di passare questa mezzanotte da solo mi gela il sangue molto più della temperatura della Prussia. Il traffico si è diradato. Vedo tante sagome che danzano davanti alle finestre accese come tante farfalle. Saranno felici? Anch'io sono stato felice, almeno una volta, a Natale. Era il mio primo amore. Si chiamava... oddio, sono passati tanti anni. Aveva capelli biondo-cenere e stavamo su in montagna. La prima ragazza che ho baciato e non ricordo neppure il suo nome!

Un autobus si arresta davanti alla pensilina. È quasi vuoto. Mi va l'idea di farmi un giro solitario

per Berlino. Se non altro fa meno freddo e potrò
stare seduto. «Buon Natale» mi dice il conducen-
te. È un tipo abbastanza giovane, sui trent'anni.
«Buon Natale» dico io in tedesco. «Sei turco?» fa
lui. Cristo! Sono già tre settimane che passo qui e
parlo ancora come un turco? O è per via del colore
dei miei capelli? Dei miei occhi neri? Gli rispondo
che si sbaglia. Lui ride e mi invita a una festa. Il
tempo di arrivare a Kreuzberg e finire il turno.
«Perché no» faccio io. D'improvviso non mi sento
più in guerra. E so che questo sentimento non ha a
che fare con il Natale, né con il Nord, né con Berlino. È una cosa che riguarda la mia vita e il mio
passato, qualcosa di intimo e delicato che mi fa
star bene, improvvisamente, in quella notte solo su
un autobus, avviato per le strade della metropoli.

GIORGIO VAN STRATEN

I pochi dati a disposizione

Della stanza aveva una visione nebbiosa e incerta, gli oggetti erano sagome sfumate. Teneva gli occhiali in una mano, perché portarli per troppo tempo lo stancava. Del resto, conosceva quella stanza così bene da poterla attraversare a occhi chiusi, e ricordava con precisione ogni particolare. Perché, allora, continuare a guardarla?

Come sempre aveva freddo, nonostante la coperta avvolta intorno alle gambe, nonostante il maglione e la giacca. Ma si era abituato anche a quello, alla sua circolazione lenta, incapace di scaldargli le estremità del corpo.

La luce della finestra ritagliava un corridoio davanti a lui, lo isolava ancor più dalla concretezza dei muri e delle persone, dal mondo distante degli altri.

Ormai non temeva più la solitudine; gli piaceva, anzi, il senso di torpore che lo prendeva quando nessuna parola veniva a disturbarlo. Sapeva, certo, che il silenzio, distraendolo, gli rallentava i pensieri, gli provocava quelle dimenticanze banali che preoccupavano i suoi parenti. Ma quella più che solitudine si chiamava vecchiaia, e il torpore, allora, era un modo di dimenticarla.

Lui, in ogni caso, era affascinato dalla gommosità delle sue giornate, dalla capacità che avevano di dilatarsi e stringersi, dall'assenza dei ritmi precisi che avevano regolato la maggior parte della sua vita. Gli sembrava di ritrovare il tempo lento dell'infanzia, le sue infinite possibilità.

Teneva la testa appoggiata allo schienale della poltrona: una vecchia poltrona imbottita, ricoperta di stoffa a fiori. Con la mano libera sfiorava il bracciolo, sentendo, sotto le dita, la trama ruvida del tessuto.

Dal tavolino accanto lo raggiungeva l'aroma del tè caldo. Quando sua figlia glielo aveva portato pochi minuti prima, lui aveva abbassato le palpebre, e, abbandonato sulla poltrona e con la bocca aperta, aveva finto di dormire, evitando a tutti e due la fatica di una conversazione.

Con la mano saggiò la superficie di legno fino a toccare il bordo del piattino, poi prese la tazza e la portò alle labbra. La mano tremava, come al solito, ma non tanto da impedirgli di bere. Solo qualche goccia sarebbe caduta, lasciando sul golf un vago alone più scuro.

Il tè era tiepido: forse il sonno non era stato solo un riparo, ma lo aveva sorpreso e attanagliato per qualche minuto. Del resto che avesse dormito o meno, non cambiava assolutamente niente.

Sentì bussare. La porta si aprì e qualcuno entrò nella stanza. Decise di non infilarsi gli occhiali.

«Babbo, è arrivato quel signore con cui avevi appuntamento.»

Lui non aveva nessun ricordo di appuntamenti, ma tacque perché il fatto lo imbarazzava. Se sua figlia glielo diceva così, senza incertezze, dovevano averne già parlato fra loro.

«Lo faccio entrare?»

Annuì, si infilò gli occhiali e aspettò.

«Buonasera, dottor Collalti.»

L'uomo era giovane e imbarazzato. Avanzò nella stanza, verso la poltrona, e si fermò esitante di fronte a lui.

«Prego, si sieda.»

L'uomo si sedette, sorrise e si chinò verso la borsa che aveva posato per terra.

«Ho portato le fotografie di cui le ho parlato al telefono.»

Continuava a non ricordare niente. Si sentiva stanco e privo di qualsiasi interesse per le fotografie che l'altro aveva portato, e per ogni fotografia, in generale.

«Non so» disse.

Il giovane parve perplesso.

«Si ricorda? Sono Carlo Falcetti, lavoro all'istituto di storia dell'Università...»

Il corridoio di luce si era affievolito; ora poteva di nuovo vedere la parete di fronte con la precisione fastidiosa che gli occhiali gli consentivano. Si concentrò su una macchia di umido per non ascoltare.

Forse l'altro aveva continuato a parlare, forse no. Comunque ora taceva e lo guardava.

«Allora, queste fotografie?»

Il giovane tornò a chinarsi sulla borsa, e questa volta ne estrasse un album scuro che aprì davanti a sé. Poi, dopo averlo esaminato, glielo porse aperto circa a metà.

«Ecco, vede questa? Io credo che sia lei l'uomo a sinistra. E la donna dovrebbe essere sua moglie. Poi, naturalmente, c'è Mastanti. E gli altri due dovrebbero essere Giovanni Gozzetti e Claudio Pierbeati. Ma purtroppo, come lei sa, sono tutti morti, e io non posso contare che sul suo aiuto per definire con precisione chi era presente a quell'incontro.»

Il giovane parlava agitandosi sulla sedia, piegandosi verso di lui per indicare con il dito la fotografia sull'album. La sua frenesia era insopportabile, e per cercare di ignorarla lui si tolse gli occhiali.

«Si tratta di un momento importante» diceva il giovane «nella storia della...»

«Ma che storia, ma che dice?»

«Mi lasci spiegare. Lei forse sottovaluta l'importanza...»

Era la sua vita quella, giorni appena superati, due o tre angoli prima. I suoi amici e l'inizio di un amore. Che c'entrava la storia?

Avrebbe voluto staccare la fotografia dall'album, cacciar via quel giovane insopportabile, e, nel silenzio, nell'immobilità, ritrovare le parole, i gesti, le abitudini. Quelle di Federico, di Giovanni, di Claudio. Ma sapeva di non avere la forza per farlo.

«Mi scusi, ma sono stanco.»

«Io...» cercò di iniziare il giovane.

Chiuse gli occhi e aspettò.

«Professore... professore...»

Non si mosse. Sentì il giovane avvicinarsi e prendere l'album che era rimasto sulle sue ginocchia. Ascoltò i suoi passi sul pavimento, la porta che si chiudeva. Allora riaprì gli occhi.

La luce della finestra ora era solo un pallone azzurrino che colorava, lieve, il tappeto. Non c'erano oggetti, ma sagome appena accennate e sempre più vaghe. Eppure la fotografia era netta e chiara. E occupava l'intera parete di fronte a lui.

Quando era andato a trovare la vedova Mastanti non sapeva bene cosa stesse cercando. Si era lasciato guidare dall'istinto, dall'ossessione che, suscitata da qualche riga su un libro di storia, aveva a poco a poco dilatato una figura minore fino a farla diventare il tema centrale della sua ricerca.

Cosa l'affascinasse tanto in Federico Mastanti era difficile da dirsi, forse il suo stesso mistero, il suo modo di appartarsi, di non figurare, e insieme la sua amicizia con alcuni degli intellettuali più importanti del suo tempo, la stima che sembrava averlo circondato.

Pochi scritti, poche fotografie, nessun filmato che lo ritraesse: un materiale di ricerca che sembrava provenire dall'800, tanto era esiguo. Alcuni suoi colleghi l'avevano sconsigliato: con tutti gli archivi che esistevano, e i tanti aspetti rilevanti di quel periodo, perché dannarsi l'anima dietro a una pista secondaria e così poco fornita?

Poi aveva saputo della vedova. Una strada classica. Sposata da Mastanti in età avanzata e di molti anni più giovane di lui. Forse custodiva qualcosa del marito, certo nessuno gli aveva mai chiesto niente.

Carlo era andato da lei un pomeriggio di settembre, con un sole caldo che riusciva a penetrare anche attraverso i vetri opachi dell'appartamento.

La signora Mastanti era stata molto gentile, e, preavvertita dalla sua telefonata, gli aveva preparato una stanza piena di libri e fogli.

«Sono felice» gli aveva detto «che qualcuno si occupi di Federico.»

Carlo aveva cercato di orientarsi in quella massa di carta, mentre la signora si teneva da una parte, in silenzio.

«Dovrò tornare varie volte» aveva detto lui, «ci sono molte cose da vedere con attenzione.»

«Certo. Venga quando vuole.»

Poi, mentre prendevano un tè in salotto, e Carlo cercava un modo gentile di congedarsi, la signora aveva aperto il cassetto di un mobile e gli aveva porto un grosso volume scuro.

«Ci sarebbe anche questo.»

Era un album di fotografie. Fotografie familiari, soprattutto, di viaggi e ricorrenze. Carlo stava per richiuderlo quando vide un gruppo di immagini diverse. Riconobbe Gozzetti e si fermò. Sulla pagina dell'album c'era scritta una data: 8 aprile 1978, oltre dieci anni prima di quanto fosse riuscito a risalire con le notizie fino ad allora raccolte.

Alcuni ragazzi che sorridevano, un prato, una casa di campagna sullo sfondo.

«E questa?» chiese.

La signora sorrise.

«Cosa vuole che sappia? Quando è stata scattata io avevo solo tre anni.»

Poi si avvicinò e guardò anche lei.

«C'è anche Collalti» disse, «lui è ancora vivo.»

Per Carlo la storia era un modo di riesumare le persone, di farle tornare a vivere, come soffiare su delle figure di creta e riuscire a farle muovere e parlare. E le fotografie, allora, diventavano il segmento immobile di un film che spettava a lui far ripartire.

Per questo scoprire che uno dei suoi personaggi esisteva ancora per conto suo lo sorprendeva e anche lo infastidiva. Era tutto così lontano che sembrava impossibile trovare ancora chi potesse raccontare i fatti da testimone.

«Ma come è possibile...» gli sfuggì.

«Avrà almeno novant'anni» proseguì la signora, «e da molto tempo non ho saputo più nulla di lui.»

Carlo guardò di nuovo la foto, i volti di quei ragazzi che sorridevano a qualcuno, dietro la macchina fotografica. Sembrava una festa, eppure, anche se erano così giovani e il loro gruppo non aveva ancora un'investitura ufficiale, non poteva essere che si fossero incontrati, proprio loro, senza un motivo, senza che insieme avessero cominciato a discutere.

«Mi potrebbe prestare l'album, solo per pochi giorni?»

Forse, pensò Carlo, esistevano delle macchine del tempo e lui avrebbe potuto utilizzarne una per ritrovarsi in mezzo a quei ragazzi, per ricostruire le frasi che si erano detti, i loro pensieri.

Ma trovare Collalti e convincerlo a riceverlo non era stato facile. La mediazione telefonica della figlia aveva quasi costretto Carlo a rinunciare. Poi, alla fine, l'appuntamento e l'attesa.

Il vecchio l'aveva ricevuto seduto in una poltrona coperta da una stoffa lisa, con in mano una tazza di tè.

«Buonasera, dottor Collalti.»

L'altro non aveva risposto, e Carlo, con un qualche imbarazzo, si era avvicinato.

«Prego, si sieda.»

Aveva una voce fievole, quasi un respiro. Gli occhi acquosi da vecchio lo osservavano da dietro delle lenti spesse.

«Ho portato le fotografie di cui le ho parlato al telefono.»

Collalti non sembrò interessarsi in alcun modo a lui, e Carlo pensò che la sua prima reazione a casa della vedova Mastanti era stata giusta: era lui a dover infondere vita nelle persone, perché quella rimasta dentro gli eventuali sopravvissuti era comunque troppo poca. Il vecchio stava lì, con quell'inutile tazza in mano, senza capire nulla. Carlo aspettò. Gli occhi del vecchio si chiusero e si riaprirono.

«Non so» disse.

Carlo provò a spiegargli, gli ricordò il proprio nome e il motivo della visita, accennò al suo lavoro su Mastanti. Ma Collalti continuava a restare immobile. Poi posò la tazza.

«Allora, queste fotografie?»

Con una nuova speranza, Carlo aprì la cartella, estrasse l'album e lo appoggiò sulle gambe del vecchio. Cercò di fargli comprendere tutta l'importanza che attribuiva a quelle immagini e alle informazioni su di esse.

Collalti in un primo momento sembrò interessarsi alla fotografia, poi guardò di nuovo verso di lui e si tolse gli occhiali. Ma Carlo, ormai, aveva deciso di non mollare.

«Si tratta di un momento importante nella storia...» riprese.

«Ma che storia, ma che dice?»

«Mi lasci spiegare. Lei forse sottovaluta l'importanza...»

Carlo non riuscì a proseguire. Ognuno dovrebbe morire al momento giusto, pensò, e invece Collalti aveva superato il limite.

«Mi scusi, ma sono stanco» disse il vecchio, poi si abbandonò nella poltrona e chiuse gli occhi.

Carlo sperò che li riaprisse come qualche minuto prima, anche se ormai sapeva che quell'uomo perduto non avrebbe potuto essergli di alcun aiuto. Ma Collalti non si mosse.

«Professore... professore...»

Non ebbe risposta. Allora, arreso, abbandonò la stanza.

Quanto tornò dalla vedova per dedicarsi all'esame delle carte, non si ritirò subito nello studio preparato per lui. Accettò l'invito della signora a sederle accanto sul divano ed estrasse l'album dalla cartella.

«È stato da Collalti?»

«Sì, ma senza risultato. La sua testa, ormai» disse toccandosi la tempia, «è completamente vuota.»

Poi aprì l'album e lo posò aperto fra loro due, alla pagina della fotografia dell'8 aprile 1978, come se quell'immagine li riguardasse, anche se ormai era tutto finito da tempo: i vestiti, i gesti, i pensieri. Ma i ragazzi continuavano a sorridere.

Giovanni porta una sedia dalla cucina e la mette sul prato. Controlla che non rimanga troppo inclinata sul terreno irregolare e ci appoggia sopra la macchina fotografica. Guarda nel mirino.

Siamo lì, in fila davanti a lui: Federico, Giovanni, Luisa, Claudio, Stefania e io. Davanti a noi, distesa sul prato, una coperta scozzese.

«Togliete la pistola dalla coperta» ci dice Giovanni.

Claudio ride.

«Ma che ti viene in mente? Non ti far contagiare anche qui da bollettini e comunicati.»

«E poi» dico io, «non eravamo venuti in campagna proprio per non parlare di politica?»

Giovanni non risponde, sposta leggermente la macchina così da non riprendere la coperta, la pistola e forse i nostri piedi.

«Hai paura che chi svilupperà il rotolino ci denunci?» gli chiede, ironico, Federico.

Io, invece, sono d'accordo con Giovanni: non voglio che si veda niente nella foto che non sia la nostra voglia di stare insieme, come se non ci fossero giorni oltre a questo.

Giovanni non risponde, guarda ancora nel mirino. Poi dice:

«Pronti?»

«Certo» risponde Luisa.

Giovanni tocca ancora la macchina e corre verso di noi. La macchina si muove, scivola verso il bordo della sedia, Stefania lancia un grido di avvertimento, la macchina si ferma.

«Allora?» dico, e in quel momento sento lo scatto.

«Chissà che schifo di foto» dice Claudio.

Io mi siedo sulla coperta, prendo in mano la pistola e sparo verso l'alto. Gli schizzi d'acqua, spinti dal vento, mi cadono addosso. Giovanni è tornato accanto alla sedia.

«Non vi preoccupate» dice, «ci ha preso tutti lo stesso.»

«Dipende come» dice Federico.

Li guardo mentre camminano verso la casa, poi mi distendo e osservo i fili dell'erba, sottili e vicini. Sento le loro voci. Sono contento di essere qui, ma ora mi chiedo anche quanto tutto questo possa durare. Il sole sta già calando, il vento è ormai freddo.

«A che stai pensando?»

Stefania è alle mie spalle, non l'ho sentita tornare. Vorrei risponderle che sono innamorato di lei, ma questo mi è venuto in mente ora, vedendola. Allora le dico la verità.

«Pensavo a quando sarò vecchio.»

«Ammesso che tu lo diventi» dice Giovanni che ci sta raggiungendo di corsa.

«Già. Ammesso che lo diventi» mormorò.

«Che hai detto?» chiese sua figlia.

La stanza ora era completamente al buio, e anche la parete di fronte era tornata a essere solo una macchia scura, con gli occhiali o senza, per lui e per gli altri.

«Per favore» disse, «non accendere la luce.»

SANDRO VERONESI

Baci scagliati altrove

Che io sia povero è un fatto ampiamente conosciuto. Quando la mia inclinazione per le lettere mi indusse a dedicare la vita alla poesia, le reazioni di tutti i miei conoscenti convogliarono in un unanime tentativo di dissuasione, e l'arma brandita per scoraggiarmi era sempre la stessa fatidica frase: *carmina non dant panem*. Purtroppo, ogni tentativo che ho compiuto di contraddire i fondamenti di quella frase sciagurata, scrivendo molti versi anche stupendi e cercando di ricavarci di che vivere comodamente, si è rivelato vano.

A più riprese ho reso nota la mia disponibilità a comporre carmi dietro compenso, che celebrassero qualsiasi argomento stesse a cuore ai committenti – la solidità della famiglia, i successi imprenditoriali, la bellezza dei loro yachts – ma ho sempre dovuto constatare che i miei potenziali clienti preferiscono spendere in altro modo il loro denaro superfluo. Prediligono la pittura, la scultura e l'architettura, non pensando che nel breve volgere di qualche secolo i loro ritratti, i loro busti e le loro ville saranno ridotti a poltiglia inespressiva, mentre i miei versi possono tranquillamente conservarsi in eterno, senza spese di restauro o di manutenzione. Nessuno di loro s'è accorto che facendo la mia fortuna di poeta si assicurerebbe l'immortalità. Chi mai rammenterebbe, dopo duemilacinquecento anni, il nome di Timasarco, se Pindaro, uno dei miei maestri, non ne avesse celebrato la vittoria nella quarta *Nemea*?

Così, non ho entrate, e anche quando si riducono drasticamente le uscite, come ho fatto io, la povertà risulta una conseguenza ineluttabile.

Che nessuno dei miei conoscenti sappia bene come io faccia a sostentarmi è cosa altrettanto assodata. Questo enigma ha alimentato numerose dicerie sul mio conto, che dapprincipio io lasciavo circolare per istinto, convinto che a chi non ha nulla le dicerie non possono togliere nulla. In seguito ho cominciato a comprendere che era proprio questo mistero attorno alla mia sopravvivenza, e non la relativa notorietà conquistata con i miei versi, a permettermi di frequentare le mense di nobili famiglie della capitale. Così adesso lascio che vecchie Contesse e giovani Marchese si stupiscano di come io non muoia di fame, e che mi invitino a cena per scoprirne il motivo. In quelle occasioni mi limito ad assecondare la loro curiosità senza mai soddisfarla, citando qua e là nomi di potenti industriali del nord – dolciumi, acciaio, abbigliamento – con i quali lascio dedurre di intrattenere rapporti di intensa e misteriosa amicizia. Tutte persone che conosco realmente – io non mento mai – e che rispetto, ma che della mia sopravvivenza non si stupiscono meno dei miei nobili concittadini.

D'altra parte, la mia approfondita conoscenza

dell'araldica, coltivata negli anni a scopi esclusivamente letterari, ha spinto alcuni a sospettare che io sia un principe; e la tenacia con cui nego le mie labbra a vini che non siano stati conservati in cantine debitamente climatizzate è indice di un'educazione raffinata, incompatibile con la mia apparente indigenza. Inoltre, la mia attività di poeta ravviva gli appetiti in quei banchetti, dove non è ammesso mangiare lentamente e in silenzio, prestando attenzione soltanto alla squisitezza dei cibi, ma è sempre necessaria una giustificazione spirituale da accompagnare al vile esercizio della masticazione.

Così, a sfamarmi è proprio quella nobile gente che mi invita a cena per scoprire come mi sfamo.

A chi mi chiedesse perché questo non avvenga anche in ambienti della borghesia affluente o comunque presso ospiti non muniti di titolo nobiliare, risponderei esattamente come un altro dei miei maestri, Simonide, rispose quasi due millenni e mezzo fa a chi gli domandava come mai i Tessali l'avessero scacciato: «È che non sono abbastanza educati per farsi ingannare da me». E poi io prediligo veramente l'aristocrazia tra le caste, avendo constatato come sia l'unica in cui vi sia ancora distinzione tra gli uomini e gli oggetti.

Ciò detto, mi accingo a scrivere questo racconto, che nessuno mi ha commissionato ed è frutto di un mio spontaneo moto dell'animo, nella fiducia che mi sarà sufficiente contraffare i nomi e firmare con uno pseudonimo perché nessuno dei miei benefattori abbia a riconoscersi nella descrizione che darò di loro. Non sarebbero contenti di scoprire che per anni, con i loro inviti a cena, hanno solo sfamato un affamato, e le conseguenze per il mio stomaco potrebbero farsi funeste.

Per ragioni dunque di stretta sopravvivenza ometterò in questa storia i nomi dei personaggi e dei luoghi, sostituendoli con le consuete lettere dell'alfabeto: esse, in molti casi, risulteranno addirittura di maggiore buon senso dei nomi veri e propri, perché se qualcosa hanno di deplorevole i nobili, questi sono i nomi. Eppure, nonostante la mia mascheratura, sono certo che qualcuno si ostinerà a riconoscere nei fatti che andrò a narrare le tracce di un avvenimento di cronaca che scosse l'ambiente mondano della capitale qualche anno fa: ed è per questo motivo che devo precauzionalmente ricorrere alla formula di rito, secondo la quale "i fatti e i personaggi di questo racconto sono frutto di fantasia, ed ogni riferimento a persone o avvenimenti reali è da considerarsi puramente casuale".

Era uno degli ultimi giorni di Carnevale del..., e l'invito ricevuto per una cena mascherata quella sera presso la Contessa X-Z mi fece svegliare con la rinfrancante consapevolezza di poter contare su un pasto sicuro. Durante tutto l'arco della giornata non avrei dovuto fare sforzi "per fugare la molesta fame del ventre" (Pindaro, *Istmiche* 1-49), e questo andava a indubbio vantaggio del mio lavoro. La cena era offerta in onore del rampollo minore della famiglia, J X-Z, che ritornava quel giorno stesso in licenza dopo mesi di dura Accademia Militare. I rotocalchi, poco prima della sua partenza, si erano avidamente interessati a una sua burrascosa vicenda d'amore con la giovane e capricciosa W K degli Y, i cui esiti, a giudicare da come la Contessa X-Z aveva cominciato a chiamare suo figlio "quel povero ragazzo", non dovevano esser stati felici per lui.

Avevo conosciuto J X-Z quando era ancora nel fantastico reame della prima infanzia. Le vicende della vita mi avevano legato a quel tempo a suo fratello maggiore, H, con cui frequentavo il Liceo Classico A B in piazza Q. Di regola, io gli passavo le versioni di greco e latino ai compiti in classe, e lui si sdebitava invitandomi al pomeriggio nella sua villa, dove una fantastica governante strabica si preoccupava che non me ne andassi mai senza essermi saziato dei suoi manicaretti. Il piccolo J trotterellava per la casa con aria inconsapevole, in attesa che la governante arrivasse coi vassoi della merenda: a quel punto, con la splendida incoscienza dei bambini che a vent'anni finiranno male, si avventava sui bricchi d'argento pieni di cioccolate fumanti, e tentava di trangugiarne il contenuto ignorando gli ammonimenti che io e suo fratello gli davamo, di lasciarlo un poco freddare o perlomeno di soffiarci sopra prima di portarlo alle labbra. Naturalmente, si scottava sempre la bocca. Dopo qualche tempo, quando fu chiaro che J non aveva nessuna intenzione di considerare le precedenti scottature come mere esperienze di cui far tesoro, io cominciai a intravedere nei suoi slanci incontro ai roghi di quelle merende le tracce di un imperativo d'ordine superiore. Come se, semplicemente, di fronte a provocazioni così esplicite alla sua natura golosa, egli non vedesse altra soluzione possibile che avventarglisi sopra. Uno di quegli imperativi che sospingono i grandi uomini davanti ai grandi avvenimenti: la lucidità e la prontezza di chi vede immediatamente l'unica cosa da fare, e per quanto possa essere dolorosa, *la fa*. Queste mie interpretazioni dei suoi continui incidenti di gola mi spinsero presto a nutrire per J un vero affetto fraterno, che cercavo di manifestare non pronunciando mai, come faceva suo fratello, quell'arida frase – "così impari" – ma piuttosto restandogli vicino in silenzio, e abbracciandolo, nei momenti in cui il dolore acutissimo lo costringeva al pianto.

I tempi del liceo finirono, come accade, e le mie visite alla Villa X-Z si diradarono rapidamente, fino a cessare del tutto per una dozzina d'anni. (Si tratta degli anni in cui la mia biografia si fa vaga, durante i quali lascio credere di aver tessuto le misteriose amicizie che mi si attribuiscono.) Infine, un relativo successo della mia seconda raccolta di versi, *S*, mi introdusse di nuovo in quelle stanze, dove la Contessa X-Z era fiera di raccogliere gli intellettuali della capitale. Fu allora che ritornai in contatto con J, divenuto un giovane di rara bellezza e di umori contrastanti. Dalla madre fui messo a parte di alcune sue prodezze compiute su motociclette, automobili sportive e aerei da turismo, e in tutto ciò che compiva, così spericolatamente come mi veniva raccontato, io riconoscevo la stessa arcana natura trascendente che aveva ispirato la sua perseveranza con le bevande bollenti quando era bambino. Il mio affetto per lui crebbe e si fece adulto. Un aneddoto, in particolare, merita a mio avviso risonanza tra tutti coloro che si dedicano a separare il bello dal turpe nell'immenso repertorio delle cose fatte. Una notte, circa un anno prima della partenza di J per l'Accademia Militare, passeggiavo per la nota Via V., dove mi piace andare, di quando in quando, a osservare i personaggi celebri dar spettacolo della propria presenza, e fui sorpreso senza ombrello da un violento rovescio di pioggia. Le mie vesti si inzupparono, Via V. si fece deserta, e guadagnare la mia dimora senza rischiare una polmonite cominciò a diventare un problema serio. Mentre riflettevo sul da farsi sotto la pensilina del Grand Hotel E., trafitto dallo sguardo sprezzante di un anziano inserviente in divisa, una Jaguar accostò al marciapiede vicino a me. Ne uscì, sotto un ombrello, il giovane J X-Z in abito da sera e sciarpa bianca, probabilmente diretto a qualche gala nelle sale dell'albergo. Dopo avermi scorto e salutato, gli fu sufficiente un'occhiata per rendersi conto del mio problema. Non disse nulla, e io lo vidi tornare velocemente verso la macchina parcheggiata. Vidi il cuoio nero delle sue scarpe inglesi corrompersi in una pozzanghera. Vidi il cachemere del suo soprabito strofinare contro la carrozzeria bagnata, e segnarsi di un'obliqua chiazza traslucida. Quando mi fu di nuovo davanti aveva un secondo ombrello in mano. «Non dovresti andare in giro senza ombrello quando minaccia di piovere» mi rimproverò. «Ringrazia il Cielo che io ne avevo un altro.» «No» gli risposi, «io non ringrazio il Cielo che mi piove addosso in questo modo. Io ringrazio te che mi porgi un ombrello.» J tacque un istante, riflettendo. «Già» disse, «è vero. Sono io che devo ringraziare il Cielo di avere due ombrelli.»

Era questo, dunque, il "povero ragazzo" in onore del quale la Contessa X-Z aveva organizzato la cena mascherata. Un uomo che io avrei senz'altro menzionato come esemplare: temprato, o definitivamente spezzato da tre mesi di dura disciplina militare, tornava adesso nell'ambiente che per anni lo aveva indebolito con sfide, oltraggi e amori scellerati, e il suo ritorno valeva bene una festa.

Per tutta la mattina lavorai di buona lena a un sonetto in settenari intitolato "Baci scagliati altrove". Era un componimento su cui mi spremevo da tempo, ma data la naturale affinità del tema con le vicende che avevano fatto di J "quel povero ragazzo", mi ritrovai più volte a disperdere i miei pensieri negli anfratti di quella crudele storia d'amore. Pensai ai passi furtivi di W K degli Y su soffici tappeti di diplomatici americani, al suono sordo delle sue scarpe di pelle lucida che cadevano a terra dal letto inaugurando un ennesimo tradimento, e alle sue chiome incontenibili che avevano dispensato vampate di "Opium" ai cuscini di giovani attori del cinema. Pensai alla lama affilata dei pettegolezzi che aveva tormentato J X-Z. Pensai che certe donne sono capaci di ingannare a lungo il proprio uomo, senza mai abbandonarlo, finché lui potrebbe ancora farsi una ragione della loro scomparsa, ma diventano improvvisamente oneste e lo lasciano quando lui non può più fare a meno di loro. Così era successo al "povero ragazzo", torturato per anni dai tradimenti di W K degli Y, e poi abbandonato a bruciapelo proprio alla vigilia della sua partenza per l'Accademia Militare, dove anche il semplice pensiero di quei tradimenti lo avrebbe consolato molto più dell'arida consapevolezza di averla perduta. E così era successo anche a me, molti anni prima, quando una dolce ragazza di nome F. mi lasciò per legarsi a un giovane industriale del nord – macchine utensili – di cui avrei in seguito pronunciato il celebre cognome per lasciarlo sospettare tra i miei potenti protettori. Le ultime parole che F. mi aveva rivolto erano state "sei la persona migliore che io conosca, mi aspetto grandi cose da te ma amo un altro", e tutto questo all'immediata vigilia della partenza per un convegno dove le mie poesie sarebbero state biasimate perché "prive di contenuto sociale". (Non è difficile indovinare l'epoca di questo avvenimento.) Ricordo con pungente ricchezza di particolari che nel momento peggiore della mia vita, seduto su uno scoglio davanti al mare novembrino del Golfo del Tigullio, lo sguardo gettato al di là dei grigi flutti, le mie poesie strappate sotto i miei occhi, senza avere avuto nessuna possibilità di difesa e senza più soldi per tornare a Roma, in quel momento la ragazza che avrebbe dovuto rappresentare il guard-rail di tutti i miei propositi disfattisti se n'era appena andata con un altro e per sempre.

Faticosamente, dunque, portai a termine una versione di "Baci scagliati altrove" che mi parve buona, ma che gli avvenimenti in procinto di svolgersi sotto i miei occhi mi avrebbero in seguito costretto a modificare, soprattutto nel finale. Conservo ancora quella prima versione, a testimonianza di come si possa tornare ottimisti in amore quando i rovesci sono ormai lontani alle nostre spalle. Verso mezzogiorno mi alzai dal letto, dove solitamente lavoro, e mi diressi all'unica finestra della mia casa. Come al solito, centrato nell'arco di cerchio di un panorama convulso, troneggiava il palazzo M.N.O., sorretto dalla sua ampia scalinata. I miei pensieri scivolarono una volta di più sulla cena di quella sera: si sarebbe trattato come sempre di comportarsi da suppellettile parlante in una grande sala; gli altri ospiti, lussuosamente travestiti, si sarebbero perduti nelle danze; alcune donne attraenti mi avrebbero sorriso; ognuno mi avrebbe accordato una parte del sovrappiù di cui disponeva, e la differenza tra tutto ciò e le mie aspettative giovanili, in fondo, consisteva solo nel fatto che non avrei dovuto guadagnarmelo in nessun modo. Quanto a J X-Z, sarebbe stato certo molto corteggiato, secondo le aspettative materne.

All'incrocio davanti al Palazzo M.N.O., molte macchine si incrociavano. Era un incrocio, ci si incrociava. Il semaforo a quattro tempi comandava con assoluta casualità le coppie di automobili che di volta in volta si trovavano a impegnare contemporaneamente la sede stradale: e una volta chiamata ad attraversarla assieme all'altra che aveva ricevuto lo stesso ordine, nessuna macchina poteva più sfuggire al forzato accoppiamento. Per una decina di minuti constatai che questi accoppiamenti non davano luogo a rapporti che andassero oltre una fugace diffidenza reciproca. D'un tratto, però, questo andamento s'interruppe: una BMW marrone metallizzato, invece di girare verso Corso T. come indicato dal suo lampeggiante, proseguì per affiancarsi a una Giardiniera proveniente da via D.D. Le due vetture sostarono una manciata di secondi al centro dell'incrocio, e io intravidi le sagome dei guidatori protendersi verso i finestrini e accennare una conversazione. Un implacabile unisono di clacson sottolineò subito la non-fattibilità di quella operazione, e le due auto furono costrette a ripartire, facendosi largo a fatica nell'ingorgo che esse stesse avevano provocato. Per un lungo istante temetti che si sarebbero perse. Ma le vidi accostare entrambe sotto la scalinata del Palazzo M.N.O., e fermarsi una dietro l'altra nell'area riservata alla fermata degli autobus. Dalla BMW vidi uscire J X-Z, proprio lui, in perfetta divisa da cadetto.

La coincidenza non mi sorprese più di tanto, poiché ho la pretesa di credere a un certo potere evocatore dei miei pensieri. In un primo momento, anzi, credo di averlo riconosciuto solo perché tutti i pensieri rivolti a lui quella mattina ne avevano resa molto probabile l'entrata in scena. Ma immediatamente dopo, vedendolo incurvarsi sul finestrino della Giardiniera, riconobbi sul serio le sue spalle di giovane assuefatto agli stravizi dopo partite di tennis, le sue mascelle quadrate e i suoi movimenti di ex-bambino che si scottava la lingua con le cioccolate roventi.

Temo che a quel punto anche tutte le mie facoltà evocatrici si siano addizionate alla cieca volontà del traffico mattutino e ai giochi coordinati dei semafori perché al volante della Giardiniera si trovasse proprio W K degli Y. Quando J riuscì a stanarla fuori dall'abitacolo, per riconoscerla io non avevo altro che il ricordo delle copertine di rotocalco sbirciate nelle edicole: ma quella pelliccia chiara debolmente agitata dal vento, la tempesta castana dei capelli lanciati in mille direzioni diverse da qualche folle parrucchiere alla moda, e soprattutto l'infinita delicatezza che notavo nei gesti di J mentre le si rivolgeva, non mi lasciarono margini di dubbio. Era lei, W K degli Y, "un male dalle apparenze attraenti", come Esiodo disse di Pandora.

I due parlavano con molta calma, sovrastati dall'enorme scalinata, come al solito salita e discesa da sconosciuti. Osservandoli, ricordo di avere provato una fuggevole e rara sensazione di appagamento: le figure di quei due ex-amanti di grido, così umane in confronto alle fotografie dei giornali, si stemperarono nell'attesa del fasto che quella sera mi avrebbe contornato, delle antiche argenterie mai riposte e dei costosissimi costumi fasciati attorno ai corpi di altre creature come W K degli Y, capaci di stroncare un uomo esemplare con la forza della propria leggerezza. Su di me si abbatté un fortunale di ritorni, di baci ritrovati dopo tanto tempo, e brindisi a champagne millesimato dentro calici di cristallo, da un capo all'altro della tavola dove un menù mediceo a base di selvaggina cacciata a cavallo attende di essere annaffiato con Nobile di Montepulciano del 1964, fermentato in botti di rovere e ogni cinque anni nuovamente imbottigliato alla presenza di un notaio. Il compendio di tutti questi miei pensieri, mentre i due giovani continuavano quietamente a conversare, fu un ingenuo auspicio risolutore: "loro questa sera tornano insieme, mentre io mangio".

Ma i movimenti del "povero ragazzo" si fecero improvvisamente più bruschi, proprio mentre le ambite membra della ragazza s'irrigidivano dentro la pelliccia, e questo andamento perfettamente antisimmetrico proseguì sotto i miei occhi, finché J X-Z si ritrovò a gesticolare molto poco aristocraticamente nella sua divisa, davanti a una bellezza probabilmente diventata di pietra. Era alterco.

Finché il mare monta, trasformando i propri flutti in onde minacciose, il sinfonico spettacolo del crescendo non lascia spazio all'apprensione del navigatore: solo quando il mare è *montato* il terrore si impossessa di lui. Analogamente, solo quando non ci fu più incremento possibile né al dimenarsi di lui né alla rigidezza di lei io percepii con chiarezza la sensazione di pericolo. Pensai di uscire, così in pigiama com'ero, e di scagliarmi addosso a lei, infastidendola, così da suscitare una loro comune collera riconciliatrice: ma la differenza tra me e J X-Z risiedeva proprio nei tempi di attuazione dei nostri rispettivi propositi. Con la stessa risolutezza con cui lo avevo visto, bambino, afferrare i bricchi e portarli alle labbra, lo vidi volgere le spalle all'amata e raggiungere la BMW con pochi balzi. Ancora una volta, un misterioso imperativo faceva di lui l'uomo esemplare che, mentre gli altri si interrogano su ciò che è da farsi, lo fa. Lo vidi aprire lo sportello e scomparire nella macchina per metà, sfigurato dai riflessi azzurrati del finestrino. Lo vidi ricomparire, dopo una manciata di secondi, con una pistola nera stretta in pugno. (I giornali, mi fu riferito, avrebbero scritto che si trattava della pistola d'ordinanza.) Non ebbi nemmeno il tempo di domandarmi contro chi sarebbe stata puntata, né quello per rendermi conto di quanto una simile domanda sarebbe stata sciocca: usare l'arma contro la ragazza avrebbe potuto essere solo il primo di una interminabile serie di delitti, da consumarsi contro tutte le altre creature come lei, prima di poter dire d'aver raggiunto un esito efficace. J X-Z non si attardò a meditare sugli esiti, era divenuto esito egli stesso. Lo vidi crollare dietro la massa scintillante della sua automobile, in un punto di quel vasto marciapiede che era invisibile dalla mia postazione. Ai miei occhi, semplicemente, scomparve, tramontò come un sole dietro un orizzonte metallizzato. Agli occhi della ragazza, invece, dovette fornire lo spettacolo d'arte varia di un giovane che agonizza sull'asfalto.

Si capisce molto anche di se stessi osservando la posizione in cui un ragazzo è caduto a terra, fulminato da una revolverata che si è inflitto da solo. Passata che fu la frenesia di sirene e lampeggianti uscii di casa, e mi feci largo in uno stuolo di sfaccendati, miei simili, uomini che dubitano e soppesano senza mai agire, mentre gli imperativi contenuti nel presente si disperdono. Contemplai a lungo il disegno a gessetto tracciato vicino a una piccola chiazza di sangue, sul marciapiede: ritraeva una sagoma distesa in posa plastica, con le braccia protese in avanti e leggermente piegate, come di un portiere che tentasse di trattenere una violentissima punizione. Impossibile ignorare che era stato di cattivo esempio spararsi così, per strada, davanti a tutti e sotto gli occhi della donna per cui si sarebbe fatta ogni altra cosa. Ma era ingiusto aspettarsi ancora buoni esempi da un uomo ormai sopraffatto da un irrimediabile disastro. E riflettendo su questo argomento, percepii anch'io un solenne imperativo: di fronte alle dimensioni di quella sciagura sarebbe stato facile abbandonarsi subito al cordoglio per un affetto così definitivamente falciato, ignorando la misera tragedia personale. Ma tra tutte le conseguenze ben più terribili racchiuse nel disegno di quella sagoma bianca, mi sentii obbligato a rintracciare anche la mia cena andata in fumo. Ero un parassita, era sufficiente la tragedia di un altro per farmi saltare la cena. Per la prima volta trovai deplorevole la mia sopravvivenza al di fuori delle regole cui persino J X-Z aveva portato rispetto, e compresi che tutta la povertà di questo mondo non mi avrebbe mai permesso di avvicinare il Cielo quanto il "povero ragazzo" con un gesto da ricco.

Solo dopo questo esame di coscienza mi sentii degno di provare dolore per la perdita di un amico, e di rimpiangere la mia parte di responsabilità nell'accaduto. Osservai il traffico che aveva trasportato i due giovani in quella feroce concomitanza, e non dava segni di pentimento; il semaforo che ne aveva perfezionato l'incontro continuava a lanciare il suo segnale vitreo, intermittente, privo di rimorso; solo io, tra i responsabili di quella tragedia, rimpiansi di avere pensato, di avere scritto, e di avere evocato.

Accanto a J X-Z disegnato per terra nessun altro segno bianco descriveva il periplo della pistola, come non fosse mai esistita. Se era vero quello che avevo sempre letto nei libri polizieschi, devono aver fatto molta fatica per strappargliela di mano, dopo morto.

VALERIA VIGANÒ

Via dalla tv pasticcina

La sveglia era puntata alle sette. Aveva anche squillato ma lei di tanto in tanto apriva già gli occhi. Questa mattina il treno arrivava come ogni domenica alle otto e mezzo, dopo aver sfrecciato un giorno e una notte interi lungo l'Europa.

Aveva alzato le serrande e il cortile grigio, picchiettato di escrementi di piccione, le provocava l'impulso della nausea. La cartellina con i tabulati del lavoro che si era portata a casa era sul comodino. Vi aveva appoggiato volontariamente la tazzina del caffè. Si vestiva al ritmo del martello pneumatico che riduceva a brandelli il sottosuolo e dava il via alla distruzione che precede la costruzione della metropolitana. Oh, era una bella fortuna quella di varcare il portone e incontrare proprio davanti al naso l'insegna rossa della stazione, fra cinque o sei anni il cantiere avrebbe terminato i lavori.

Erano i grandi progetti urbanistici, la edificazione di ponti arditi, di raccordi autostradali, la ristrutturazione delle aree verdi, le spianate per ospitare i grandi parcheggi che preordinavano il tempo, lo ammansivano, davano l'idea che gli anni fossero bazzecole, i giorni emendati dal computo, i minuti inutili insetti di un processo faraonico. La vita di un uomo contava così poco davanti al cemento che sopravviveva, al ferro che si arrugginiva, alla creazione che cresceva di anno in anno con instancabile tenacia. L'unica vendetta, l'unica soddisfazione lei la ricavava dagli stabili interrotti a metà da un'ordinanza di sospensione per abusivismo. Si ricordava del temibile e agghiacciante palazzo a semicerchio che si stagliava nella campagna romana, orrendo alveare, futuro loculario, lui sì riusciva a trasmettere la sosta del tempo, immane rovina dei nostri decenni. Ma ora cosa significava la stazione della metropolitana dal momento in cui lei cessava di pensarsi lì, in quella città, in quell'appartamento? Un altro inquilino avrebbe usufruito, subentrandole, dell'opportunità e del vantaggio di avere il mezzo di trasporto a portata di mano, a portata di altri sensi, svegliati e sollecitati dal passaggio dei treni, che scorrono sotto le fondamenta della casa e la fanno tremare.

Ogni mattina verso le otto, poco prima di esaminare la casella della posta e richiudersi il portone alle spalle, le saliva la stessa rabbia, identica al giorno indietro e portava alle stesse conclusioni e la sacrificava all'impotenza.

Per strada incontrava le stesse persone, ciò che cambiava era l'abbigliamento. Per due o tre mesi le vedeva con il soprabito, poi con il cappotto e la sciarpa, quindi di nuovo con il soprabito e poi con la giacca, di buon taglio o spiegazzata che fosse. D'estate le vedeva soffocare per il caldo malsano, i gas si incollavano alla pelle madida, impregnavano i capelli sudati. Gli aloni sotto le ascelle si allargavano ma il passo rimaneva spedito in ogni condizione atmosferica.

La cartellina era rimasta sul comodino perché lei oggi non andava a lavorare, si dirigeva alla stazione ad aspettare il treno. Qualche volta accadeva anche nei giorni feriali, si dava malata e rientrava in tempo per la visita fiscale che i superiori, sempre più insospettiti, le mandavano regolarmente. Il treno era la malattia.

Poco a poco aveva familiarizzato con il barista e il portabagagli che stava per investirla con il suo veicolo elettrico. E con l'impiegato del servizio informazioni al quale chiedeva conferma dell'orario del suo treno. Non attendeva la locomotiva con i suoi dieci, dodici vagoni carichi di passeggeri di diverse nazionalità anche se il miscuglio di razze e di lineamenti, fogge e ricchezza aveva qualcosa di pittoresco. Aspettava una persona. Fra tutte le volte che si era recata alla stazione ve ne era stata qualcuna in cui aveva creduto di riconoscerlo. In un caso si era allontanata sopraffatta dall'ansia, solo per ritrovarlo poco dopo davanti all'ufficio oggetti smarriti mentre cercava con cocciutaggine il suo cappello perduto. In un'altra occasione aveva osato qualche passo, si era fatta forza e largo per verificare da vicino se fosse il viso che cercava e nello sguardo avrebbe rivisto i panorami che erano scorsi: le pianure popolate di vacche chiazzate del centro Europa, i pascoli di collina ammantati di nebbia, le vie delle città ricostruite e ordinate dove, al semaforo rosso, le automobili si incanalano ubbidienti. Le casette unifamiliari con il prato, soffo cate dai caseggiati di vetro riflettente, e le pensiline della frontiera dove la locomotiva si riposa e le lingue si mescolano. Le divise grigie dei finanzieri le davano un fremito, aveva sempre qualche remora. Temeva di essere scoperta in un atto fraudolento, di non essere in regola, che ci fosse da eccepire sul suo comportamento, che un'inflessione della voce la facesse sospettare. Una volta aveva pensato che, a sua insaputa, la macchina le fosse stata imbottita di droga, panetti di polvere bianca nelle portiere o nel doppio fondo delle sue valigie.

La disturbava non ottemperare alle leggi, non avrebbe mai rubato, non avrebbe mai offeso o fatto del male a chicchessia se non aggredita o minacciata.

Mentre la scala mobile la innalzava al piano dei binari, l'elevazione assumeva un significato ideale e lei percepiva ancora più intensamente di essere integerrima eppure ben distaccata dalla convenzione della conformità. Aveva innato il rispetto delle regole della civiltà perché anche lei potesse vedersi rispettata se non si modellava ai valori comuni. Aspettare il treno era un fermo proposito, in questi termini aveva descritto alla sua amica Claudia la ragionevolezza di un'esaltazione. Non concedeva a nessuno di obiettare sulla sua decisione, era consapevole di certe caratteristiche che la sua attesa possedeva e l'analogia con forme maniacali da manuale. Ma aveva i suoi motivi.

La rottura avviene una settimana prima di aver ricevuto la lettera. Poche righe ben calcate esprimevano il commiato laconico, modesto, cautelativo. Talmente deprimente da non spingerla a rispondere. Cosa può affermare davanti a tanto distacco, a tanta rinuncia? Dato che la lettera non concedeva mezzi termini, lei aveva elaborato nei meandri del cervello una reazione altrettanto priva di realismo, dai contorni nebulosi ma inseguita con la stessa caparbietà dell'addio che le era stato imposto.

Dapprima si era inventata un ritorno accelerato, una telefonata dalla cabina di fronte a casa, di fianco all'ingresso della futura metropolitana e la voce flebile che le annunciava, come l'angelo, la comparsa dell'amato. Poi si era accorta che il ritorno, la sua portata sentimentale necessitano di un corollario, di un protocollo: deve anche lei entrare attivamente nei suoi desideri, modificare gli elementi, mettere in gioco le sue certezze per spingere inconsciamente un mutamento, per invogliare, con il suo indefesso esempio, l'altro a operare quel passo. Tutto ciò avveniva sul terreno della persuasione telepatica e lei si figurava che la rinuncia al lavoro al terminale dati, l'ostinazione dell'attesa notturna e diurna e la volontà di riavere un sentimento altrui, potessero imprimere una svolta decisiva ai tentennamenti di chi l'aveva abbandonata. Non importava poi molto che non comunicassero da mesi, che nella realtà le loro vite oltre che separate sono, l'una per l'altro, materia ignota. Lei proseguiva l'amore che tra loro c'era stato solo con il suo pensiero elucubrante che valicava i chilometri che la dividevano da lui, luminoso come un laser, più tenace dei fragili cavi telefonici. Non ci sono fulmini che bastavano a interromperlo, né la neve che sommerge i pali, né le mareggiate che li svellono. Nemmeno la incapacità umana, gli impicci dei raccordi telefonici possono intaccare o far saltare la corrispondenza delle affinità e della dedizione.

Sorseggiava il cappuccino al bar, si faceva rincuorare dalla mistura sormontata di schiuma, i gradi, all'interno della stazione, non superavano lo zero. Il sole filtrava dai vetri mancanti nel tetto, i suoi fendenti ocra scaldavano i muri, le gambe velate del collant del cartellone pubblicitario sotto l'enorme orologio. Nei vasi rettangolari e nelle aiuole in cima ai binari i fiori ripiegavano i petali gelati.

Nonostante la reiterazione dei gesti, la sveglia, il passo lento per arrivare in tempo alla stazione, l'inganno dei minuti all'annuncio del treno, la tensione in vista dell'arrivo la attanagliava. Le si accavallavano i battiti cardiaci e lei si doveva avvertire di respirare, si dava dei colpetti al petto per non cadere in apnea.

Eccola la locomotiva, aveva la forma filante e snella che era raffigurata sulle copertine dei quaderni delle sue elementari. Disegni futuribili e lungimiranti perché proprio così si sarebbe espresso il futuro, ora dipanato nel presente. E i treni disegnati sfioravano l'acciaio delle rotaie senza sferragliare e anche gli aerei abbandonavano le eliche e le ciminiere delle centrali d'energia e degli stabilimenti di un radioso avvenire si elevavano sempre di più per lasciare scie di scarico più in alto delle narici umane per meglio disperderle nel cielo, dimenticando che il cielo non è tanto intoccabile, che come sopra le nostre teste, così sfiora le punte dei nostri piedi.

Sotto il cartello numero quattordici, parenti, amici, familiari, innamorati, in piedi, le mani sulla borsetta o congiunte dietro la schiena, attendevano con lei. Lo stridore del freno azionato dal macchinista era il segnale. Dalle porte dei vagoni che si spalancavano quasi contemporaneamente cominciava la lunga sequela dei viaggiatori. I portabagagli che avevano circondato il treno caricavano le valigie, mescolati ai passeggeri. Tutti si muovevano verso di lei. Cosa distingueva? Un paio di occhiali, dei nasi, una camminata zoppicante. Non un indizio, non un bagliore che dia conferma alla sua caparbietà, che renda l'attesa un processo concluso, che le faccia svuotare la linfa che lo alimenta, la goffaggine che le dà corpo.

Dopo qualche minuto, come tutte le altre mattine, lei osserva il binario svuotato. Le porte sono richiuse da un ferroviere che lei segue fino alla coda, all'ultima carrozza dove i fanali rossi sono spenti. Il treno è una carcassa, un contenitore nel quale non è rimasto nulla, come un barattolo nel quale si fruga alla ricerca di un'ultima leccornia e non si pescano che briciole polverizzate. Lei scende dalla banchina e fra i ciotoli prosegue lungo il binario. Arriva in prossimità di un posto scambio, una torretta in muratura i cui vetri sono attraversati dalla luce azzurra del mattino.

Quando un addetto finalmente la fermerà rincorrendola e strattonandola per un braccio, lei ha già deciso. L'addetto le domanderà come mai è lì, la redarguirà, il luogo è pericoloso, i treni hanno già preso velocità, rischia la vita. La condurrà indietro continuando a parlarle, fino all'ufficio del superiore e qui, dopo molte raccomandazioni, la lascerà senza averle prima dato un'ultima occhiata preoccupata. Lei scenderà la scala mobile e vedrà la donna sulla panchina di marmo, dormire sopra un telo di plastica, coperta da un sacco di juta. I capelli arruffati e spettinati da un tempo immemorabile sono stoppa pronta per un acciarino. Tra le sporte colme di scarti e cianfrusaglie utili alla vagabondaggine, vi è un libro, anzi avvicinata dalla scala mobile, precisa "è un quaderno". Vorrebbe leggerlo, rubarglielo, sapere cosa vi è dietro a tante rinunce, tante durezze, tanta fatica. La donna è sveglia, gli occhi allampanati, le fa un cenno. Lei le volge la nuca, non rispondere al segno d'invito, si dice, perché lo farebbe subito, di portarla via da lì. No, non per soccorrerla, accudirla, trovarle un rifugio e un conforto, l'agio del calore, della pazienza, della pulizia. Ma per andare via con lei, usare i tabulati per ripararsi dal freddo della notte, forse non sarebbero buoni nemmeno per quello scopo, da che cosa l'hanno mai riparata? Via dal profumo delle sue colleghe, stomachevole, e dall'odore acre degli uomini sotto un altro profumo stucchevole, via dal giuggiolare della soneria, dal sibilo dell'ascensore, dal cicaleccio delle telescriventi, dai bip, perché altro non sono, dei computer. Via dalla sua casa vuota, dalla televisione "pasticcina" come l'aveva chiamata, quella che prevale ora, rassicurante come melassa, effimera come la lotteria a cui si ispira, piena di teste cotonate e buffonate atte a coccolare la gente, a raddolcirla, a riempirla fino al rigurgito, come un pasticcino appunto, ben confezionato con all'interno un premio che invoglia a ingoiarne altri. E nutrendosi solo di quello, ammalare il sangue, finire all'ospedale e morirne. (Prima o poi accadrà.) Via dal matrimonio concluso male, dalle paroline, dalle parolone, dalle infinite speranze e promesse, via dal treno, da chi non arriva. Via dall'imbambolamento, se si deve rimbecillire che sia lei a sceglierlo in un modo suo, con i capelli stopposi e non cotonati, a onde, in un biondo più finto della saggina. La scala mobile scompare all'ultimo gradino, quello sul quale poggia i piedi. Si decide a guardare.

Il gradone di marmo, l'ansa al piano intermedio della stazione era liscio di venature. Niente, neppure un pezzo di cartone, un guanto tagliato, un rifiuto indicava che la donna aveva dormito lì, si era destata e aveva incontrato il suo sguardo. Aveva raccolto le sue cose velocemente per abitudine ed era scomparsa.

Con il treno lui non sarebbe mai arrivato. Nel centro dell'Europa era restata la presenza che lei attendeva. Ogni domenica sarebbe tornata come una giocatrice incallita, una scommettitrice che puntava tutto sull'indomabilità del suo amore. Ora l'attendeva, al rientro, la sua casa vuota e la cartellina dei tabulati macchiata di caffè. Se avesse dato loro una controllata quel pomeriggio, anche se era domenica, si sarebbe portata avanti con il lavoro, non avrebbe avuto l'obbligo di uno straordinario, la necessità di ammuffire anche la sera nel suo asettico ufficio, insieme a colleghi che l'avevano già irritata durante un'intera giornata.

Non è ancora abbastanza stanca della sua stanchezza. Ma verrà un giorno.

Note biografiche

EDOARDO ALBINATI è nato a Roma nel 1956. Ha pubblicato Arabeschi della vita morale (Longanesi, 1988), Il polacco lavatore di vetri (Longanesi, 1989), Elegie e proverbi (Mondadori, 1989), La comunione dei beni (Giunti, 1995). Attualmente lavora come insegnante nel carcere di Rebibbia. Nel 1996 pubblicherà Orti di guerra.

LUCIANO ALLAMPRESE è nato nel 1954. Dopo aver svolto attività didattica e di ricerca in università spagnole e latino-americane, attualmente lavora come lettore all'Università di Valencia. Ha pubblicato saggi e racconti su riviste letterarie («Nuovi Argomenti», «Paragone», ecc.) e ha scritto il romanzo Strane conversazioni con le donne (Mondadori, 1989).

BRUNO ARPAIA è nato a Ottaviano (Napoli) nel 1957. Traduttore ed esperto di letteratura latino-americana, è giornalista a «La Repubblica». Suoi racconti sono apparsi su «Linea d'ombra». Ha pubblicato il romanzo I forestieri (Leonardo Editore), con il quale ha vinto il premio Bagutta Opera Prima 1990 e Il futuro in punta di piedi (Donzelli 1994).

MARCO BACCI è nato a Milano nel 1954. Ha pubblicato i romanzi Il pattinatore (Mondadori, 1986), Il settimo cielo (Rizzoli, 1988), Il bianco perfetto della neve (Leonardo Editore, 1991) e La fidanzata cinese (Leonardo Editore, 1992).

PINO CACUCCI è nato ad Alessandria nel 1955, è cresciuto in Liguria, risiede a Bologna e trascorre lunghi periodi in Messico, dove ha vissuto buona parte degli anni '80. Ha pubblicato, per gli Oscar Mondadori, Outland Rock (1988), Punti di fuga (1988) e Puerto Escondido (1990), da cui Gabriele Salvatores ha tratto l'omonimo film. Anche il romanzo breve San Isidro Futból (Granata Press, 1991) è diventato un film (Viva San Isidro). È inoltre autore di Tina (Tea Longanesi, 1991), biografia di Tina Modotti; La polvere del Messico (Mondadori, 1992); Jim (Granata Press, 1991), omaggio narrativo a Jim Morrison; Forfora (Granata Press, 1993), racconti; In ogni caso nessun rimorso (Longanesi, 1994), romanzo sulla Banda Bonnot all'inizio del secolo. Entro il 1996 pubblicherà Camminando (Feltrinelli). È traduttore dallo spagnolo, ha scritto sceneggiature per il cinema e collabora a vari giornali e riviste.

GAETANO CAPPELLI è nato a Potenza nel 1954. Ha pubblicato i romanzi Floppy disk (Marsilio, 1988, Premio Basilicata), Febbre (Mondadori, 1989) e Volare basso (Frassinelli, 1994); due libri di racconti, Mestieri sentimentali (Frassinelli, 1991) e Errori (Mondadori, 1996); un romanzo per ragazzi dal titolo I due fratelli (De Agostini, 1993).

PAOLA CAPRIOLO è nata a Milano nel 1962. Dopo aver esordito nel 1988 con la raccolta di racconti La grande Eulalia (Feltrinelli, Premio Giuseppe Berto 1988), ha pubblicato i romanzi Il nocchiero (Feltrinelli, 1989, Premio Selezione Campiello 1989, Premio Rapallo 1990), Il doppio regno (Bompiani, 1991, Premio Grinzane Cavour 1992), Vissi d'amore (Bompiani, 1992), La spettatrice (Bompiani, 1995, Premio speciale della giuria Rapallo-Carige 1995) e Un uomo di carattere (Bompiani, 1996), oltre alla raccolta di fiabe La ragazza dalla stella d'oro (Einaudi, 1991). Svolge attività di traduttrice, specie dal tedesco: ha tradotto La morte a Venezia di Thomas Mann (1991) e Romeo e Giulietta al villaggio di Gottfried Keller per la collana einaudiana "Scrittori tradotti da scrittori", I dolori del giovane Werther (1993) e Le affinità elettive (1995) di Goethe rispettivamente per Feltrinelli e Marsilio. Collabora inoltre alle pagine culturali del «Corriere della Sera» e ad altri giornali. Sue opere sono state tradotte o in corso di traduzione in Danimarca, Francia, Germania, Giappone, Gran Bretagna, Grecia, Olanda, Portogallo, Spagna e Svezia. Nel 1991 a Monaco di Baviera le è stato conferito il Förderpreis dei Bertelsmann Buchclubs.

ERRI DE LUCA è nato a Napoli nel 1950. Ha pubblicato Non ora, non qui (Feltrinelli, 1989), Una nuvola come tappeto (Feltrinelli, 1991), Aceto, arcobaleno (Feltrinelli, 1992), I colpi dei sensi (Fahrenheit, 1993), In alto a sinistra (Feltrinelli, 1994), Prove di risposta (Nuova Cultura, 1994), Pianoterra (Quodlibet, 1995). Ha tradotto Esodo/Nomi (Feltrinelli, 1994) e Giona/Ionà (Feltrinelli, 1995).

LUCA DONINELLI è nato a Leno, in provincia di Brescia, nel 1956. Laureato in filosofia, ha fatto il giornalista, poi l'insegnante. Ora collabora con una nota casa editrice. È sposato e ha due bambini. Ha pubblicato i seguenti libri: Intorno a una lettera di S. Caterina (Rizzoli, 1981), I due fratelli (Rizzoli, 1990), La revoca (Garzanti, 1992, Premio Napoli, Premio Selezione Campiello, Premio Città di Catanzaro), Conversazioni con Testori

(Guanda, 1993), il libro per bambini Le avventure di Annibale Zumpapà (Vallardi, 1994), Le decorose memorie (Garzanti, 1994, Premio Supergrinzane Cavour 1995, Premio Stefanelli, Premio Il Ceppo 1996), Baedeker Inferno (Nuova Compagnia Editrice, 1995), La verità futile (Garzanti, 1995). Ha scritto anche alcuni testi di teatro per bambini.

MARIO FORTUNATO è nato nel 1958 in Calabria. Ha pubblicato il volume di poesie La casa del corpo (Shakespeare & Co., 1986), i racconti Luoghi naturali (Einaudi, 1988), il romanzo Il primo cielo (Einaudi, 1990) e, insieme a Salah Methnani, il racconto-testimonianza Immigrato (Theoria, 1990). Sono seguiti Sangue (Einaudi, 1992) e Passaggi e Paesaggi (Theoria, 1993). Ha curato, inoltre, la traduzione italiana di Pane nudo di Mohamed Choukri (Theoria, 1989). Vive e lavora a Roma.

MARCO LODOLI è nato a Roma, dove risiede, nel 1956. Ha pubblicato Diario di un millennio che fugge (Theoria, 1986), con Silvia Bré Snack Bar Budapest (Bompiani 1987), un volume di poesie dal titolo Ponte Milvio (Rotundo, 1988), Il grande raccordo (Bompiani, 1989), I fannulloni (Einaudi, 1990), Crampi (Einaudi, 1992), Grande Circo Invalido (Einaudi, 1993) e Cani e lupi (Einaudi, 1995). Insegna in un istituto professionale.

GIANFRANCO MANFREDI è nato a Senigallia nel 1948 e vive a Milano dall'età di otto anni. Laureato in filosofia, nel 1978 ha pubblicatio il saggio L'amore e gli amori di Jean-Jacques Rousseau (Mazzotta). Dopo essersi fatto conoscere come cantante e autore di canzoni, ha pubblicato il suo primo romanzo, Magia rossa, nel 1983 (Feltrinelli). Successivamente, sempre da Feltrinelli, sono usciti Cromantica (1985), Ultimi vampiri (1987) e Trainspotter (1989). Nel 1992 ha pubblicato Il Peggio Deve Venire (Mondadori) e nel 1993 La fuga del cavallo morto (Anabasi). È autore di numerose sceneggiature cinematografiche, televisive e per fumetti.

MICHELE MARI è nato a Milano nel 1955. Le sue opere narrative sono Di bestia in bestia (Longanesi, 1989, Premio Giuseppe Berto), Io venìa pien d'angoscia a rimirarti (Longanesi, 1990, Premio Selezione Campiello e Premio Bergamo), La stiva e l'abisso (Bompiani, 1992), Euridice aveva un cane (Bompiani, 1993, Premio Settembrini), Filologia dell'anfibio (Bompiani, 1995). Ha pubblicato diversi saggi sulla letteratura italiana dal '500 al '900. Insegna Letteratura italiana all'Università degli Studi di Milano. Collabora al «Corriere della Sera».

ENRICO PALANDRI è nato nel 1956 a Venezia. Figlio di un ufficiale, è cresciuto a Roma, Trento, Venezia. Ha studiato al DAMS di Bologna, tra gli altri con Gianni Celati. Del 1979 è Boccalone, pubblicato da «L'erba voglio» di Elvio Facchinelli. Dopo un anno passato a Roma, il cui più bel ricordo è l'amicizia con Elsa Morante, si è trasferito a Londra, dove vive prevalentemente ancora oggi. Nel 1986 ha pubblicato Le pietre e il sole (Garzanti). Nel 1989 una ristampa di Boccalone è apparsa negli economici Feltrinelli con una nuova postfazione dell'autore. Del 1990 è La via del ritorno (Bompiani) e del 1993 Allegro fantastico (Bompiani). Collabora irregolarmente con diversi giornali e riviste italiane. Suoi racconti sono apparsi su «Il Manifesto» (Narratori delle riserve), «Panta» e nel volume Canzoni (Leonardo Editore).

MARCO PAPA è nato a Roma nel 1955. Ha pubblicato: Le birre sonnambule (Aelia Laelia, 1986), Animalario (Theoria, 1987), La guerra (con disegni di Antonio Capaccio, Empiria, 1989) e Le nozze (Theoria, 1990). Nel 1992 è apparso il suo primo libro di poesie: La pazienza (Empiria).

GIOVANNI PASCUTTO è nato a Pordenone nel 1948. Ha pubblicato: Milite ignoto (Marsilio, 1974), La famiglia è sacra (1976), Nessuna pietà per Giuseppe (1978), L'amico Fritz (1979), Tre locali più servizi (1980), Strana la vita (1985), I colori dell'acqua (1988) e Veramente non mi chiamo Silvia (Marsilio, 1993).

CLAUDIO PIERSANTI è nato a Canzano (Teramo) nel 1954. Ha pubblicato tre romanzi: Casa di nessuno (Feltrinelli, 1981; Sestante, 1993), Charles (Il lavoro editoriale, 1986; Transeuropa, 1989), Gli sguardi cattivi della gente (Feltrinelli, 1992). Nel 1989 è uscita la sua raccolta di racconti L'amore degli adulti (Feltrinelli).

ELISABETTA RASY è nata nel 1947. Ha vissuto a Napoli e a Roma. Nel 1978 ha pubblicato il saggio La lingua della nutrice (Edizioni delle donne). Nel 1985 è uscito il romanzo La prima estasi (Mondadori); sono seguiti Il finale della battaglia (Feltrinelli, 1988), L'altra amante (Garzanti, 1990), il libro di racconti Mezzi di trasporto (Garzanti, 1993) e Ritratti di signora (Rizzoli, 1995). Si è occupata di critica d'arte ed è autrice di saggi e racconti apparsi su numerose riviste. Vive e lavora a Roma.

SUSANNA TAMARO è nata a Trieste nel 1957. Nel 1976 si trasferisce a Roma per frequentare il Centro Sperimentale di Cinematografia, dove si diploma, due anni dopo, in regia. Per dieci anni lavora alla televisione realizzando documentari di argomento scientifico. Nel 1988 pubblica il suo primo romanzo, La testa tra le nuvole (Marsilio), che viene tradotto in tedesco. Seguono il libro di racconti Per voce sola (Marsilio, 1990) e i libri per bambini Cuore di ciccia (Mondadori, 1992) e Il cerchio magico (Mondadori, 1994). Nel 1994 pubblica Va' dove ti porta il cuore (Baldini e Castoldi), che diventa un successo mondiale e da cui, nel 1996, è stato tratto un film per la regia di Cristina Comencini.

ALESSANDRO TAMBURINI è nato nel 1954 da una famiglia di musicisti. Ha pubblicato le raccolte di racconti Ultima sera dell'anno (Il lavoro editoriale, 1988), Nel nostro primo mondo (Marsilio, 1990), La porta è aperta (Marsilio, 1994) e il romanzo Le luci del treno (Marsilio, 1992). È autore di soggetti e sceneggiature televisive e cinematografiche. Dopo aver abitato in diverse città, da alcuni anni vive e lavora a Trento.

PIER VITTORIO TONDELLI è nato nel 1955, è morto nel 1991. Ha esordito nel 1980 con Altri libertini, cui hanno fatto seguito i romanzi Pao Pao (1982) e Rimini (1985). Nel 1986 ha pubblicato Biglietti agli amici e ha curato i volumi antologici del "Progetto Under 25", dedicato alla scrittura giovanile (Transeuropa). Del 1989 è il romanzo Camere separate e del 1990 Un weekend postmoderno. Sono stati pubblicati postumi L'abbandono (1993) e la pièce teatrale Dinner party (1995).

GIORGIO VAN STRATEN è nato nel 1955 a Firenze, dove vive e lavora. Ha pubblicato i romanzi Generazione (Garzanti, 1987), Ritmi per il nostro ballo (Marsilio, 1992) e Corruzione (Giunti, 1995), oltre alla raccolta di racconti Hai sbagliato foresta (Garzanti, 1989). È collaboratore de «L'Unità» e redattore di «Nuovi Argomenti».

SANDRO VERONESI è nato a Firenze nel 1959. Ha pubblicato i romanzi Per dove parte questo treno allegro

(Theoria, 1988; Bompiani, 1991), Gli sfiorati (Mondadori, 1990), Venite Venite B-52 (Feltrinelli, 1995); le raccolte di reportage Cronache Italiane (Mondadori, 1992) e Live (Bompiani, 1996); il libro-inchiesta sulla pena di morte nel mondo Occhio per occhio (Mondadori, 1992). Collabora a «L'Unità».

VALERIA VIGANÒ è nata nel 1955 a Milano e vive a Roma. Ha pubblicato il libro di racconti Il tennis nel bosco (Theoria, 1989) e il romanzo Prove di vite separate (Rizzoli, 1992). Nel 1995 ha scritto L'ora preferita della sera (Feltrinelli, 1995) e il radiodramma Il buio innaturale, prodotto da RadioTre. Ha tradotto per le migliori case editrici italiane numerosi saggi, libri di narrativa di letteratura inglese, americana e francese e testi di teatro. Ha curato il libro della trasmissione televisiva Avanzi (Mondadori). Suoi racconti sono usciti in antologie di narrativa italiana e su «Panta». Nel 1990 ha vinto il premio per il miglior racconto sportivo dell'anno. Ha collaborato con RadioTre e «Il Manifesto». Da tre anni scrive su «L'Unità».

INDICE

41484
1996